民法学说与判例研究

第二册

王泽鉴民商法学研究著作系列

第二册

民法学说与判例研究

【修订版】

王泽鉴 著

中国政法大学出版社

作者简介

王泽鉴 台湾著名民法学家，1938年出生于台北，毕业于台湾大学法律系，获德国慕尼黑大学法学博士。曾担任德国柏林自由大学访问教授，并在英国剑桥大学、伦敦大学政经学院、澳洲墨尔本大学从事研究工作。现任台湾大学法律系教授。

序 言

拙著民法学说与判例研究等书于一九九七年由中国政法大学出版社发行简体字版，承蒙读者爱护及指教，谨致诚挚谢意。兹再全面校正，调整字体，改版重印，期能更臻完善，俾便使用收藏，敬请惠赐教正，无任感荷。

台湾民法系于一九二九年制定于中国大陆，以德国民法为蓝本，兼采瑞士及日本立法例，自一九四六年适用于台湾，迄今已超过半个世纪，为社会经济发展提供了一个具有效率、稳定的私法秩序。拙著诸书旨在分析讨论民法典社会变迁，理论与实务的互动协力关系。其所致力者，系运用法学方法，就具体个案，从事较深刻的研究，阐释民法的解释适用，综合学说与判例，尝试以较严谨的论证及说理，建构民法的基本概念，理论体系及指导原则。期望此次更新再版，能够使本书继续参与中国民法学的进步和发展。

王泽鉴
二〇〇四年十月四日

目　　录

比较法与法律之解释适用 ………………………………（1）
契约关系对第三人之保护效力 …………………………（28）
悬赏广告法律性质之再检讨 ……………………………（49）
无因管理制度基本体系之再构成 ………………………（64）
无权处分与不当得利 ……………………………………（91）
赌债与不法原因给付 ……………………………………（103）
侵权行为法之危机及其发展趋势 ………………………（123）
违反保护他人法律之侵权责任 …………………………（155）
意思表示之诈欺与侵权行为 ……………………………（176）
盗赃之牙保、故买与共同侵权行为 ……………………（188）
雇主未为受雇人办理加入劳工保险之民事责任 ………（200）
慰抚金 ……………………………………………………（211）
干扰婚姻关系与非财产上损害赔偿 ……………………（240）
地上权之时效取得 ………………………………………（255）
动产担保交易法上登记期间与动产抵押权之存续 ……（261）
断嗣与收养之效力 ………………………………………（273）
英国劳工法之特色、体系及法源理论 …………………（286）

比较法与法律之解释适用

一、序　言

历史法学家有言,法律犹如国语,为民族精神之表现,而生于国民之确信,与一个国家之政治、经济、习俗及伦理等关系至为密切,因此每一个国家之法律均有其固有独特之风格。然法律亦属文化之一部分,各国法律交流,相互影响,实是正常之现象。古罗马于公元前六世纪制定十二铜表法时,曾派遣专使前往希腊,研究梭伦(Solon)法典;欧陆自十五世纪起,在理论及实务上继受罗马法,因而促成十九世纪以来法、奥、德、瑞等国法典化运动;其在中国,由清末季以来,鉴于国势陵夷,深感非变法自强不足以图存,遂毅然果断地决定采取外国最新立法,建立现代法制之基础。诸此均为法制史上法律文化交流显著突出之例。

外国立法例(判例学说),有助于提供解决特定问题之各种可能类型,故各国修订法律之际,常引为参考,此为周知之事实,无待详论。应该特别注意的是,外国立法例对于本国法律之解释适用,亦有重大参考实益,就财产法(尤其是契约法、商事法)而言,因其具有国际性,固无疑问,甚至像亲属法具有浓厚固有传统之性质者,亦不例外。关于此点,恩师戴炎辉教授,曾作如下原则性之说明:

"现行民法固曾保存其传统,惟因社会生活已经改变,故又采用外国尤其是欧洲大陆法系之思想及其立法技术。然其条文常尚有欠明了之处，而现今社会环境又与立法当时已有相当距离，故本书常用比较法制之方法，藉以阐明法文之本义，并求其能适应时代之潮流。"[1]

诚如戴炎辉教授所言，外国立法例对于阐明本国法律本义及适应时代潮流，至有助益。然则，外国立法例在本国法律适用上，究竟居于何种地位？适用外国立法例之法律依据何在？关于法制之比较研究，在台湾学说上向采英美法上之概念，称为比较法（Comparative Law），[2] 是则比较法对于法律解释适用又具有何种功能？诸此问题在法学方法论上殊具研究价值。

二、外国立法例在本国（地区）法上适用之地位

一、"最高法院"见解

（一）判决（一九七〇年台上字第一〇〇五号判决）

事实 上诉人任职嘉义初级工业职业学校，配住房屋，为保养改建，装置热水炉、化粪池、马桶、塑胶雨棚及铺设水泥地面、砖砌围墙以及修理洗澡间，共支出新台币五万七千六百九十三元，基于无因管理之法则，请求被上诉人嘉义县政府偿还此项费用及利息。原审维持第一审所为驳回上诉人之诉之判决，其理由为上诉人

---

[1] 戴炎辉：《亲属法》，一九七三年，第七版。
[2] 严格言之，Comparative Law 此项概念，颇为不妥，盖虽有民法（Civil Law）、刑法（Criminal Law），但并无所谓比较法（Comparative Law）也，因此有名之比较法学者 Lee 称之为奇异之用语（The phrase comparative law is a strange one）。参阅 Lee, Comparative Law and Comparative Lawyers, Journal of The S. P. T. L (1963), p. 1. 关于法律之比较研究，德文称为 Rechtsvergleichung（法律之比较），顾名思义，较为妥适。

之使用系争房屋，系使用借贷关系，第四六九条规定，上诉人纵曾开支上述保管费，非因保存占有物所为之必要开支，应无请求被上诉人返还之余地。

判决理由　"最高法院"在其判决理由中表示："关于第一笔五万七千六百九十三元部分（包括砖造围墙），倘确属有益费用，又已因上诉人之增加设施，所借用房屋之价值显然增加，在民法使用借贷一节内，虽无得请求偿还或返还其价值之明文，然依据外国立法例，既不乏得依无因管理或不当得利之法则，请求偿还或返还之规定，则本于诚实信用之原则，似非不可将外国立法例视为法理而适用。原审未见及此，亦未阐明上诉人所请求第一笔款项，是否非属有益费用，竟一并为上诉人败诉之判决，自难以昭折服。上诉论旨，指摘原判决违法声明废弃，关于此部分非无理由。"

（二）基本见解

一九七〇年台上字第一〇〇五号判决所涉及之基本法律问题，系借用人对借用物所支出有益费用是否得请求返还？关于此点，俟于后文再为说明。至就外国立法例在本地区法上之适用地位以言，"最高法院"系采取以下二项见解，拟先予检讨：

其一，外国立法例得视为第一条之法理而适用。

其二，外国立法例之得视为法理而适用，系本于第二一九条所规定之"诚实信用原则。"

二、分析检讨

（一）法理之功能与意义

近代制定民法典时，皆特别强调成文法之重要性及其优先适用地位。然社会事物，变化万端，法律之规定，自难概括无遗。成文法未规定者，虽得适用习惯法，但旧的习惯法不违背公序良俗者，多已纳入法典之中，新的习惯法形成不易，法院既不得以法律未设规定而拒绝审判，则于此情形，究竟依据何者解决争议，不免发生疑问。为此，各国民法多设有特别规定。例如奥地利民法第七条规定："无类推之法规时，应熟思慎虑，依自然法则判断之。"瑞士民法第一条第二项规定："本法未规定者，审判官依习惯，无习惯者，依自居于立法者之地位所应行制定之法规判断之"；第三项规定："于此情形，法院须恪遵稳妥之学说与判例。"

大清民律草案亦酌采外国立法例，于第一条规定："民事，本律所未规定者，依习惯法，无习惯法者，依条理。"[1] 现行民法略作损益，于第一条规定："民事，法律所未规定者，依习惯，无习惯者，依法理。"基于此项立法背景，学者于讨论第一条所称之"法理"时，曾强调"法理"与"条理"，系二个具有不同意义之概念。例如黄右昌谓："法理者，正当之法理也（客观的），条理者，自然之道理也（主观的）"，并认为若不作如此解释，则与现行民法将民律草案之"条理"改为法理之旨趣不合。[2] 此项观点，无论就法律文义、立法资料及法律规范目的而言，均乏依据，似不足采。依本文见解，法理与条理，系指同一事物，实质内容，应无不同。[3]

法理之意义如何，约有四说：有谓事物当然之理（Natur der Sache）；[4] 有谓法律全体精神所生之原理；[5] 有谓法律之原理；[6] 有谓为谋社会共同生活、不可不然之理，即西洋所谓自然

---

[1] 民律草案系清宣统三年（一九一一年）前清修订法律馆稿。关于民律草案第一条，其立法理由为："凡关于民事，应先依法律所规定，民律未规定者，依习惯法，无习惯法者，则依条理断之。条理者，乃推定社交上应之处置。例如：事君以忠，事亲以孝，及一切当然应遵奉者，皆是法律中必规定其先后关系者，以凡属民事，审判官不得藉口于律无明文，将法律关系之争议，拒绝不为判断，故设本条，以为补充民律之助。"

[2] 黄右昌：《民法总则诠解》，一九四六年，第六十四页。

[3] 参阅洪逊欣：《民法总则》，一九七六年（修订初版），第三十一页。

[4] 陈克生：《民法通义》，第十六页及第十七页（参阅胡长清：《民法总论》，第四版，第三十三页，注1）。

[5] 余戟民：《民法总则要论》，第二十九页（参阅胡长清：前揭书，第三十三页，注1）。

[6] 胡长清：前揭书，第三十二页；梅仲协：《民法要义》，第三十三页。

法上之原理。[1]

本文认为第一条所称之法理,应采广义解释,兼括上述诸种意义。理由有二:其一,法律全体精神所生之原理、法律之原理或社会共同生活不可不然之理,其内容范围虽有不同,但均为于法律不备、必须创设新的规范时所应恪遵之原则。其二,关于事物当然之理(Natur der Sache)之意义,虽众说纷纭,[2] 惟诚如德国十九世纪法学家 Dernburg 氏所谓:"生活关系(Lebensverhältnis)依其发展程度之不同,自具有其准则与秩序。此种寓存于事物中之秩序,即系事物之本质(事物当然之理)。实体法不备或不明确时,法律人须返回到此种事物之本质。"[3]

第一条之"法理",与奥地利民法第七条之"自然法则"及瑞士民法第一条之"审判官依自居于立法者之地位所应行制定之法规判断之",其规范功能基本上并无不同,均系授权法院得创造新的规范,以济法律之穷;其概念用语之差异,主要是受当时法学思潮之影响。奥地利民法制定于一八一一年,系最典型自然法法典化之产物,其以"自然法则"作为补充规范,自属当然。瑞士民法制定于一九〇七年,法律实证主义已跨过其鼎盛时期,"法律完备无缺"(Lückenlosigkeit der Rechtsordnung)之信念,几已不复存在,因而特别强调审判官得自居于立法者之地位(Richter als Gesetzgeber),更具有创设性。台湾现行民法不采"自然法则"之概念,舍"条理"而改采"法理",文义清楚,寓意深远,可称至

---

[1] 王伯琦:《民法总则》,第六页。
[2] 对"事物当然之理"(Natur der Sache)之意义,甚有争论,请参阅 Henkel, Einführung in die Rechtsphilosophie, 2. Aufl. 1977, S. 372 – 388,及其所附之资料文献。
[3] Dernburg, Pandekten, Bd. 1, 5. Aufl. 1896, S. 87, "Die Lebensverhältnisse tragen, wenn auch mehr oder weniger entwickelt, ihr Mass und ihre Ordnung in sich. Diese den Dingen innewohende Ordnung nennt man Natur der Sache. Auf sie muss der denkende Jurist zurückgehen, wenn es an einer positiven Norm fehlt oder wenn dieselbe unvollständig oder unklar ist".

当。德国民法第一草案第一条规定:"法律无规定之事项,准用关于类似事项之规定,无类似事项之规定时,适用由法规精神所生之原则。"现行德国民法虽删除此项规定,但判例学说一致认为,就法律未规定事项,无其他规定可类推适用时,须适用一般法律原则(Allgemeine Rechtsprinzipien)及事物当然之理(Natur der Sache),以促进法律之进步(Rechtsfortbildung),[1] 其概念之内涵与台湾现行法上之法理亦属相当。

(二) 外国立法例与法理

一九七〇年台上字第一〇〇五号判决明白表示外国立法例得视为法理而适用。此项见解,实属正确。外国立法例,虽系特定社会为解决特定问题所采取之对策,但其所表现的,亦属一种法律原则。法国学者Salellies认为,比较法(法律之比较研究)旨在探寻发现"droit idéal relatit"(相对自然法)。申言之,固有自然法理论试图从"先验的",以演绎之方法导出"绝对之理想法",而比较法则致力于以归纳之方法,从"经验的",也就是在法制比较的经验上,建立新的自然法。[2] 此种经由法制比较研究所获得之"相对自然法",虽然不能取代永恒自然法之人类理念,但却可采为法理,以补充本国法之不足,改进缺陷。

参酌外国立法例(判例学说)以为本国法律解释之用,乃是文明国家之通例。英国法院最称保守,但早在一八三三年即曾引用法国民法学者Pothiers氏所著之Traité des Obligations作为判决之依据。[3] 德国法学昌盛,世所公认,但其最高法院亦曾参酌外国立法例作为判决依据。瑞士判例学说更明白承认外国立法例(比较

---

[1] 参阅Esser, Grundsatz und Norm in der richterlichen Fortbildung des Privarechts, 2. Aufl. 1964; Dahm, Deutsches Recht, 2. Aufl. 1963, 2. Aufl. S. 48f.; Larenz, Methodenlehre der Rechtswissenschaft, 3. Aufl. 1975, S. 350f.

[2] Salellies, Ecole historique et droit naturael. 引自Zweigert, Rechtsvergleichung als universale Interpretationsmethode, RabelsZ15(1945/50) 19.

[3] C. K. Allen, Law in the Making (Oxford, 1927), p. 152.

法）得作为补充法律不备之辅助手段（Anerkennung der Rechtsvergleichung als Hilfsmittel der Rechtsfindung）。[1]

（三）外国立法例之适用与诚实信用原则

一九七〇年台上字第一〇〇五号判决肯认外国立法例得视为法理而适用，并认为此系"本于诚实信用原则"。此项理由尚有检讨余地。依本文见解，外国立法例之得视为法理而适用，系基于第一条所规定"法理"之规范意义，与第二一九条"诚实信用原则"无关。换言之，将外国立法例视为法理，并非本于"诚实信用原则"。法理者，间接之法源，所以补实体法之不足；诚实信用原则者，实体法上之一项规定，旨在规律权利之行使及义务之履行。二者规范功能不同，不宜混淆。

三、比较法方法论之基本问题

外国立法例（判例学说）得视为法理而适用，以补法律之不足，已详上述。然则，外国立法例之适用，并非简单容易之事。外国立法例如何选定？如何比较？其异同如何分析？在台湾现行法上如何适用？均须藉助比较法之研究，并为比较法学之主要课题。

所谓比较法（comparative law），就是法律之比较研究（Rechtsvergleichung），是研究法律、认识法律之一种方法。法律之比较研究，自古有之，但直至二十世纪初叶，始受广泛重视。第二次世界大战后，国际交往日趋频繁，比较法学发展更为迅速，蔚然成为一门独立之学科，但终因为时尚短，迄未能建立严密之方法论。

---

[1] Meier/Hayoz, in: Berner Kommentar zum schweizerischen Zivilrecht Ⅱ (1962), Art. 1. Anm. 355–389 (166–177).

本文仅提出若干基本问题，以供参考。[1]

一、问题之提出（研究题目之选定）

如何提出比较法上之研究问题，并能期待其将产生良好之研究成绩？关于此点，Zweigert（茨威格特）教授认为 Einfall（灵感）最为重要。[2] 所谓 Einfall，就是一方面能够察觉本国法制之不足，一方面能够意识到外国法律之有所助益。Max Weber 曾谓："灵感来自努力"。[3] Zweigert 氏认为所谓努力，就法律比较研究而言，系指对本国法律具有批评性之通盘认识及经常研读外国法制。

法制比较研究，可分为总体比较（Makrovergleichung）及个体研究（Mikrovergleichung）。[4] 总体研究系以法律体系（Rechtssystem）及法系（Rechtskreis）作为研究对象，其目的在于发现各国法律之基本精神、特色及风格，并建立法系理论；在此方面，以英美法（Common Law）与大陆法（Civil Law）之比较研究最有成绩。最近数年，资本主义法制与社会主义法制之比较，亦渐受重视，亦值吾人注意。个体研究系以个别法律规定或制度作为研究对象，其目的在于发现解决特定问题之法律对策；[5] 在此方面，以 Cause 与 Consideration，Trust 与 Treuhand 之比较研究，最受注意。[6] 总体比较研究有助于认识了解个别法律制度，个别法律制度之比较研究，可作为总体研究之资料及基础，二者相辅相成，不

---

[1] 以下论述，系参考 Zweigert/Kötz, Einführung in die Rechtsvergleichung（《比较法导论》），Bd. I, 1979, 尤其是 S. 12 – 48. 本书体例完备，内容精辟，甚受国际法学界重视，目前已有英、日文译本。
[2] Zweigert/Kötz, S. 29.
[3] "Nur auf dem Boden ganz harter Arbeit bereitet sich normalerweise der Einfall vor". 引自 Zweigert/Kötz, S. 29.
[4] Rheinstein, Einführung in die Rechtsvergleichung, 1974, S. 31f.
[5] 最近文献，参阅 Markesinis, Causase and Consideration in Parallel, 1978 C. L. J. 53 及所附之参考资料。
[6] Kötz, Trust und Treuhand: eine rechtsvergleichende Darstellung des angloamerikanischen trust und funktionsverwandte Institute des deutschen Rechts, 1963.

可偏废。

二、被比较外国法律之选择

（一）法系理论

研究问题决定之后，首要考虑之问题是，应该选择哪些国家之法律作为研究对象。此点涉及到法系理论，宜先行说明。所谓法系理论，不外三个基本问题：其一，各国法律之归类，组成法系，是否可能？其二，归类标准何在？其三，特定国家应归类，属于何种法系。[1] 关于各国法律归类之必要性，众所公认，无待详述。至于归类标准，则学者见解不一，尚无定论。[2]

法国比较法学者 David 氏在其一九五○年出版之 Trité élémenatire de doit civil comparé（《比较民法导论》）中，曾提出二个法系归类标准：一为意识形态（Ideolgie）（宗教、哲学、政治经济及社会结构等）；二为法律之技术。David 氏根据此二项标准，将世界各国法律归纳为五个法系：西方法系，苏俄法系，伊斯兰法系，印度法系及中华法系。其后 David 氏修正其观点，将西方法系分为罗马、日耳曼法系及普通（英美）法系；将伊斯兰法系、印度法系、中华法系及新创之非洲法系概括归类于"宗教与传统法系（droit religieax et tradititsonells）。[3] 最近德国学者 Zweigert 氏在其所著 Einführung in die Rechtsvergleichung（《比较法导论》）一书中，倡导"法律风格"（Rechtsstil）理论，认为每一个国家之法律均有其风格，由五项因素构成之：❶法律之渊源及背景；❷法律思维方法；❸具有代表性之法律制度；❹法源及其解释；❺意识形态。Zweigert 氏根据其所创之法律风格理论，将世界各国法律综合

---

[1] Zweigert/Kötz, S. 67f.

[2] 关于法系理论之基本问题，尚请参阅 Arminjon/Noide/Wolff, Traité de droit civil comparé I（1950），pp. 42 – 53；David, Trate élémentare de droit civil comparé (1950), pp. 222 – 226, 以及 Les grands systémes de droit comtemporains（1966）S. 12 – 18（本书深受国际比较法学界重视，目前有英、德文译本）。

[3] David, p. 226.

归纳为八个法系：罗马法系，德国法系，斯堪的纳维亚法系，普通（英美）法系，社会主义法系，远东法系（中国和日本），伊斯兰法系及印度法系。[1]

世界上法律众多，法系归类，实属不易，难有定论，但有应特别说明者三点：❶中华法系渊源流长，自成风格，向具独特地位。二十世纪以来虽迭遭变革，但其基本价值仍为外国法学家所公认。[2] ❷在西方社会，大陆法系（Civil Law）与英美法系（Common Law）对立并存。前者以罗马法及日耳曼法为基础，重视成文法（法典化），后者以判例为骨干，重视个案推理。二者各具风格，现代各国法律莫不受其影响。❸社会主义国家（例如苏俄、匈牙利等），其法制背景与立法技术，虽与大陆法系有相当密切之关系，但另有其独特之法律观，俨然自成体系，在比较法上亦不宜忽视。

（二）被比较国家法律之选择

外国立法例之选择，理论上应视研究问题之性质及研究目的而定。实际上，则多受客观及主观因素（例如语言及资料）之限制，惟一般言之，应该选择同一法系或相接近法系中具有代表性之法律。台湾现行法律虽自成独立体系，但现行法制系以德国法为蓝本并兼采瑞士立法例（尤其是在民法方面），因此德、瑞两国法制应优先列入研究对象，实属当然。日本民法基本上亦系继受德国法，并受法国法之影响，尚难谓系具有创设性之法律。惟日本法学进步，著作丰富，社会背景与台湾地区亦多相近，其判例学说如何解释适用继受之外国法律，以适应日本社会之需要，最具启示性，[3] 自有比较研究之价值。又法国法与德国法同属大陆法系，一八〇四年制定之法国民法，堪称为划时代之创举，为比利时、卢森堡、南

---

[1] Zweigert/Kötz, S. 67–80, S. 419–427.
[2] 请参阅《戴炎辉先生七秩华诞祝贺论文集》，第一九九页。
[3] 参阅北川善太郎：《日本の法と历史》，昭和43年。

美诸国所继受；法国比较法学者辈出，对比较法学之发展，贡献至巨。台湾关于法国法之论著尚不多见，实有加强研究之必要。[1]

英美法系以判例为基础，其思维方式、概念体系与台湾现行法制殊有不同，但不能据此而否定其在比较研究上之价值。最近学者对英美法上之信托制度（Trust）及产品责任（Products Liability），论著增多，[2] 实为可喜之现象。再者，最近立法亦渐受美国法制影响，一九六三年公布之动产担保交易法，即其著例。为探求立法原意，美国法制之比较研究，实有必要，不容置疑。

最后，应再说明的是，学者征引苏俄民法立法例，取资比较者，亦时有之。苏俄固有法制深受拜占庭（东罗马）法学之影响，与德国法学亦甚有接触，惟自一九一七年十月革命之后，即采取马克思－列宁之唯物法律观，[3] 虽不能因此而否认其与台湾现行法制在比较研究上之价值，但应特别留意其基本思想之不同，自不待言。[4]

三、法源

在大陆法系国家，法律系以法条（Rechtssätze）形态表现，著于法典，援引比较，自称简便，因此容易流为"法条比较"（Paragraphenvergleichung）。为发现"活的法律"（living law），在法律比较上，法源应扩大及于判例学说；如若可能，交易惯例亦应斟酌。

---

[1] 关于法国民法之发展趋势，参阅蓝瀛芳：《法国民法典之修正研究》，一九七八年。
[2] 例如杨崇森："信托之基本观点"，《中兴法学》第八期，第十三页；何孝元："信托法之研究"，《中兴法学》第十期，第一页；周宇："美国法关于制造商对过敏消费者之责任"，《中兴法学》第十三期，第七十五页。
[3] 关于苏俄法制，请参阅 Berman, Justice in the U.S.S.R.：An interpretation of Soviet Law, 1963; Geilke, Einführung in das Sovietrecht, 1966; Genkin/Bratus/Lunz/Nowizke, Sovietisches Zivilrecht, 1953; Hazard, Law and Social Change in U.S.S.R. 1953; Lafave, Law in the Soviet Society, 1965.
[4] 参阅 Jakobs, Zur Methode der Zivilrechtsvergleichung zwischen Rechten aus verschiedenen Gesellschaftsordnungen, OER, 1963, 108; Loeber, Rechtsvergleichung zwischen Ländern mit verschiedenen Wirtschaftsordnung, RabelsZ 26 (1961) 201.

德国比较法权威学者 Rabel 教授曾谓："有法律而无相关判决，犹如仅有骨骼而无肌肉。通说理论系法律之神经。"[1] 判例学说不但补充法律之不足，而且也经常修正变更法律之内容。例如，德国判例学说所设之 culpa in contrahendo（缔约上过失），positive Vertragsverletzung（积极侵害契约）及 Vertrag mit Schutzwirkung für Dritte（附保护第三人作用之契约）三项制度，根本改变了德国之契约法。[2] 又一八〇四年之法国民法关于侵权行为仅设五条规定（该法第一三八二条至第一三八六条），迄今时隔一百七十余年，犹未增订修改，端赖判例学说创设新原则，以适应社会需要。[3] 由是可知，执法律条文而论他国法制（例如德国契约法或法国侵权行为法），不免发生谬误，应特别留意。

四、比较分析

（一）各国报导

在研究问题及被选为比较之国家研究之后，原则上应随之提出各国报导（country report，Länderberichte）。所谓各国报导，就是用各国固有之概念体系叙述各国之法制，内容务求简约确实，应避免陈述自己之意见或作无依据之推论。各国报导不但可以使读者获得关于某国法制之概况，而且可以用为进一步比较研究之基础。

（二）功能性原则

各国报导完成之后，即应从事比较。所谓比较系区辨各国法制之异同及其内在关系。此为比较法之核心，亦为其趣味及困难之所在。关于比较之方法，在某种程度，须依赖研究者个

---

[1] "Ein Gesetz ist ohne die zugehörige Rechtssprechung nur wie ein Skelett ohne Muskel. Und die Nerven sind die herrschenden Lehrmeinungen." Rabel, Aufgabe und Notwendigkeit der Rechtsvergleichung, 1925, S. 4.

[2] 参阅拙著："缔约上之过失"，《民法学说与判例研究》第一册；"契约关系对第三人之保护效力"，《法学丛刊》第八十三期，第二十三页。

[3] 参阅拙著："侵权行为法之危机及其发展趋势"，《中兴法学》第十二期，第一页。

人之学术与经验，惟无论如何，必须确实把握"功能性原则"（Funktionalitätsprinzip）。[1]

法律是一种社会规范，各国法律之概念体系虽有不同，但其基本功能，则无二致，均在衡量利益，判断价值，解决特定社会问题。因此惟有秉"功能性原则"，始能突破各国法律之概念体系，进而探求各国法律为解决特定问题所设之法律规范。各国法律所以能够比较，乃是因为均在解决同一之问题，满足同一之需要。"功能性原则"是法律比较研究之出发点，也是法律比较研究之基础。

（三）概念体系之组成

在比较过程中，常会发现一项事实，即为了能够合理说明研究对象，必须要扬弃各国法律固有之概念体系，以建立跨越各国法律之上位概念体系。关于此点，可举二例说明：

（1）如何区别具有法律拘束力之行为与不具有法律拘束力之行为，系各国契约法上最基本之问题。各国法律处理此项问题之技术，并不一致。一般言之，多规定需要具备特定形式，例如严格之方式、典型化之目的或有偿性；在一个进步之法制，则可能让诸解释。在比较法上，如何创设一个超越大陆法上 Cause 与英美法上 Consideration 二个概念之上位概念，并能区别具有拘束力之法律行为与无拘束力之社交活动，殊有必要。Zweigert 教授认为 Seriositätsindizien（真诚性征凭）此一概念最值采取。[2]

（2）现代社会生活复杂，交易频繁，事必躬亲，殆不可能，常须他人辅助从事一定之工作。若受雇人于执行职务之际，不法侵害他人权利时，雇用人在何种条件下应负损害赔偿责任，亦系各侵权行为法上之基本问题。就概念以言，在台湾称为雇用人侵权责任（第一八八条）；在德国法上称为 Haftung für den Verrichtengehilfen；在英美法上称为 Vicarious Liability。Zweigert 教授认为，为克服各国

---

[1] Rheinstein, S. 25; Zweigert/Kötz, S. 42f.
[2] Zweigert/Kötz. S. 44.

法律概念之歧异,在比较法上应创一个新的概念,称为"Haftung für Leute"(为他人而负责任)。[1]

比较法上概念体系之组成较具弹性,系以法律所要解决之实际问题为对象,期望能够在一个新的观点下,比较分析各国之法律制度。比较法上概念体系之建立,不但对比较法学之发展甚有助益,而且对国际法律之统一,亦将产生重大之贡献。

(四)评价及应用

各国法制经过比较之后,即可发现其异同及内在关系。最后应更进一步就此加以评价。所谓评价,即在权衡各国法律制度之得失利弊,事涉法律政策,见仁见智,或有不同。惟外国立法例或判例学说确具价值者,则在立法或法律解释上,应斟酌援用,以促进本国法律之进步,否则不免遭受"聚石成堆,弃置不用"之讥也。[2]

四、比较法对法律解释适用之功能

一、方法论上之说明

法制比较研究具有多种作用,其主要者有:❶增进认识法律之本质;❷作为本国立法之参考资料;❸促进国际了解及商务交易;❹作为国际法律统一化之基础。然而,本文所欲讨论的是,比较法对法律适用,尤其是在法律解释及填补法律漏洞(Rechtslücke)方面所具之功能。

外国立法例虽得视为法理而适用,但此并非表示任何外国立法例皆得视为法理。在台湾学者的论著中,常可发现二种不同之论

---

[1] Zweigert/Kötz, S. 45.
[2] Ansammlung von Bausteinen auf einem Haufen, auf dem sie ungenutzt liegen bleiben. 此为德国法律哲学家Binder对当时比较法学之批评,参阅Zweigert/Kötz, S. 48.

点。有谓：对此问题，外国立法例设有规定，台湾虽无明文，但应采相同解释；或谓：对此问题，外国立法例虽设有规定，但在台湾并无明文，不得为同一之解释。就形式言，此二项论点，皆有依据，其所以不同者，主要在于适用外国立法例之基本原则。关于此点，特提出二项抽象原则，以供适用外国立法例之参考：❶外国立法例须不与本国社会相违反。[1] ❷外国立法例须能纳入本国现行法律体系之内。

如前所述，一九六三年所公布之动产担保交易法，系继受美国之动产抵押法、统一附条件买卖法及统一信托收据法而制定。因此，学者常径引述美国法上之概念（例如法定所有权或衡平所有权），以解释台湾现行制度。对此，笔者曾提出不同意见，特摘录如下，用供参考：

"关于动产担保交易法立法之得失利弊，在此不拟详论，欲特别说明者，系对其解释适用之原则。按自清末变法以来，民事规章多取法欧陆，经数十年之适用，根基业已建立，其体系概念亦早为吾人所习用，成为吾人法律生活之一部分。民事立法于英美法制虽亦间有采用，但多属个别规定，初无关宏旨。动产担保交易法独为例外，此为重大变革，实值密切注意。立法者所以舍欧陆而就英美，盖欧陆（尤其德国）关于动产担保交易之法律，多散见于判例学说，迄未制成法律，参考非易，当为原因之一，但与美国关系密切，交易频繁，法规受其影响，毋宁为必然趋势。此种现象自比较法及法社会学观点言之，实饶趣味。就法律解释学以言，条文之疑义，固应比较参考美国动产抵押法等相关法规，藉以阐明真义，弥补其缺漏。惟不可拘泥于英美法上之概念用语，切不可以美国法有某项规定，或某种学说，或某类判决，而在适用之际，必辗转解释，强其必同。反之，应经由解释之途径，将英美法之概念用语，纳入吾既有之法律体系，使之与现行法之概念用语相契合。盖法律

---

[1] 黄右昌：前揭书，第六十五页。

为一有机体,部分应与整体调和,始能实现其规范之功能。台湾现行法制继受外国立法例者甚多,并有与日俱增之势,若个别法规之基本概念,皆因循其所继受国家之法律理论,而不设法使之与整个体系相配合,融为一体,则法律秩序之崩溃,可计日而待也。"[1]

二、比较法与法律之解释

(一) 基本理论

法律必须经由解释,始能适用,解释之中寓有创造法律之功能。法律用语多取诸日常语言,必经阐明,始能臻于明了;不确定之概念,必须予以具体化;法规之冲突,更须加以调和排除。

关于法律解释之方法(准则),学者分为二类:其一为文字解释(文理解释)。即依据法律文义而解释;其二为理论解释(论理解释)。关于此项解释梅仲协教授曾作如下之说明:"……寻求法律目的之所在,注重公众的福利,先于个人之私益,以理论为基础,而为法律之解释也。外国立法例,及学者之著作,均足供此种解释之参考。"[2] 依本文见解,理论解释过于广泛,宜再加细分。综合言之,本文认为,法律之解释,依其所应斟酌之因素或准则,基本上可分为五种:文义解释;体系解释;法制发展解释(包括立法资料);法律规范目的之解释;符合宪法之法律解释(verfassungskonforme Ausligung des Gesetzes)。[3] 此外,本文于此所欲特别强调的是,比较法亦须采为法律解释之一种方法,应以外国立法例(判例学说)作为解释法律所应斟酌之一项因素。

经由比较法所发现、整理、评价之外国立法例,虽可作为法律解释之准则或因素,但有应注意者三事:

(1) 外国立法例,虽为法律解释之一项准则,但并不具有优

---

[1] 参阅拙著:"附条件买卖买受人期待权之研究",《民法学说与判例研究》第一册。
[2] 梅仲协:前揭书,第八页。
[3] 参阅拙著:"'最高法院'判决在法学方法论上之检讨",《民法学说与判例研究》第一册。

越地位，因此不能以外国立法例较佳，即径为援引采用以取代本国法规定。外国立法例之斟酌，虽可导致本国法规之扩张或限制解释，但不得逾越法规文义之范围。对明确法规文义之尊重，是法治之基础。

（2）外国立法例之采择系"质"的问题，因此就特定问题，多数外国立法例采取同一见解者，虽具有重大参考价值，但是否得援引以阐明本国法律疑义，弥补法律缺漏，仍应斟酌法律全体精神及社会情况而定。

（3）由于法律之辗转继受，各国法律规定文义雷同者，颇为不少。例如关于共同侵权行为，德国、日本和台湾地区三个立法例上均属相同，即："数人共同不法侵害他人权利者，连带负损害赔偿责任。不能知其中孰为加害人者亦同。造意人及帮助人，视为共同行为人。"[1] 然而，对此同一规定，各国判例学说并不一致。所谓共同（gemeinschaftlich），[2] 德国判例学说上一致认为，以行为人有主观意思联络为必要（意思共同说）；在日本，学说（多数说）及判例认为，只要加害人间有共同行为，即为已足，有无共同之认识，在所不问（行为共同说）；[3] 在台湾，学说有采意思共同说，有采行为共同说，见解素不一致，实务上，判例原采意思

---

[1] §80, BGB: I, Haben mehrere durch eine gemeinschaftlich begangene unerlaubte Handlung einen Schaden verursacht, so ist jeder für den Schaden verantwortlich. Das gleiche gilt, wenn sich nicht ermitteln lässt, wer von mehreren Beteiligten den Schaden durch seine Handlung verursacht hat. Ⅱ, Anstifter und Gehilfen stehen Mittätern gleich. 日本民法第七一九条规定：数人ガ共同ノ不法行为ニ因リテ他人ニ损害ヲ加ヘタルトキハ各自连带ニテ其赔偿ノ责ニ任ス共同行为者中ノ孰レカ其损害ヲ加ヘタルカヲ知ルコト能ハサルトキ亦同シ❷教唆者及ヒ帮助者ハ之ヲ共同行为者卜看做ス。台湾地区"民法"第一八五条规定：Ⅰ. 数人共同不法侵害他人权利者，连带负损害赔偿责任。不能知其中孰为加害人者亦同。Ⅱ. 造意人及帮助人，视为共同行为人。

[2] 参阅 Larenz, Schuldrecht, Bd. Ⅱ, 11. Aufl., 1977, S. 587f.

[3] 参阅加藤一郎：《不法行为》（增补版），"法律学全集"22-Ⅱ，昭和52年，第208页。

共同说,最近,"'司法院'变更判例会议"改采行为共同说。[1]关于同一文义之法律规定,各国采取不同解释,一方面可以用来检讨本国法上之判例学说,另一方面也充分显示各国法律解释原则及社会经济背景之差异,在法社会学及比较法学上,具有重大研究价值。[2]

(二) 实例:婚约解除时损害赔偿之要件及范围

1. 台湾现行法上之疑义

第九七八条规定:"婚约当事人之一方,无第九七六条之理由而违反婚约者,对于他方因此所受之损害,应负赔偿之责";依第九七六条第一项规定:"婚约当事人之一方,有下列情形之一者,他方得解除婚约:❶婚约订定后,再与他人订定婚约,或结婚者;❷故违结婚期约者;❸生死不明已满一年者;❹有重大不治之病者;❺有花柳病或其他恶疾者;❻婚约订定后成为残废者;❼婚约订定后与人通奸者;❽婚约订定后受徒刑宣告者;❾有其他重大事由者。"损害赔偿须被请求人有过失,虽无疑问,但究指何而言,尚无定论。有认为兹所谓过失,与通常之过失不同,凡有第九七六条第一项各款之事由,便可认为有过失。[3] 换言之,即直接以有婚约解除原因事实为有过失(吴岐氏称为有解除事由之所在方),而可成为损害赔偿之原因。

2. 比较法上之解释

---

[1] 例变字第一号变更一九六六年台上字第一七九八号判例理由书:"民事上之共同侵权行为(狭义的共同侵权行为,即加害行为,下同)与刑事上之共同正犯,其构成要件并不完全相同,共同侵权行为人间不以有意思联络为必要,数人因过失不法侵害他人之权利,各行为人之过失行为均为其所生之损害之共同原因,即所谓关连共同,亦足成立共同侵权行为。一九六六年台上字第一七九八号判例应予变更。至前大理院一九一六年上字第一○二号及一九三一年上字第一九六○号判例,则指各行为人既无意思联络,而其行为亦无关连共同而言,自当别论。"

[2] Zweigert, Die soziologishe Dimension der Rechtsvergleichung, RabelsZ 38 (1974) 299f.

[3] 胡长清:《民法亲属论》,一九四六年,第七十一页。

戴炎辉教授对于上述学者之见解,持不同之意见。他认为:"若采此说,则自己并未息于为相当注意,而仍遭遇意外,致成为残废,亦须负赔偿之责任。但据余之意,当事人须对解除原因事实之发生有过失(吴岐氏称为对解除事由之生成有过失),始负赔偿责任。"对于此点,戴炎辉先生在其著作中更进一步采取外国立法例以支持其论点:"德国民法第一二九九条规定,须对婚约解除原因之事实有过失,始负赔偿责任。参阅 Günther Beitzke, Familienrecht, III Aufl. S. 16;瑞士民法第九十二条亦同。在吾民法,损害赔偿以过失主义为原则,故因婚约解除之损害赔偿,亦应从之。"[1]

关于第九七八条所称损害赔偿之范围,法无明文,不无疑义。戴炎辉教授认为应限于所受损害(积极的损害),而不及于所失利益(消极的损害),因此之故,所谓期待利益(例如假定结婚成立时可取得之继承权、夫妻财产管理收益权及扶养请求权等),不能请求之。[2] 为支持此项观点,戴炎辉教授亦提出比较法之说明:"德国民法(该法第一二九八条、第一〇九九条)规定:'须预期结婚而支出之费用或负担之债务,以及预期结婚而为财产上或职业上之处分所受之损害';瑞士民法(第九十二条)亦规定:'须预期结婚而以善意为准备行为所受之损害',始可请求损害赔偿,可供作吾民法解释上之参考。"[3]

三、漏洞(Lücke)之填补

(一)基本理论

任何法律皆有漏洞(缺漏),系今日判例学说共认之事实。所谓法律漏洞,系指依现行法律规定之基本思想及内在目的,对于某项问题,可期待设有规定而未设规定之谓。法律漏洞与立法上之缺

---

[1] 戴炎辉:前揭书,第六十一页、第六十二页(注4)。
[2] 戴炎辉:前揭书,第六十二页。
[3] 戴炎辉:前揭书,第六十三页(注6)。

陷，应严予区别。例如宣告禁治产，依民法规定，仅限于心神丧失或精神耗弱至不能处理自己事务之人；学者有认为对聋哑盲及残废者，亦应为禁治产之宣告。然此纯为立法上得失问题，立法者自有权衡，法官不得自为变更。至于漏洞之补充，则为法院之权利与义务。

法律漏洞发生的原因，计有二种：一为出于立法者之认识或意思者，即立法者对于某项问题，认为当时不宜即为规定，应让诸判例学说加以解决，凡曾参加立法工作之人，对此皆能知之；一为出于立法时之疏失，未能预见。无论其发生之原因如何，法律漏洞一经确定，应即予补充。至其方法，最主要者，系类推适用其他规定。类推适用（Analogie）者，比附援引是也。申言之，即于处理现行法上尚乏规定之某种法律事实，援引与其性质相似之法规，予以解决。至于事实是否相似，得赋予同样之法律效果，系属价值判断问题。例如：物权编抵押权章第八七九条规定，为债务人设定抵押权人之第三人，代为清偿债务，或因抵押权人实行抵押权致丧失抵押物之所有权时，依关于保证之规定，对于债务人有求偿权。在同编质权章，虽无同样之规定，但质权与抵押权性质相似，如遇有第三人为债务人设定质权，而因代为清偿债务，或因质权实行，致丧失质物所有权时，自应比照第八七九条之法意，赋予第三人求偿权。[1]

应特别指出的是，在一九七〇年台上字第一〇〇五号判决一案，"最高法院"认为外国立法例得视为法理而适用，明白确认比较法具有填补法律漏洞之功能。任何法律，无论其于制定时，体例如何完备，规定如何纤细周密，缺漏终属难免。台湾地区现行民法系仿德、瑞、日诸国立法例，于制定之际，为期精简，俾益于适用，颇有删减，因而造成更多缺漏，致须再度斟酌外国立法例，予以填补。在教科书上，其例甚多，为台湾现行法制之特殊现象，实

---

[1] 梅仲协：前揭书，第九页。

值注意。

（二）实例说明

第一，婚约解除与非财产损害赔偿。

1. 法律之漏洞

第九七九条规定："前条情形，虽非财产上之损害，受害人亦得请求赔偿相当之金额，但以受害人无过失为限。"所谓前条情形，系指婚约当事人之一方，无第九七六条之理由而违反婚约者而言（第九七八条）。纯就法律文义观之，违背婚约之人，对于他方所受之非财产上之损害，应负赔偿之责。在有解除原因之婚约解除之情形，是否承认非财产上之损害赔偿，不无疑问。

2. 比较法上之补充

戴炎辉教授认为，在有解除原因之婚约解除，不承认非财产上之损害赔偿，系"为条文之疏漏，须准用上述条文，承认非财产上之损害赔偿"[1]。关于此点，戴炎辉教授更曾进一步作比较法上之检讨，略谓：德国民法（第一三〇〇条）规定，贞洁之未婚妻允许未婚夫同床，不问其为违背婚约或婚约解除，对非财产上之损害，均得请求金钱上之相当赔偿。在台湾现行民法解释上，亦不宜分别违背婚约与婚约解除，须一律予以非财产上之损害赔偿请求权。不过，在台湾现行民法上，则不必限于未婚妻对未婚夫，即未婚夫对未婚妻亦有赔偿请求权；又不必限于允许同床，即其他场合，亦得请求赔偿。倘不作如此解释，诚如罗鼎所说："狡黠者流，或且利用此法律上之差别待遇，为实现其违反婚约之企图，乃迅速与第三人订定婚约或结婚，或假意与他方当事人约定结婚日期，而故意违反之，藉以避免第九七九条规定之适用，而减轻自己非财产上损害赔偿之责任也。"[2]

第二，使用借贷借用人有益费用请求权。

---

[1] 戴炎辉：前揭书，第六十二页。
[2] 戴炎辉：前揭书，第六十三页（注8）；参阅罗鼎：《亲属法纲要》，第八十三页。

1. 法律之漏洞

第四六九条规定："借用物之通常保管费用，由借用人负担。借用物为动物者，其饲养费亦同。借用人就借用物所增加工作物得取回之，但应回复借用物之原状。"然借用人有就借用物支出其他费用、尤其是有益费用者，究应由何人负担，民法未设规定，有待补充。在一九七〇年台上字第一〇〇五号判决一案，上诉人借用房屋，增设砖造围墙，请求出借人（被上诉人）偿还所支出之费用。"最高法院"谓："上诉人主张之保养改建等垫款，倘确属有益费用，又已因上诉人之增加设施，所借用房屋之价值显然增加，在民法使用借贷一节内，虽无得请求偿还或返还其价值之明文，然依据外国立法例，既不乏得依无因管理或不当得利之法则，请求偿还或返还之规定，则本于诚实信用之原则，似非不可将外国立法例视为法理而适用。"

在本案中，"最高法院"仅谓"……然依据外国立法例，既不乏得依无因管理或不当得利之法则，请求偿还或返还之规定"，并未明确指明何国立法例，判决理由尚欠完备，似有补充说明之余地。

2. 比较法上之填补

（1）外国立法例（判例学说）。德国民法第六〇一条第一项规定："借用人应负担物之通常保存费用；于动物之借用，应负担其饲养费。"该条第二项规定："其他费用，由贷与人依关于无因管理之规定，负返还义务。借用人得取回借用物所增添之设置。"本项所规定之"其他费用"主要系指有益费用。所谓依关于无因管理之规定，系指管理事务利于本人（出借人），并合于本人之真实或可得推知之意思者，管理人（借用人）得请求费用之偿还（德国民法第六八三条）。惟若不具备此项要件者，本人应依关于不当得利返还之规定，对管理人返还其因事务管理所得之全部利益

（德国民法第六八四条第一项，并请参阅该条第二项）。[1]

瑞士债务法第三〇七条第一项规定："出借人应负担借用人之通常保存费用。借用物系动物者，其饲养费亦同。"该条第二项规定："为出借人利益而支出之非常费用（ausserordentliche Verwendung），得向出借人请求偿还。"所谓"为出借人而支出之非常费用，得向出借人请求偿还"，系指依无因管理之规定，其他之费用支出，出借人仅得依不当得利之规定，请求返还。[2]

日本民法第五九五条第一项规定："借用人应负担借用物之通常保管费用。"该条第二项规定："就其他费用，准用第五八三条第二项（关于买回标的物之费用偿还请求权）之规定。"依日本民法第五八三条第二项之规定："买主或转得人，就不动产付出费用者，卖主应依民法第一九六条规定偿还之。但就有益费用，法院得因卖主之请求，允许相当之期限。"又依日本民法第一九六条规定："占有人返还其占有物时，就因物之保存所费之金额及其他必要费用，得令回复人偿还之。但占有人取得孳息者，通常之必要费用归其负担。占有人就因改良占有物所费之金额及其他之有益费用，以其价格之增加现存者为限，得依回复人之选择，令其偿还其所费之金额或增值额。但对于恶意占有人，法院得因回复人之请求，准予相当之期限。"

关于日本民法第五九五条第二项之规定，日本判例甚少。目前可查稽者，仅有昭和三十八年六月七日千叶地方裁判所之判决（下民一四，六，一一四八）。[3] 在本案中，有借用人擅自改良借用房屋，因而增加房屋之价值。法院认为，改良房屋，系为所有人利益，纵属擅断，亦不妨害偿还请求权之发生。日本学者山中康

---

[1] 参阅 Palant/Putzo, 37. Aufl. 1978, §602; Larenz, Schuldrcht II, S. 223.
[2] Oser/Schonenberger, Kommentar zum schweizerischen Zivilgesetzbuch, Bd. V. Das Obligationsrecht, 1936, Anm. zu 307; Guhl, Das Schweizerische Obligationsrecht, 6. Aufl. 1972, S. 373.
[3]《判例体系·民法·债权各论》(Ib)，12（II-2），第一法规社，第一四一页。

雄，对此判决持有疑问，认为借用人支出之有益费用，并非在任何情形均得请求返还，应分别情形决定之。首先，借用人受委任从事改良行为者，借用人就所支出之费用，均得依委任之规定（日本民法第六四九条及六五〇条）请求返还。其次，借用人未受委任而为改良行为者，对出借人而言，系无权限行为，依其情形，得成立事务管理（无因管理）者，借用人得依事务管理费用偿还请求权之法理，请求偿还。于适用日本民法第七〇二条之情形，日本民法第五九五条第二项规定虽不得适用，但在该法第七〇二条第三项之场合，则仍有适用之余地。第三，在不成立无因管理情形，贷与人对借用人无权限之改良行为，得依不法行为规定请求赔偿，亦得基于所有权，主张妨害排除请求权及向借用人请求回复原状，或以对标的物之使用收益违反日本民法第五九四条第一项规定为理由，依同条第三项规定，解除契约。在诸此场合，借用人对贷与人不得主张有益费用偿还请求权。第四，但贷与人请求回复原状时，在对借用人并无任何利益，仅使借用人负担损失得认为构成权利滥用之场合，贷与人应负不当得利返还义务。此为日本民法第五九五条第二项之规定，应准用该法第一九六条第二项之理由。就物支出之费用而言，日本民法第一九二条可谓系该法第七〇三条及第七〇四条关于不当得利之特别规定。[1]

（2）比较分析。据上所述，可知关于在使用借贷，借用人就借用物所支出之费用，德、瑞、日三国立法例均设有规定。关于借用物之通常维持费用，应由借用人负担，系三国之共同规定。

关于其他费用（尤其是有益费用），简述如下：

首先，德国民法第六〇一条明定，由贷与人依无因管理规定负偿还责任。

其次，瑞士民法第三〇七条明定，费用之支出系为贷与人之利

---

[1] 几代通编集：《债权》（6），"注释民法"（15），昭和52年，III，§559，第90页。

益者，得请求偿还（解释上，系依无因管理规定）。在其他情形贷与人仅得依不当得利规定请求返还。

第三，依日本民法第五九五条准用第一九六条规定，借用人就其改良占有物所支出之金额及其他费用，以其价格之增加者为限，得请求偿还其所费之金额或增值额。依日本学者之见解，其符合无因管理要件者，借用人得依其规定请求偿还支出之费用。

综据上述，可知德、瑞两国立法例（判例学说）及日本学者山中康雄对日本民法第五九五条之解释，基本上采同一见解，即关于借用人就标的物所支出之有益费用，应由贷与人依无因管理之规定，负返还责任。惟借用人支出有益费用不合于贷与人明示或可得推知之意思者，依德、瑞二国立法例（判例学说），贷与人仅依不当得利规定负返还义务；在日本法上，则应适用日本民法第一九六条第二项规定，学说上认为此系不当得利之特别规定。

（3）在台湾现行法上之适用。依据上述比较法上之说明，可知第四六九条规定，系参酌德国民法第六〇一条、瑞士民法第三〇七条及日本民法第五九五条而规定。其主要之差异，在于第四六九条对借用物通常保管费用以外之"其他费用"（包括有益费用），未设相当规定。按民律第一次草案对此原设有明文，该草案第七〇七条第一项规定："借用物通常必需之物，由借主担负"；第二项规定："第六四七条第二项规定，于借主所出有益费，及收回使附属于借用物之工作物，准用之"。该草案第六四七条第二项规定："赁借主就赁借物所支出之必要费用，赁贷主须偿还之。但动物之赁借人，须担负其饲养费用。赁借主就赁借物所支出之有益费用，若因此使该物之价值增加者，赁贷主须偿还其现存之增加价格。但赁借主得使赁借物回复原状，收回附属该物之工作物。"民律第二次草案第四七二条，将第一次草案第七〇七条修改为："借用物之通常保管费用，由借用人负担。借用物为牲畜者，其饲养费亦同。借用人就借用物所增加之工作物，得取回之，但应回复借用物之原状"，删除"有益费"之规定。其立法理由何在，无从查知，尚难确言。

惟无论第四六九条之立法背景如何，其关于借用人就借用物所支出之有益费用之负担，未设规定，系属法律缺漏，应予补充，实无疑问。在德、瑞二国立法例及日本法上学者之见解，基本上均系依无因管理。在台湾，亦应参酌此项外国立法例及学说上之共通制度，使贷与人亦须依照民法无因管理之规定（第一七二条至第一七八条），对于借用人负赔偿之责，不但符合事物当然之理（Natur der Sache），而且确能兼顾双方当事人之利益。

最后应再说明者，无因管理系台湾现行制度，因此适用无因管理之规定，使贷与人就借用人所支出之费用，负偿还责任，是否如"最高法院"所谓，系将外国立法例关于无因管理之规定，视为法理而适用，似有疑问。此涉及到法学方法论之问题。依本文见解，应分别情形论之：首先，凡类推适用本国法上既有之规定或制度，以填补法律漏洞时，就第一条规定而言，仍属"法律"之适用。于此情形，外国立法例及其所蕴含之法理，可用以支持法律之类推适用。其次，填补法律漏洞之"材料"，非系本国法上既有之规定或制度，而是采自外国立法例时，则应认为系以外国立法例为第一条之法理而适用。应特别强调的是，在上述二种情形，比较法学及经由比较程序过程所获得之外国立法例（判例学说），对法律漏洞之填补及法律之发展，均具有重大贡献。

五、结　论

德国法儒耶林（Rudolf von Jhering）在其名著《罗马法之精神》（Geist des römischen Rechts）一书中曾谓："外国法制之继受与国家无关，仅是合乎目的性及需要之问题而已。如果自家所有的，同属完善或更佳，自然不必远求。惟若有人以奎宁皮药草非长于自己庭院而拒绝使用,则愚蠢至极。"[1] 一九七〇年台上字第一〇〇五号判决之理由构成虽不无瑕疵,但其认为外国立法例得视为法理而适用,系法律解释学方法论上一项重大进步,确实值得赞同。此亦即戴炎辉教授数十年来实际践行之法学方法论,具体表现于其丰富之论文、专著及教科书中,不但对于"阐明法文之本意,并求其能适应时代之潮流",有卓著之贡献,而且也充实了法律永恒之生命。

---

[1] Die Frage von der Rezeption fremder Rechtseinrichtungen ist nicht eine Frage der Nationalität, sondern eine einfache Frage der Zweckmässigkeit, des Bedürfnisses. Niemand wird von der Ferne holen, was er daheim ebenso gut oder besser hat, aber nur ein Narr wird die Chinarinde aus dem Grunde zurückweisen, weil sie nicht auf seinem Krauacker gewachsen ist", Geist des römischen Rechts, Erster Teil, 8. Aufl. 1955, S. 8f.

契约关系对第三人之保护效力

一、契约关系之相对性与涉他效力

契约系特定人为规律彼此间权利义务关系，在法律允许范围内所创设之规范。契约系属一种法律上特别结合关系，其结合程度因契约类型而异。在买卖契约（尤其是现实买卖），当事人所负之义务，或为价金之支付，或为标的物所有权之移转，其结合关系较为单纯；反之，在雇佣契约等继续性契约，当事人所负之义务，例如劳务之提供或忠实、照顾义务，兼具属人性及继续性两种特质，其结合关系较为密切。

基于契约关系，债务人负有给付义务。给付除作为外，尚包括不作为，如夜间不弹奏钢琴。债务人给付不能，给付迟延，或不完全给付时，应依债务不履行之规定，就债权人所受之损害，负赔偿责任。

然而，在债之关系上，除给付义务外，基于诚实信用原则，在当事人间尚发生保护、照顾、通知、忠实及协力等义务。此等义务并非自始确定，而是在契约发展过程中，依事态情况而有不同，故在学说上又称为"附随义务"（Nebenpflicht）或"其他行为义务"（Weitere Verhaltenspflicht）。附随义务之主要功能，在于保障债权的实现，并使债权人之人身或其他法益，不致因债务人之行为而遭受损害。故债务人违反附随义务，致债权人受有损害，构成加害给付者，应负赔偿责任。[1]

基于契约系特别关系之性质，仅债权人得向债务人请求履行给付义务或附随义务。换言之，即债务人仅对债权人负有给付义务或附随义务，其他第三人在契约上既不享有权利，亦不负担义务。此项原则甚为合理，盖契约是基于当事人相互间之信赖而创设的规范，第三人自不得参与其间。契约当事人不能依其约定使第三人负担义务，固无疑义，即契约当事人得否依其约定，使第三人取得契约上之权利，原亦有疑问。罗马法坚持契约相对性原则，认为"无论何人均不得替他人约定"(alteri stinulari nemo potest)。[2] 降至近世，一般立法基于事实上之需要及契约自由原则，渐次承认第三人利益契约，即要约人得与债务人约定，由债务人向第三人为给付，其第三人对于债务人亦有直接请求给付之权。但该第三人对当事人之一方表示不欲享受其利益者，视为自始未取得其权利。[3]

应特别注意者，系判例学说或立法例正在更进一步扩张契约关系对于第三人之效力，使债务人对于与债权人具有特殊关系之特定范围之人亦负有保护、照顾等义务。在此方面，以德国判例与学说所创之"附保护第三人作用之契约"(Vertrag mit Schutzwirkung für Dritte)，及美国统一商法典(Uniform Commercial Code，简称 U. C. C.) 2-318 所规定之"利益第三人担保责任"(Third Party Beneficiaries of Warranties Express or Implied) 最具代表性。此两项制度，不但修正了"契约相对性"之理论，同时改变了契约法之功能，殊值研究。

---

[1] 契约上"附随义务"概念之建立，对契约法之发展，具有重要作用。参阅 Esser, Schuldrecht, Bd I. 3. Aufl. 1968, S. 25f. , 385f. ; Larenz, Schuldrecht Ⅰ, 11. Aufl. 1976, S. 93ff. , 116; Thiele, Leistungsstörung und Schutzpflichtverletzung JZ 67, 649.

[2] 参阅郑玉波：《民法债编总论》，第三八八页；Wesenberg, Verträge zugunsten Dritter, 1949.

[3] 参阅史尚宽：《债法总论》，第五八四页；王伯琦：《民法债编总论》，第二二二页；Hellwig, Verträge auf Leistungen an Dritte, 1889.

二、德国法上"附保护第三人作用之契约"

一、意义及功能

德国法上之"附保护第三人作用之契约",系谓特定契约一经成立,不但在当事人间发生权利义务关系,同时债务人对于与债权人具有特殊关系之第三人,亦负有照顾、保护等义务。债务人违反此项义务时,就该特定范围之人所受之损害,亦应依契约法之原则,负赔偿责任。质言之,即特定契约关系兼具保护第三人之作用。

德国判例与学说创设此项制度之目的,旨在加强保护与债权人具有特殊关系第三人之利益。例如,某甲需修缮客厅内的挂灯,电气行 A 派遣技工 B 修理。于工作之际,疏于注意致挂灯掉落。甲就其身体所受的损害,固得依债务不履行之规定向电气行请求损害赔偿,至甲之妻乙亦遭受损害者,则因非系契约当事人,依德国民法规定,不能主张契约上之权利,仅能依侵权行为法之规定,请求赔偿。在此情形,被害人乙就行为人之过失须负举证责任,并受短时效期间之限制,尤其是雇用人 A 得主张对受雇人 B 之选任监督已尽相当注意而免责(德国民法第八三一条)。诸此规定对被害人均甚不利,但依"附保护第三人作用之契约"此项制度,受损害之第三人乙得主张契约上之权利,不负举证责任,尤其是电气行 A(债务人)应就其使用人 B 之过失负责,对该受害第三人利益之保护,较为周密。

二、特色及依据

德国帝国法院(Reichsgericht 简称 RG)在创设此项制度之初期,系适用德国民法第三二八条规定,认为系属"第三人利益契约"（Vertrag zugunsten Dritter）之一种形态。德国权威民法学者 Larenz 教授认为此种见解未尽妥适，盖"第三人利益契约"，系以给付义务为内容，该第三人对债务人有给付请求权；反之，在此项新创设之制度，债务人仅对特定范围之第三人，负一定之注意及保护义务，而该第三人除于债务人违反此项义务时得依契约原则请求赔偿外，并无契约上之给付请求权。因此，Larenz 教授特称之为"附保护第三人作用之契约"，[1] 并经联邦法院（Bundesgericht, 简称 BGH）采用，业已成为民法学上之基本概念。此项制度经数十年之适用，已为德国国民意识所支持，具有习惯法上之效力，[2] 学者认为此系契约理论上判例促进法律进步之一项重大成就。[3]

为说明德国实务上之见解，兹引述德国联邦法院一九五五年五月十五日判决（BGH NJW 59，1676），作为参考：

"……基于契约关系，被告负有义务告知冶金工厂其所购买之 Capuros Nr. 22 防锈剂具有可燃性。本案的问题，系原告（冶金工厂的女工）是否亦能基于此项契约义务之违反，径向被告主张权利。关于此点，宜采肯定说。就本案情形而论，该第三人亦列入契约的保护范畴之内，盖依诚实信用原则及契约目的，契约上之注意及保护义务，不仅对契约相对人有其存在，亦应延伸及于特定第三人。本庭在其他类似案件业已采此观点。例如在一九五九年九月二十一日之判决，某企业与某监狱缔结雇用受刑人之契约，该企业之员工亦在契约保护范围之内；又依一九五六年四月二十五日之判决，承揽商在庭院之侧为属于住宅之车库建筑围墙，本庭亦认为该承揽商对利用住宅及庭院之定作人之家属，亦负有契约上之注意及保护义务。

---

[1] Larenz, Schuldrecht Ⅰ, S. 166; Esser, Schuldrecht Ⅰ, S. 293, 397.
[2] 参阅 Gernhuber, Drittwirkung im Schuldverhältnis kraft Leistungsnähe, Festschrift. für Nikisch, 1958, S. 249ff.; Gläubiger, Schuldner und Dritte, JZ 62, 553.
[3] 参阅 Larenz, Wegweiser zu richterlicher Rechtsschöpfung, Festschrift für Nikisch, 1958, S. 275.

Larenz 教授曾正确地指出，在本案及其他类似案例所涉及之问题，并不是所谓之利益第三人契约，盖债务人依契约之内容，对第三人并不具有类如德国民法第三二八条所规定之给付义务。就本案言之，原告就冶金工厂所订购之防锈剂，并无交付请求权，惟债务人亦应顾及因瑕疵给付可能遭受损害之人。依契约之意义、目的以及诚实信用原则，契约上之注意及保护义务，原则上亦应延伸及于因债权人之关系而与债务人之给付发生接触，而债权人对其并负有照顾及保护之人，例如父亲对其家庭，企业者对其员工等是。债权人对于此等人之祸福既负有责任，故就其不因债务人之疏懈而遭受损害，亦具有利益。契约债务人此项责任之扩大，系有正当依据：首先，债务人应能认识契约相对人（债权人）对此等人之安全具有如同自己安全一般之信赖；其次，享受此种契约保护之人限于特定范围，债权人得为预见。本庭在一九五六年四月二十五日的判决即采此项见解，并曾特别强调，任何人就其受契约之保护，债权人具有客观合理之利益，并为债务人所得认识者，原则上享有契约上直接请求权。

本案之原告，属于交付防锈剂契约所保护范围之人。冶金工厂依德国民法第六一八条规定，对其受雇人负有保护及照顾义务。被害人系包装员，在冶金工厂工作，接近因使用可燃性防锈剂而产生之危险区域，故应列入受契约责任保护范围之人，故当其因被告之过失，未尽通知义务，致遭受损害时，得依契约责任原则，请求赔偿……。"

由此判决可知，"附保护第三人作用之契约"制度，系建立在基于诚信原则而发生之保护照顾等附随义务之上。易言之，此等附随义务应扩张及于债权人对其负有特别照顾保护义务之特定第三人，从而在债务人与第三人间即产生了一种以诚实信用为其基础、以照顾及保护义务为内容之法定债之关系。[1]

---

[1] Larenz, Schuldrecht Ⅰ, S. 166.

三、案例之类型

自战前之帝国法院，迄至战后之联邦法院，经判决所承认应适用"附保护第三人作用之契约"之案例甚多，有关于旅客运送契约者，有关于房屋租赁契约者，亦有关于雇佣契约者。除前引联邦法院一九五五年五月十五日之判决外，兹摘录若干重要案例，用供参考：

（1）RGZ 87，65（一九一五年六月七日帝国法院判决）：某人偕其妻儿搭乘汽车，妻儿因车祸遭受损害，虽非契约当事人，但司机对彼等亦有安全运送之义务，故应负契约上之赔偿责任。

（2）RGZ 87，292（一九一五年十一月十八日帝国法院判决）：某修士患病，修道院雇用被告马车，延聘S城某医生前来诊视，途中发生车祸，遭受损害之医生，得主张被告违反运送契约所生之照顾、保护义务，应依债务不履行规定，负损害赔偿责任。

（3）RGZ 91，24（一九一七年十月五日帝国法院判决）：某机关所有之房屋，其原住人患有肺病，未完全消毒洁净，即再出租于A。A之家属B（原告）于迁入数月，亦被感染，得基于租赁物之瑕疵，向出租人主张契约上之损害赔偿请求权。

（4）RGZ 160，153（一九三九年四月四日帝国法院判决）：被告A将旅馆之舞台及大厅提供给B举办"德国之夜"晚会，舞台旁侧有房间，供演出者休憩之用，并有甬道通往花园。其出口处高出花园地面甚多，既未放置木梯，复未设任何障碍阻止通行，亦乏适当照明设备。原告C欲往花园，不慎跌落小树丛中，左眼遭受重创，几近失明。最高法院首先肯定A、B之间有契约存在，并进而认为被告对于其可预见参与该晚会演出之人负有注意其安全之义务，苟因过失致设备有瑕疵而引起损害者，应依契约原则负损害赔偿责任。

四、第三人范围之确定

"附保护第三人作用之契约"在实务上最大之困难，系第三人应依何种标准,加以确定。其范围若限制过严,适用机会必大为减少,有失创设制度之原意;反之,若第三人之范围过于广泛,则不免加重债务人之责任,亦非合理。关于此点,德国判例与学说均持慎重态度,斟酌各个契约之性质及目的,根据诚信原则,就具体案件作适当之决定,务期不偏不倚,确能兼顾债务人及第三人之利益。

依据 Larenz 教授之见解,所谓第三人并非泛指债权人以外之任何第三人,其范围应限于因债务人之给付受到影响之人,而债权人对其祸福基于亲属、劳工、雇佣、租赁等具有人格法上特质之关系负有保护、照顾义务者,例如债权人之妻儿、受雇人,以及其所延请之医生等。[1] 通说认为,此项第三人范围之限定,堪称妥适。盖对如此范围内之人,债务人当可预见,依诚信原则,应为适当之注意及保护,使不致因其给付而遭受损害也。

五、解决商品制造责任之途径

在现代工业及大量消费社会,消费者因商品瑕疵遭受损害,层出不穷,日趋严重。原则上受害人固可基于买卖契约,依瑕疵担保之规定,向出卖人(即一般之零售商)请求赔偿(参阅德国民法第四五九条以下规定)。但此项救济方法,无论在法律上及事实上均受有限制,甚难奏效,何况被害人并非均为商品之买受人。因此解决之重点,乃移向如何使受害之消费者,得向商品制造人请求赔偿。其所涉之问题,归纳言之,计有三点,即:受害人能否直接向商品制造人请求赔偿?基于契约关系抑或基于侵权行为?商品制造人所负之责任诸此问题,究应为过失责任、推定过失责任抑或为无过失责任?关于此项问题,现代各学说判例正致力研讨,近年来在

---

[1] Larenz, Schuldrecht Ⅰ, S. 167f.

德国亦已成为争论之中心。[1]

德国之判例与学说有认为，可藉助"附保护第三人作用之契约"制度，解决商品制造人之责任问题。德国联邦法院在一九六八年十一月二十六日一项重要的判决中，曾就此项观点加以检讨。[2] 有养鸡场之主人 A 为防止鸡病，特延请兽医 H 前来注射，结果引起疾病，损失惨重。经检验后，确定 H 医生向 W 药厂所直接购买之注射液含有不洁物，肇致祸害。一审、二审法院适用"附保护第三人作用之契约"理论，肯定养鸡场主人 A 得向药厂 W 请求契约上之损害赔偿。联邦法院认为，在本案之情形不能适用此项制度，其所举之理由有二点：其一，并非任何人均能藉口债务人（W 药厂）违反注意义务，径依债务人与债权人（H 医师）间之契约，主张自己之损害赔偿请求权；其二，受契约保护者，仅限于债权人基于亲属、劳工、租赁、雇佣等法律关系，对其祸福具有利害关系应为照顾之人。在一般买卖契约或承揽契约，此种情形并不存在，债权人（买受人）对第三人（次买受人或定作人）并无人格法上特别义务，故此等范围之第三人，不受商品制造人与其买受人（兽医 H）间所订买卖契约之保护。德国联邦法院强调，若不为此种限制，则债务人之责任将无限扩大，行为之结果势难预见，与"附保护第三人作用之契约"所据以建立之诚实信用原则，将相违背。

---

[1] 参阅 Diederichsen, Die Haftung des Warenherstellers, 1967; Lorenz, Rechtsvergleichendes zur Haftung des Warenherstellers und Liferanten gegenüber Dritten, Festschrift für Nottarp, 1961, S. 59.
[2] BGHZ 51, 91 NJW 69, 269 mit Anm. Diederichsen.

三、美国统一商法典（2-318）上之"利益第三人担保责任"

一、Privity of Contract 之理论

十九世纪英国普通法的法官曾确立一项契约法上之基本原则，即除契约当事人外，第三人不得主张契约上任何权利，纵当事人间有所约定亦然（Privity of Contract，契约关系或契约相对性理论）。[1] 在 Price v. Easten 一案，W. P. 氏欠 Price 氏十三镑，乃与 Easten 氏约定愿意为其工作，Easten 同意代偿其债。W. P. 完成约定工作后，Easten 仍未偿债，Price 对 Easten 起诉。法院认为 Price 非为契约当事人，不得主张契约上之权利。[2] 其后，为促进交易活动，英国法院判例，在国际贸易、信托及保险方面逐渐设有若干例外。[3] 一九七三年法律改革委员会曾有通盘修正建议，但未获实现。迄至今日，Privity of Contract 仍为英国契约法之基本原则。

在美国法上，关于契约涉他效力采取一种较符合交易需要之立场，判例法承认利益第三人契约，即当事人于契约内订明由第三人取得权利者，该第三人得依其同意而取得该项权利（Third Party Beneficiary Contract）。[4] 基于此项理论，美国统一商法典（U. C. C. 2-318）更创设了"利益第三人担保责任"，殊值重视。

二、特色及功能

美国统一商法典 2-318 规定："出卖人明示或默示之担保责

---

〔1〕 参阅 Cheshire and Fifoot, The Law of Contract, 7th Edition, 1969, p. 402f.
〔2〕 Price v. Easten (1833), 4B & Ad, 433. 参阅 Cheshire and Fifoot, p. 64, 402, 405.
〔3〕 参阅 Cheshire and Fifoot, p. 404f.
〔4〕 Restatement of The Law of Contracts, American Law Institute, 1932, §133-147; Corbin, on Contracts, (Vol. I, 1952), p. 723; Grismore on Contracts, 1947, p. 391; Simpson, Handbook of The Law of Contracts, 1965, p. 241.

任亦及于买受人之家庭、共同居住者、其家中之客人，若可合理期待此等自然人会使用、消费或受商品影响，而其人身因担保义务之违反遭受损害。出卖人不得排除或限制本项之适用。"[1] 此项规定与一般所谓"利益第三人契约"相比，具有三点特色：其一，就发生原因言，系基于法律之规定，当事人意思如何，在所不问。其二，就内容言，利益第三人者，系瑕疵担保义务，而非给付义务。其三，创设此项制度之目的主要在于规律商品制造人责任，保护消费者之利益。此点特为重要，试再略加说明。

在契约相对性（Privity of Contract）理论下，英国法院曾认为，因物品瑕疵而遭受损害者，若其与物品之制造人（或供应者）并无契约关系存在时，即不得请求损害赔偿。在一八四二年 Winterbotton v. Wright 一案，[2] 某邮局为运送邮件，与 A 缔结契约由其提供马车，其后邮局再与 B 约定，由 B 准备马匹，并由 B 约请 C 驾驶。C 于驾车之际，因马车隐含之瑕疵遭受损害，C 向提供马车之 A 诉请损害赔偿。英国法院认为，仅契约当事人始得享有此种请求权，倘不以契约关系为要件，则诉讼群起，势必导致混乱，良非妥当。依照此项判决所确立之原则，因物品瑕疵而遭受损害，若其与商品制造人（或供应者）之间无契约关系存在时，即无请求损害赔偿之余地。

Winterbotton v. Wright 一案所创设之原则，不足保护消费者利益，至为明显。因此，英国法院仍致力于克服 "Privity of Contract" 之障碍。在英国法方面，以 Donoghue v. Stevenson 一案（一九三

---

[1] U. C. C. Section 2–318（Third Party Beneficiaries of Warranties Express or Implied）; A Seller's warranty whether express or implied extends to any natural person who is in the family or household of his buyer or who is a guest in his home if it is reasonable to expect that such person may use, consume or be affected by the goods and who is injured in person by breach of the warranty. A seller may not exclude or limit the operation of this section.

[2] Winterbotton v. Wright（1842）10M. &W. 109. 参阅 Winfield and Jolowicz, Torts, Tenth Edition, 1975, p. 48, 202.

二）所创设之过失责任原则（negligence）最称重要。[1] 在美国法方面，所采取之理论多达二十九种，[2] 各州规定及判决互有不同。就目前发展状况言，有三种基本制度：一为以物品危险性为基础而建立过失责任（negligence）；二为明示或默示担保责任（express or implied warranty）；三为无过失责任（strict liability）。[3]

在此所要特别说明的是明示或默示担保责任。英美法上所谓担保（Warranty），性质若何，向有争论。通说认为担保原属侵权行为法上的概念，违反担保义务者，应负侵权责任。但自 Stuart v. Wilkins 一案[4]之后，"担保"亦成为契约法上之概念。自此之后，Warranty 乃兼具了侵权行为法及契约法上之双重性质。[5] Warranty 此种"双面性"，一方面使法院在侵权行为法上得令商品制造人负明示或默示担保责任；另一方面亦便利美国统一商法典2-318规定，出卖人应对特定范围之第三人负瑕疵担保责任。

三、出卖人之瑕疵担保责任[6]

美国统一商法典关于买卖标的物之瑕疵担保，分设明示担保（express warranty）与默示担保（implied warranty）二类。明示担保者，谓出卖人依其约款，表示愿意担保商品具有某种性质或状态，并以此作为交易之基础者（basis for the bargain）而言。美国统一

---

[1] Donoghue v. Stevenson (1932) A. C. 562, 580；参阅 Winfield and Jolowicz, Torts, p. 1, 47–50, 202–206, 208–211; Hepple and Matthews, Torts: Cases and Materials, 1974, p. 328.

[2] 参阅 Gillam, Products Liability in a Nutshell, 37 Ore. L. Rev 119, 153–55 (1957).

[3] 参阅 Prosser, The Assault Upon The Citadel (Strict Liability To The Consumer), 69 Yale L. J. 1009 (1960).

[4] 参阅 Stuart v. Wilkins, 1779, I Dougl. 18, 99 Eng. Re 15. 参阅 Prosser, Law Of Torts, Third Edition, 1964, p. 651, 699.

[5] 参阅 Prosser, The Assault Upon The Citadel, 69 Yale L. J. 1124 (1960).

[6] 参阅 Nordstrom, Law of Sales, 1970, p. 170; Vold, Law of Sales, Second Edition, 1959, p. 424; Speidel/Summers/White, Teaching Materials on Commercial and Consumer Law, Second Edition, 1974, p. 1018.

商法典 2-313 第一项规定，明示担保依下列方式成立之：❶出卖人就商品对买受人作有事实肯认或允诺，并以此作为交易之基础者，明示担保商品合于此种肯认或承诺；❷就商品作有描述（Description），而以之为交易基础者，明示担保商品合于此种描述；❸以样本或模式作为交易之基础者，明示担保商品之全部符合此样本或模式。依 2-313 第二项规定，为成立明示担保，出卖人不必使用"担保"或"保证"之文句，但出卖人所表示者，仅是关于商品之价值或是个人意见或对商品之推荐，例如"物美价廉"、"此为上等货色"者，尚不构成明示担保。

至于默示担保，乃基于法律规定或商事惯例而发生。依美国统一商法典 2-314 之规定，出卖人系买卖该种商品之商人者，默示担保商品之宜售性（Merchantability）。又依美国统一商法典 2-315 之规定，出卖人若于订约时，得知买受人买进该商品之特别目的，且买受人信任出卖人之技术与判断，来选择或供与适当商品时，出卖人默示担保该商品宜于此项目的（合宜性之默示担保）。

上述出卖人担保责任，原则上得依当事人之意思加以排除或限制，但为保护买受人利益，统一商法典 2-316 亦设有相当规定。其基本要点计有三项：❶创设明示担保之文字及行为，与排除或限制此项担保之文字及行为，在解释上应使其合理一致，若不能为合理解释者，其排除或限制不生效力。❷欲排除或限制宜售性之默示担保，须以书面明显为之。❸除第二项外，在下列三种情形，默示担保责任亦被排除：其一，契约使用"as is"、"with all faults"等文句者，依一般理解，足使买受人注意担保责任业已排除。其二，商品瑕疵经检查即可发现，而买受人于订约前已检查商品、其模型、样本或拒不为检查者，出卖人不负担保责任。其三，默示担保，得因交易或履行过程或商业惯例被排除或限制。

出卖人违反担保义务时，买受人得拒受商品，亦得受领商品，并依其情形，请求损害赔偿。关于诸此问题，美国统一商法典设有详细规定（参阅 U.C.C. 2-711 以下规定）。兹应特别说明者，系买受人因商品具有瑕疵，致其人身或财产遭受损害者（consequential damages，结果损害），亦得向出卖人请求赔偿（U.C.C.2-715）。在"利益第三人担保责任"制度上，第三人得请求赔偿，主要为此种损害。

四、利益第三人担保责任之内容

依一九七二年修正版（1972 Official Text），美国统一商法典所设之"利益第三人担保责任"，计有三个方案（Alternative），各邦得选择其一。第一方案（Alternative A）为：出卖人明示或默示之担保及于买受人之家族、共同居住者、其家中之客人，若可合理期待此等自然人会使用、消费或受商品之影响，而其人身因担保义务之违反而遭受损害。出卖人不得排除或限制本条之适用。第二方案（Alternative B）为：出卖人明示或默示之担保及于任何可合理期待使用、消费或受商品之影响，而其人身因担保义务之违反而遭受损害之自然人。出卖人不得排除或限制本条之适用。第三方案（Alternative C）为：出卖人明示或默示之担保及于任何可合理期待使用、消费或受商品之影响，因担保义务之违反而遭受损害之人。

美国统一商法典对于本条之适用，作有三项说明（Official Comment）：

（1）本项后段并非谓出卖人不得依 U.C.C.2-316 规定，变更或排除某种担保责任。本项亦不排除出卖人依 U.C.C.2-718 或 U.C.C.2-719 规定，限制买受人或其他受益人之救济方法。买卖契约订有排除或变更担保责任或限制违约之救济方法者，对于依本项而享有担保利益之第三人亦生效力。本项所禁止者，系出卖人不得对该第三人排除其对买受人所为之担保。

（2）本项之目的，在于使特定范围之受益人亦能同样取得买受人在买卖契约上所享有之担保利益，从而使受益者不受契约相对性（Privity）技术规定之拘束。本项规定旨在实现此种目的，其他基于过失侵权行为而生之权利或救济方法，并不受影响。其重点系在使出卖人为商人时，负担本条关于商品宜售性及适合通常用途、目的之担保责任,而非在于其适合特别用途之担保责任。依本项规定,任何受益人均得直接向出卖人提出违反担保之诉。

(3) 第一方案明示规定受益人包括买受人之家族、共同居住者以及客人。在此之外,本项系属中立,无意扩大或限制正在发展中之判例法,尤其是关于出卖人所给予再贩卖商品之买受人之担保,是否应扩张及于销售过程上其他之人之问题。第二方案旨为若干州而设计,其判例业已更进一步发展,愿意扩张其受益人之范围。第三方案所包括受益人更为广泛,采取侵权行为汇编(Restatement of Torts 2d & 402A, Tenative Draft No. 1965)所指出之现代判决趋势,将此项规则扩张适用于任何人(Person)。[1]

四、台湾现行制度之检讨

一、契约法之发展趋势

德国法上"附保护第三人作用之契约"及美国统一商法典 2-318 规定之"利益第三人担保责任"二项制度之体系结构、具体内容及适用范围,尚有差异。兹图示如下,仅供比较:

(1) 德国法上"附保护第三人作用之契约"之结构内容。

买卖契约　　照顾、注意、　　　　　　债权人基于亲
运送契约 }　保护义务　———→ 第三人 { 属、雇佣、租
租赁契约等　　　　　　　　　　　　赁等法律关系
　　　　　　　　　　　　　　　　　对其祸福须要
　　　　　　　　　　　　　　　　　特别照顾之人

(2) 美国统一商法典 U.C.C. 2-318 规定"利益第三人担保责任"之结构内容。

―――――

[1] 关于美国统一商法典 2-318 之各种 Version 及各州立法及判例之发展概况,参阅 Nordstrom, Law of Sales, p. 281.

```
商品买卖 ┐   瑕疵担保责任         买受人之家族、共同居住
         ├─────────────── 第三人 ─ 者、家中客人及其他可合
契   约 ┘                          理期待使用、消费或受商
                                   品影响之人
```

于此应特别注意的是，德国法与美国法上两个制度具有共同基本目的，即扩大契约对第三人之保护效力，使与契约当事人具有密切关系之第三人亦能受到该契约之保护，主张契约上之权利。

就法制史加以观察，早期社会偏重侵权行为法，契约之违反，亦被视为侵权行为。[1] 由于社会进步，交易活动频繁，信赖增加，契约制度乃告建立，并逐渐扩大其适用范围。若干本来不属于契约法领域之法律关系。亦被视为契约关系，经纳入契约法之范畴，积极侵害债权（不完全给付）[2] 及缔约上过失（culpa in contrahendo），即其著例。[3] 德、美两国法制甚有不同，但最近却同时将特定契约关系之保护效力，扩张适用于特定范围之第三人。此项法律发展趋势，殊值重视。

二、二个基本问题

（一）第三人依契约法规定保护之必要性

德、美两国法制扩大契约对第三人之保护效力，此在比较法之研究，深具意义，已如上述。然则台湾宜否采取类似制度？关于此点，有二项基本问题应予检讨：一为于债务人履行契约过程中，遭受损害之第三人，有无依契约法规定受保护之必要；另一为现行法律体系与债务人责任之合理化。兹先就前者加以说明。

台湾现行民法采德国立法例，明文承认涉他契约制度，即以契约订定向第三人为给付者，要约人得请求债务人向第三人给付，其

---

[1] 参阅 William Seagle, Weltgeschichte des Rechts（原著为英文，The Quest for Law）3. Aufl. 1967, S. 274f.
[2] 参阅梅仲协：《民法要义》，第一七六页；王伯琦：前揭书，第一六四页（注1）。
[3] 参阅拙著："缔约上之过失"，《民法学说与判例研究》第一册。

第三人对于债务人亦有直接请求给付之权。第三人对于此项契约，未表示享受利益前，当事人得变更其契约或撤销之。第三人对于当事人一方表示不欲享受其契约之利益者，视为自始未取得其权利（第二六九条）。除此之外，原则上第三人不得主张契约上之权利。因此，当债务人为给付之际，或因给付方式不当，或因给付标的物有瑕疵，致第三人遭受损害时，则无论该第三人与债权人具有何种密切关系，亦均仅能依侵权行为法之规定向加害人请求赔偿。

侵权行为法所规定者，系普通一般人之关系，而非特定人间之特别关系，故其保护被害人之规定，诚不若契约法严密。兹举四点言之：

（1）对于他人行为之责任。在契约责任，债务人之代理人或使用人，关于债之履行有故意或过失时，债务人应与自己之故意或过失，负同一责任（第二二四条）；反之在侵权责任，雇用人得主张其对受雇人之选任监督已尽相当注意而免责（第一八八条）。

（2）举证责任。在契约责任，债权人对债务不履行之归责事由，不负举证责任；反之，在侵权责任，被害人对加害人之故意过失，应负举证责任。"举证责任之所在，败诉之所在"，此项差别规定，关系当事人利益至巨。

（3）归责原则。在契约责任，债务人原则上就其故意过失负责，但依其情形，亦有不以故意过失为必要者，例如依第三六〇条规定，买卖标的物欠缺出卖人所保证之品质或出卖人故意不告知瑕疵者，即其适例；反之，在侵权责任，系采过失责任主义，行为人不具故意过失时，对所生之损害，原则上不负赔偿责任。

（4）时效期间。在契约责任，除法律有特别规定外，消灭时效期间为十五年（第一二五条）；反之，在侵权责任，损害赔偿请求权自请求权人知有损害及赔偿义务人时起，二年间不行使而消灭；自有侵权行为时起，亦同（第一九七条）。

由诸此规定，可知债务人于履行过程中，加损害于债权人或第三人者，对第三人在法律上之保护较不周全。此种差别规定，有时会造成不合理之结果。例如，A向B购买牛肉，B保证品质优良，而A及其妻儿C、D等人食后中毒，A得主张契约上责任，C、D仅得依侵权行为规定，请求赔偿。由于债务不履行与侵权行为规定不同，C、D时有难获赔偿之虞。由是观之，将特定范围之第三人，亦纳入契约法保护范围，实有必要。

（二）法律体系与债务人责任之合理化

台湾民事责任制度主要系建立在侵权责任与契约责任二个基本体系之上。前者系以对一般人之利益应予尊重、不得侵害为原则；后者系以特定人间信赖关系为基础。二者性质不同，其构成要件与法律效果乃生差异，分别为二个独立制度。因此，扩大契约对于第三人之效力，势将原应受侵权行为法规律之人，纳入契约法规定范围之内，如此是否会破坏现行法律体系？

此项顾虑，诚值重视。惟依吾人见解，法律体系虽是表现法律上价值判断或利益衡量之外部形式结构，但其本身并非绝对不可变更。为实现新的价值判断或利益衡量，立法机关或法院判决，于必要时，自得调整现行法律体系结构，期能适应社会需要，贯彻公平正义原则。[1]惟为维护法律适用之安定性，法律体系之调整应慎重为之，自不待言。

将第三人纳入契约责任范围之内，是否会因此加重债务人责任，亦值重视。契约责任原则上所以较侵权责任严格，有利于被害人者，主要原因在于契约系特定人间之信赖关系，债务人对债权人利益有特别加以照顾维护之义务。此项原则，至为正确，殊无疑义。惟应特别考虑者，系在特定契约，债务人对于与债权人具有特殊密切关系，且为债务人所能预见之人，是否亦负有特别照顾保护义务。关于此点，依余所信，原则上应采肯定说。盖基于诚信原则

---

[1] 关于法律体系之一般理论及其调整问题，参阅 Canaris, Systemdenken und Systembegriff in der Jurisprudenz, 1968；Larenz, Methodenlehre der Rechtswissenschaft, 3. Aufl. 1975, S. 429.

及契约上信赖性,债务人对于与债权人具有特殊关系之人,亦应同为照顾保护,而第三人范围既为特定,并得预见,对其责任亦有合理限制,不致漫无边际也。

三、加强保护第三人应采之二项措施

(一) 侵权行为法之改进

1. 雇用人侵权责任改采无过失责任主义

对于契约关系外第三人之保护,所以欠缺周全,主要原因在于侵权行为法之缺陷。在此方面,首应改进者,系雇用人之责任。依第一八八条规定:"……I.受雇人因执行职务,不法侵害他人之权利者,由雇用人与行为人连带负损害赔偿责任。但选任受雇人及监督其职务之执行已尽相当之注意,或纵加以相当之注意而仍不免发生损害者,雇用人不负赔偿责任。II.加害人依前项但书之规定,不能受损害赔偿时,法院因其声请,得斟酌雇用人与被害人之经济状况,令雇用人为全部或一部之损害赔偿。III.雇用人赔偿时,对于为侵害行为之受雇人有求偿权。"依本条规定,雇用人系负过失推定责任及衡平责任,辗转周折,未尽妥适。为适应社会需要及保护被害人利益,宜改采无过失责任主义,受雇人执行职务之际,不法侵害他人时,雇用人即应负损害赔偿责任,至雇用人对受雇人之选任监督是否已尽必要注意,在所不问。[1] 第一八八条经如此修改之后,其内容与第二二四条规定,趋于一致,对第三人之保护,自较周到。

2. 商品制造人责任体系之建立

德、美两国法制所以扩大契约对于第三人保护效力,与商品制造人责任具有密切关系。如前所述,商品因具有瑕疵,肇致损害,其所涉及之基本问题,计有三点:一是受害人能否直接向商品制造人请求赔偿;二是基于契约关系抑或基于侵权行为;三是商品制造

---

[1] 参阅拙著:"雇用人无过失侵权责任的建立",《民法学说与判例研究》第一册。

人责任应负何种责任，过失责任、推定过失责任抑或是无过失责任。现代侵权行为法原则上采过失责任主义，因此，在商品肇祸案件，将特定第三人纳入契约法规定之内，自有必要。近年来，依侵权行为法规定解决商品制造人责任，已有显著进展。德国最高法院于一九六八年十二月六日判决，已采取过失推定主义，足资借鉴；美国法院已普遍倾向于采取无过失责任主义，尤值重视。

其在台湾，关于商品制造人责任，学说上颇有讨论，[1] 但实务上案例尚少。在一九七四年台上字第八〇六号判决，"最高法院"略谓："被告以产制汽水为业，于包装时竟不注意，将七星汽水之标签，误贴于具有毒质之汽水瓶上，以汽水出厂出卖，对原告所受损害，自应如数赔偿……。"[2]"最高法院"虽肯定商品制造人之责任，但对其法律上之依据，根本未予提及。

(二) 在买卖契约及租赁契约上对第三人保护效力制度之采用

适当修改侵权行为法，对一般被害人之保护，固有助益。惟为使与债权人具有密切关系之第三人，亦能依契约法规定，获得保障，吾人以为台湾现行法上就特定类型，适当扩大其对第三人保护之效力，亦有必要。而其最值考虑者，似为买卖契约与租赁契约。

买卖契约在日常生活交易上，最称重要，法律对买受人之保护，甚为详密，除债务不履行之规定外，尚有物之瑕疵担保制度。第三六〇条规定："买卖之物，缺少出卖人所保证之品质者，买受人得不解除契约或请求减少价金，而请求不履行之损害赔偿。出卖人故意不告知物之瑕疵者亦同。"此条规定深具意义。吾人认为此项担保责任之规定，应扩张及于与买受人具有密切关系、且为出卖

---

[1] 参阅拙著："商品制作人责任"，《民法学说与判例研究》第一册；刘得宽："商品制作人之赔偿责任"，《政大法律评论》第十三期，第一五〇页。
[2] 判决全文请参阅刘得宽前揭文。

人所得预见之人，例如买受人之家属等。A 向 B 购买食物，B 明知该食物已腐败而不告知，或虽不知其事实，但保证该食物之品质者，A 之妻儿或其他同居之人，因食物中毒致其身体、健康遭受损害时，均得依第三六〇条规定向出卖人 B 请求损害赔偿。

在租赁契约，尤其是在租赁物为房屋或其他供居住之处所时，民法就契约对第三人之关系，设有规定。一方面维护承租人之同居人之利益，于第四二四条规定："租赁物为房屋或其他供居住之处所者，如有瑕疵，危及承租人或其同居人之安全或健康时，承租人虽于订约时，已知其瑕疵，或已抛弃其终止契约之权利，仍得终止契约"；另一方面加重承租人之责任，于第四三三条规定："因承租人之同居人或因承租人允许为租赁物之使用、收益之第三人，应负责之事由，致租赁物毁损灭失者，承租人负损害赔偿责任。"吾人认为，租赁契约之瑕疵担保责任，[1] 应扩张及于承租人之同居人等，使与承租人具有密切关系之第三人，于其安全或健康遭受侵害时，亦得依契约之规定，向出租人请求损害赔偿。

在买卖契约与租赁契约，扩大其对特定范围第三人之保护效力，诚有必要，已如上述。为实现此项目的，法院应积极从事造法活动。在此方面，德国判例与学说创设"附保护第三人作用之契约"之理论依据，可供参考。为促进法律适用之安定性，仿美国统一商法典 2-318 立法例，于民法中设其规定，亦属妥当可行。

五、结　论

契约系特定人间基于信赖关系而建立之特别结合关系。原则上，仅债权人得向债务人请求给付及履行保护、照顾、通知等附随义务，债务人亦仅对债权人负有此等义务。然为满足交易活动之需

---

[1] 参阅第三四七条准用关于买卖之规定，尤其是第三六〇条。

要，近代各国多承认"利益第三人契约"，即要约人得与债务人约定，由债务人向第三人为给付，其第三人对于债务人亦有直接请求权。最值注意者，系最近德国判例学说创设了"附保护第三人作用之契约"，而美国统一商法典2-318更明文规定"利益第三人担保责任"，使特定范围之第三人亦受契约法规定之保护。德、美二国，不谋而合，扩大契约第三人之效力，一方面固然在于补救侵权行为法之缺点；另一方面亦在强调契约上之诚信原则及信赖关系。鉴于契约法此种发展趋势，第三人在台湾现行契约制度中之地位，实有检讨之必要。本文认为，关于雇用人责任宜改采无过失责任，商品制造人责任之法律依据，应尽速建立，使一般被害人在侵权行为法上能够获得更佳之保护。此外，在特定契约类型（尤其是买卖与租赁），债务人（出卖人或出租人）对于与债权人（买受人或承租人）具有特别密切关系、且为债务人所得预见特定范围之人（家属或其他同居人等），亦应负契约法上保护、照顾或瑕疵担保责任。此项法制发展，涉及问题甚广，如何兼顾法规体系，债务人责任之合理化以及特定范围第三人保护之必要性，实值研究。本文试从比较法之观点，提供若干意见，用供司法实务及立法之参考。是否妥当，敬请校正。

悬赏广告法律性质之再检讨

一、问题之说明

公开以广告之方法表示对完成一定行为之人，给与报酬，自古有之，今日尤为普遍，例如寻找失物，通缉罪犯，鼓励某种发明或创造。对于此种日常生活中常见事例，民法设有二条规定，以资规律。第一六四条规定：Ⅰ．以广告声明对完成一定行为之人给与报酬者，对于完成该行为之人，负给付报酬之义务；对于不知有广告而完成该行为之人，亦同。Ⅱ．数人同时或先后完成前项行为时，如广告人对于最先通知者已为报酬之给付，其给付报酬之义务即为消灭。又依第一六五条规定：预定报酬之广告，如于行为完成前撤销时，除广告人证明行为人不能完成其行为外，对于行为人因该广告善意所受之损害，应负赔偿之责，但以不超过预定报酬额为限。

此二条规定，在解释适用上，滋生疑问，其核心争点在于悬赏广告之法律性质。关于这一争论可以远溯到罗马法及日耳曼法，[1]可谓系一个古老之问题。在台湾学说上所以会造成"众说纷纭，尚无定论"情事，则又涉及到法律解释适用之基本立场。本文拟以此为重点，试图在方法论上澄清若干似是而非之论点，期能提供

---

[1] 参阅 Enneccerrus/Lehmann, Schuldrecht, 15. Aufl. 1958, S. 676; Staudiger/Ridel, Kommentar zum BGB, 11. Aufl. 1958, Vorb. zum § 657, S. 1856.

合理解释适用现行悬赏广告制度之理论基础。

二、两个对立之理论

一、对立之理论

关于悬赏广告之法律性质，学说上历来有二个对立之理论：一为单独行为说；一为契约说。

单独行为说认为，悬赏广告系由广告人一方之意思表示，负担债务，以一定行为之完成为其生效要件；换言之，一定行为之完成，并非系对广告而为承诺，而是债务发生之条件。采此说者有梅仲协及史尚宽。[1]

契约说（亦称要约说）认为，悬赏广告不是独立之法律行为，而是对不特定人之要约，因此，必须与完成指定行为人之承诺相结合，其契约始能成立。采取此说者有胡长清、王伯琦及郑玉波。[2] 一九六九年台上字第二六六一号判决略谓："第一六四条所谓完成一定行为，乃指完成广告人于广告内容所定之特定行为而言，如就广告内容所指特定行为未能完满完成，广告契约即未成立，广告人自无履行广告特定给付义务之可言。"[3] 此亦系采契约说。

二、争议之发生

关于悬赏广告之法律性质，所以会产生此项重大争议，其主要原因在于法律规定欠缺明确性。申言之，即现行民法一方面将悬赏广告置于契约一款之中，一方面又于第一六四条第一项后段规定："对于不知广告而完成该行为之人，亦同"。契约说论者认为，悬

---

[1] 梅仲协：《民法要义》，第九十三页；史尚宽：《债法总论》，第三十三页。
[2] 胡长清：《民法债编总论》，第五十四页；王伯琦：《民法债编总论》，第三十页；郑玉波：《民法债编总论》，第六十二页。
[3] 此为就现行资料所能查到关于悬赏广告之判决。

赏广告既然规定在契约一款之中，论其性质，应属契约无疑。单独行为说论者认为，不知有广告，则根本无承诺之意思，何能成立契约；既不能成立契约，又能取得报酬请求权，自不能不认悬赏广告是单独行为。二说各有所据，数十年来争论不休矣！

三、争论实益

法学上的争论，有的仅属理论上之游戏或学问上之兴趣，在实务上并无实益。换言之，即对具体问题之解决，并不因为采取何说而异，仅是说明方法之不同而已。关于悬赏广告之法律性质，除理论争辩外，尚具有实益，试举一例加以说明。设有甲在报纸刊登广告，声明对游泳横越台湾海峡者，予以重酬。乙知其事，朝夕苦练，终能完成壮举。当乙请求报酬时，甲发现其系禁治产人。依单独行为说，乙既已完成指定行为，则不论是否有行为能力，甲均负有给与报酬之义务。反之，依契约说，乙既系禁治产人，则纵在精神恢复期间亦无行为能力，似不能依其承诺而成立悬赏广告契约，以取得报酬请求权。

三、解释标准之检讨

关于悬赏广告之法律性质，各家见解不一，未能获得结论。除法律规定未臻明确外，尚由于解释适用法律基本见解之歧异：有采文义解释者，有采体系解释者，有拘泥法律之形式者，有注重规定之实体内容者，甚不一致。因此，必须先确定解释现行制度之标准，始能避免无谓之争论。

关于悬赏广告在法律体例上之位置，各国立法例不一：有于债编各论设其规定者，例如德国民法第二编第二章第九节；有规定于契约条文之后者，例如日本民法（第五二九条）及瑞士债务法（第八条）。台湾地区现行民法系采日、瑞立法例。据此，学者乃认为："民法则系从日、瑞立法例，于第二编第一章第一节第一款

第一六四条以下规定悬赏广告，解释上自应以其为要约焉";[1]"民法于契约一款中规定悬赏广告，自以解为契约行为为是";[2]"民法既规定悬赏广告于契约款内，自非单独行为无疑。"[3] 此项论点，实难赞同，理由有三：

（1）某项制度在法律体系之位置，有助于认识该项法律制度之本质，虽无疑问，但亦仅是一种参酌之因素而已，不能采为绝对之标准。[4] 例如代理权之授与虽规定于台湾现行民法第二编第一章第一节（债之发生）之内，但通说多否认代理权之授与系债之发生原因。[5]

（2）日、瑞二国立法虽将悬赏广告列于契约条文之后，但日本学者亦有认为悬赏广告，系属单独行为者。[6] 其在瑞士，多数学者系采单独行为说，并特别强调，不能纯从法律体例之形式论断悬赏广告之法律性质；瑞士最高法院认为依悬赏广告之内容，如不知广告而完成指定行为亦得请求报酬者，应解释为系单独行为。[7]

（3）现行民法关于悬赏广告，形式上虽从日、瑞立法例，但其规定内容则有不同，日、瑞立法例均无相当于第一六四条第一项"对于不知有广告而完成该行为之人，亦同"之规定。

又关于悬赏广告应否允许撤销，其说不一。通说以为，如认悬赏广告为契约之要约，则可以撤销，反之如认为系单独行为，则不许撤销。民法既有得撤销悬赏广告之明文，故悬赏广告应非属单独行为，此项见解，殊不足采。盖诚如胡长清氏所云："纵以悬赏广

---

[1] 胡长清：前揭书，第五十四页。
[2] 王伯琦：前揭书，第三十四页。
[3] 郑玉波：前揭书，第六十二页。
[4] 关于法律体系解释方法，请参阅 Larenz, Methodenlehre der Rechtswissenschaft, 3. Aufl. 1975, S. 311f.
[5] 参阅胡长清：前揭书，第六十四页；王伯琦：前揭书，第三十六页。
[6] 参阅我妻荣：《债权各论》上卷，"民法讲义"V，昭和36年，第73页。
[7] Berner Kommentar zum Schweizerischen Zivilgesetzbuch, 1941, VI. Obligationenrecht, 1, Abteitung, Art. 8, S. 43ff. (Erläutert von Becker); BGE 392, 598f. 并请参阅 Guhl, Das Schweizerische Obligationenrecht, 1972. S. 83, 118f.

告为要约,亦未始不可以法律规定不许其撤销。反之,纵以悬赏广告为单独行为。亦未始不可以法律规定其得为撤销,如德国民法,其明证也。"[1] 依吾人见解,悬赏广告得否撤销,一则取决于当事人之意思表示,一则取决于实体法之补充规定。悬赏广告得否撤销,实不足作为判断悬赏广告法律性质之标准。[2]

综据上述可知,悬赏广告在法律体例上之地位,不足决定悬赏广告之法律性质;又悬赏广告得否撤销,亦不足作为论断标准。前者纯从形式论断,后者流于概念法学(Begriffjurisprudenz),均不足采。依吾人之见解,应改采实质之解释标准。易言之,即应依❶实体法上规定之内容,❷交易安全,❸当事人间之利益衡量,来探究决定悬赏广告之法律性质。

四、支持单独行为说之理由

为确定悬赏广告之法律性质,在法学方法论上,应采实质标准,已如上述。准此,本文认为,现行民法上之悬赏广告系单独行为。其理由有三,兹分述如下:

一、法律规定之内容

第一六四条第一项规定:"以广告声明对于完成一定行为之人给与报酬者,对于完成该行为之人负给付报酬之义务,对于不知有广告而完成该行为之人,亦同"。依该条规定的内容,悬赏广告应属单独行为,盖既不知有广告,自无从承诺,则其仍得请求报酬,足证悬赏广告非属契约无疑也。

学者对此有采不同见解者,认为第一六四条第一项后段规定,不但不足为单独行为说之论据,反足以为契约说之最好说明。盖依

---

[1] 胡长清:前揭书,第六十页。
[2] Berner Kommentar, S. 45.

契约说，则不知有广告而完成该项行为之人，并不当然成立契约，但既已完成该行为，则广告人之目的已达，行为人虽不知有广告，依理亦不应不给付报酬，故法律乃特设此段之规定，使广告人亦负给付报酬义务。若采单独行为说，则一有行为之完成，广告人即当然负给付报酬义务，则行为人对于广告之知与不知，并无关系，何必特别提出不知有广告之问题而设此段之规定，由此可知悬赏广告之性质，应采契约说无疑。[1]

此项论点，言之成理，极具说服力，自不待言。惟所应考虑的是，悬赏广告之法律性质若何，在解释上应依法律实体规定决定之。如果吾人在观念上先肯定悬赏广告之本质原属单独行为，则自无特设第一六四条第一项后段之必要。惟若认为悬赏广告之法律性质应依法律实体规定而为解释，则第一六四条第一项实有其特别意义，即在于表示对悬赏广告系采单独行为说。又除非在观念上先认定悬赏广告系契约行为，否则，契约说实难以说明第一六四条第一项后段之规范意义。

按第一六四条第一项后段，系德国民法第六五七条后段"……auch wenn dieser nicht mit Rücksicht auf die Auslobung gehandelt hat 之"迻译。德国民法制定之际，关于悬赏广告之法律性质亦有二种见解：一为罗马法上之契约说（Vertragstheorie）；一为日耳曼法上之单独行为说（Polizitationstheorie）。德国民法立法者权衡斟酌，决定采取单独行为说，并选用上述文句，以表示此一基本立场。其立法理由书略谓："本草案系采单独行为说，认为悬赏广告系广告人具有拘束力之单方约束，无须有承诺行为。广告人基于其负担债务之意思，对于完成悬赏广告所指定行为之人，负有履行给付之义务。"[2]

---

[1] 参阅郑玉波：前揭书，第六十二页。
[2] Mugdan, Die gesammten Materialien zum Bürgerlichen Gesetzbuch, 1898, Bd. II, S. 290ff. （德国民法立法理由及会议记录，台大法律学研究所藏存）。

大清民律草案（清宣统三年修订法律馆稿）原将悬赏广告独立列为一章，于该草案第八七九条至第八八五条设其规定，而其第八七九条与"现行民法"第一六四条第一项之规定，完全相同，其立法理由书亦谓："谨按，广告者，广告人对于完结其所指定行为之人，负与以报酬之义务。然其性质，学说不一。有以广告为声请订约，而以完结其指定行为为默示承诺者，亦有以广告为广告人之单务约束者。本案采用后说，认广告为广告人之单务约束，故规定广告人于行为人不知广告时，亦负报酬之义务。"[1]

二、交易安全

在采契约说之理论下，则究在何种情形，方能认为有承诺，学说上意见殊不一致。有认为在着手一定行为前有意思表示者，即为有承诺；有认为着手一定行为即为有承诺；有认为一定行为之完成为承诺；有认为在一定行为完成后，另有意思表示为有承诺；有认为须将完成一定行为之结果交与广告人，始为有承诺。意见分歧，尚无定论。[2] 若采单独行为说，则广告人所负担之债务于一定行为完成时，即为发生。其关系明确，合于社会通念，对于交易安全，实有助益。

三、当事人利益

在前举之例，甲悬赏广告声明对游泳横越台湾海峡者，给与报酬。乙完成此举，但系禁治产人。依契约说之理论，乙无行为能力，无从承诺使悬赏广告契约成立；或有认为于此情形，可由其法定代理人代为承诺，然"完成指定行为"与"承诺"之人主体不同，理论终嫌未洽，纵属可行，亦不免辗转曲折。反之，若采单独行为说，则乙虽系禁治产人，但既已完成特定行为，即可取得报酬请求权。由是可知，单独行为说较能符合当事人利益及公平正义之

---

[1] 参阅《民法制定史料汇编》，一九七六年，第六二二页。
[2] 参阅王伯琦：前揭书，第三十二页；郑玉波：前揭书，第六十三页。

原则。[1]

五、单独行为与契约主义

民法上之悬赏广告应属单独行为,已如上述。然而部分学者所以不愿采取此项见解,推究其故,或许是基于一种基本观念,认为债之关系因法律行为而发生者,原则上应基于契约(契约主义,Vertragsprinzip),单独行为系属例外,例外规定则应从严解释,从而不宜轻易认定悬赏广告系属单独行为。

人类社会之发展,是从身份到契约。现代社会是契约之社会。契约系当事人意思之合致,并以自由平等为其基本理念,在法律生活上应居于优越重要地位。因此,德国民法第三〇五条特设规定:"债之发生及其内容之变更,由于法律行为者,除法律另有规定外,须有当事人间之契约。"现行民法虽未设相当规定,但应采同一解释,自无疑问。

在契约主义之下,依单独行为得发生债之关系者,自属有限。其主要者,除悬赏广告外,尚有捐助行为及遗赠。捐助特定财产设立财团,所以采单独行为者,主要原因或系由于究竟谁为相对人难以确定之故。遗赠在于贯彻死者处分财产之基本思想,以单独行为之形态而存在,实有必要。关于悬赏广告,采取单独行为说,裨助交易安全,符合当事人利益及公平正义原则,在契约主义之下,容许其存在,实属至当,无足为虞也。[2]

---

[1] 参阅 Berner Kommentar, S. 45.
[2] Honsell/Vogt/Wiegand Kommentar zum Schweizezischen Privatrecht, Obligationsrecht, Z. Aufl. 1996, S. 156 (18N. 53).

六、在单独行为理论下悬赏广告之效力

一、指定行为之完成与报酬请求权

（一）指定行为之完成

悬赏广告系广告人以单独之意思表示，对完成一定行为之人负给付报酬之义务，惟以行为人完成一定行为为停止条件。因此，指定行为一旦完成，债之关系即行发生，从而完成指定行为之人，即有报酬请求权。指定完成行为之内容，通常悬赏广告均有明示。例如："本人于十一月一日下午二时，在建国路与民族路口坐红色一二〇〇CC计程车到小港机场，遗失在车内咖啡色鳄鱼皮手提化妆箱，如有拾获者，赏金十万元；提供线索者，赏金五万元。"广告人未有明示者，应解释悬赏广告之内容，斟酌交易惯例及诚实信用原则决定之，自不待言。

如上所述，广告内容指定行为之完成，是报酬请求权发生之条件。完成之行为是否符合广告之内容，原则上应由请求报酬之人，负举证责任。关于此点，一九六九年台上字第二六六一号判决，可供参考。在本案，判决理由认为："按以广告声明对于完成一定行为之人给与报酬者，对于完成该行为之人，负给付报酬之义务。第一六四条所谓完成一定行为，乃指完成广告人于广告内容所定之特定行为而言。如就广告内容所指特定行为未能完满完成，广告契约即未成立，广告人自无履行广告特定给付义务之可言。本件上诉人主张被上诉人广告悬奖之事实，因据提出广告足凭，并为被上诉人所不争，惟上诉人虽于一九六八年七月十五日致书应征，然仅以其所知上述三项事实之原委加以叙述而已，并未如被上诉人之广告所特定者加以一一证明，上诉人所谓亲见亲闻，无非以其本人自任人证，殊不知上诉人于此广告契约系居于当事人地位，自不能以其本

人为立证方法，从而被上诉人谓上诉人未能举证证明，即未完成广告所定之一定行为，不负给付义务，自属可采。"

（二）报酬

悬赏广告所谓之"报酬"，在理论上泛指一切财产上及非财产上利益而言，但实际上给与金钱，最属常见。关于报酬之种类及数额，广告人有明确表示者，应依其表示。例如："赏五万：速霸陆一九八五年跑车牌照四八—四六九六号绿色中白线一四〇〇西西电七〇二二八〇七。"此类悬赏广告，充斥报章，堪称为台湾社会之特殊现象。然而，悬赏广告未明确表示报酬之内容，亦属不少。例如："赏：十月二十九日夜在林口至桃园高速公路上发生车祸，遗失灰褐色狼犬一只。如有仁人君子发现或捡到，请电鹿港（〇四七）七七五〇九三许洽，本人会当面重赏答谢。特征：耳朵边有两点白毛。"于此情形，关于报酬（重赏）之内容，应斟酌指定行为之性质内容、完成该指定行为所需之劳力及费用、交易惯例及当事人间之关系，依公平原则决定之。悬赏广告指定完成之行为系寻获遗失物者，其给与之报酬高于其物价值十分之三者（参阅第八〇五条第二项），依所定之报酬；若给与之报酬低于其物价值之十分之三者，拾得人仍得依第八〇五条第二项规定，请求其物价值十分之三之报酬。

二、数人单独同时或先后完成指定行为时之报酬给付问题

（一）问题之说明

悬赏广告所指定之行为，由一人单独完成者，则仅该人有报酬请求权。其由数人完成者，亦时有之。查其情形，计有三种：❶数人个别先后完成指定之行为；❷数人同时个别完成指定行为；❸数人协力完成指定行为。在诸此情形，究竟由谁取得报酬请求权，当事人间之法律关系如何，未设明文，解释上颇滋疑义，实值研究。

按民律草案曾兼采德、日两国立法例，对于上述问题，设有规定。该草案第八八〇条规定："完结广告所定行为有数人，仅最初完结其行为者,有受报酬之权利。数人同时完结前项之行为者,各有平等分受报酬之权利。但报酬之性质不便分割,或广告内声明应受报酬者,仅一人时,以抽签法定之。"该草案第八八一条规定:"数人共同完结广告所定行为者,广告人须依条理,按各关系人应有之部分,分配报酬。前项分配方法,其显违条理者,无效,须由审判衙门以判决分配之。有关系之一人,就广告之分配表明异议者,广告人于各关系人互争权利调和未就之前,得拒绝清偿报酬,但各关系人仍得为关系人全体请求,提存报酬。"又依该草案第八八二条规定:"前条情形,若报酬之性质不便分割,或广告内声明应受报酬者仅一人时,以抽签法定之。但广告内有特别意思表示者,不在此限。"[1]

(二) 第一六四条第二项之规范意义

惟应注意的是,现行民法删除前述民律草案规定,增设第一六四条第二项:"数人同时或先后完成前项行为时,如广告人对于最先通知者,已为报酬之给付,其给付报酬之义务,即为消灭。"本项规定至为特殊,规范意义何在,尚有争论。有人认为,依本项规定,由最先通知者,取得报酬请求权,其余之人无论完成该行为之先后,均因通知在后不能取得报酬。[2] 本文认为,本项非在于规定谁能取得报酬请求权,其规范目的仅在于减轻广告人之责任而已,其理由有四:

(1) 第一六四条第二项,如仅认为最先通知者有报酬请求权,只须为简明之规定:"数人同时或先后完成前项行为时,由最先通知者取得报酬",不必更规定其给付报酬有消灭债务之效力。[3] 该条第二项规定:"如广告人对于最先通知者,已为报酬之给付,其给付报酬之义务,即为消灭。"依此文义而言,则"如广告人对先通知者,未为报酬之给付,其给付报酬之义务并未消灭。"

(2) "通知"有二种意义:其一,通知为广告所指定行为之一部

---

[1] 参阅《民法制史料汇编》,第六二三页。
[2] 参阅郑玉波:前揭书,第六十五页。
[3] 洪文澜:《民法债编通则释义》,第四十二页。

分,换言之,即广告所指定之行为包括通知在内,例如向广告人告知通缉罪犯之行踪。于此情形,未为通知时,广告所指定之行为既未完成,自无报酬请求权之可言。最先通知者,系最先完成指定行为之人,依第一六四条第一项规定,取得报酬请求权。其二,广告指定之行为有不包含通知,例如除去危害乡里之猛虎。在此情形,老虎之除去即系指定行为之完成,通知广告人之目的在于告知完成指定行为之事实,请求报酬。依第一六四条第二项文义及规范目的,系指第二种情形而言。

(3) 依第一六四条第一项规定,广告指定行为完成时,即发生报酬请求权。个人单独完成者如此,数人完成者,亦不应例外,始能贯彻法律判断之一致性。

(4) 就法制史言,民律草案对数人完成指定行为之报酬请求权原设有明确规定,系以指定行为之完成为报酬请求权发生之时期,前已述及。现行民法虽然删除此等规定,代之以第一六四条第二项,其目的似非在改采通知主义,而是在于解决广告人对于先通知者已为给付时,其对于报酬请求权人所负义务是否消灭之问题;立法目的在于保护广告人,甚为显然。

(三) 报酬请求权之决定

关于数人完成指定行为时之报酬请求权,依本文见解,应依第一六四条第一项规定,事物当然之理(Natur der Sache)及参酌立法沿革决定之。其基本原则有三:

(1) 数人单独先后完成指定行为时,仅最初完成行为之人有报酬请求权。

(2) 数人同时完成指定行为时,各有平等分受报酬之权利。

(3) 数人共同完成广告指定行为者,各按其应有部分,分配报酬。[1]

---

〔1〕 洪文澜:前揭书,第四十三页;史尚宽:前揭书,第三十八页。

基于诸此原则，关于报酬之给付，可得三点结论：

(1) 广告人应依上述原则给与报酬。

(2) 如广告人对于最先通知者，已为报酬之给付者，依第一六四条第二项规定，其给付报酬之义务即为消灭。

(3) 已受领报酬之最先通知者，依上述原则，并无报酬请求权（或全部报酬请求权）时，对于有报酬请求权之人，应依不当得利规定返还其所受之利益。

三、悬赏广告之撤销

（一）悬赏广告之法律性质与悬赏广告之撤销

悬赏广告之撤销，系一项重大争论问题。第一六五条规定，悬赏广告得以撤销。德国民法第六五八条亦同，其立法理由书略谓："本草案虽建立在单独行为说之上，但仍承认悬赏广告之撤销。有认为悬赏广告系单方有拘束力之约束，故不得撤销，此项观点，实无依据。悬赏广告人所以因有拘束力之约束而负义务，乃是因其有负义务之意思，从而悬赏广告得否撤销，应视广告人之意思而定。在悬赏广告未为明定者，依自然情理，应认为广告人在指定行为完成前，保留撤销之权利。"[1]

（二）悬赏广告撤销之要件

依第一六五条规定，悬赏广告得于行为完成前撤销之，并仅能于行为完成前撤销之，此为其时间上之限制。盖指定行为如已完成，债之关系既已发生，自无许其撤销之理也。至于行为人已否着手，在所不问。指定行为已否完成，应以客观事实为准，广告人之知悉与否，亦非所问。关于撤销之方法，立法例上有规定，应以与悬赏广告同一之方法为之（德国民法第六五八条、日本民法第五三〇条）。现行民法未为规定，为保护行为人之利益，应认为原则上撤销亦须依以前之同一广告方法为之；其不能依以前之广告方法为之者，亦得以能使原向

---

[1] Mugdan I, S. 291.

其为广告之多数人可能知悉之方法为之。

(三) 悬赏广告撤销权之抛弃

广告人所以于行为完成前撤销悬赏广告,主要原因是行为之完成对其已失意义。因此,撤销权之存在对广告人至为有利。但另一方面,悬赏广告人撤销之自由,使第三人不安,难免犹豫不前,对广告人目的之达成,亦有妨碍。因此,广告人得斟酌情事,于悬赏广告中或依其他方法,明示或默示表示抛弃其撤销权。立法例上有以广告人限定完成指定行为之期间,推定为撤销权之抛弃者(德国民法第六五八条第二项、日本民法第五三〇条第二项)。现行民法未设规定,于此情形,广告人是否抛弃撤销权,仍应解释其意思决定之。

(四) 悬赏广告撤销之效力

悬赏广告一经撤销,即失其效力,其后纵有指定行为之完成,广告人亦无给付报酬之义务。行为人不知悬赏广告之撤销者,亦同。然于撤销前,有因为指定行为之准备或实施而支出费用、时间、劳力而受有损害者,广告人是否负赔偿之责,各国法律规定不一。德国民法不认有损害赔偿之责,其立法理由系悬赏广告既以得自由撤销为原则,则行为人自应承担其危险也。〔1〕现行民法则从瑞士债务法第八条之规定,于第一六五条明定:"预定报酬之广告如于完成行为前撤销时,除广告人证明行为人不能完成其行为外,对于行为人因该广告善意所受之损害,应负赔偿之责,但以不超过预定报酬额为限。"

第一六五条所谓之善意究指何而言,不无疑问。在解释上可有三说:❶指于撤销前知有悬赏广告而着手指定行为并有所劳费者而言;❷指行为人不知悬赏广告已撤销仍着手指定行为者而言;❸兼指前两种情形。学者王伯琦及郑玉波采❶说〔2〕。洪文澜氏谓:"由广告人言之,固不能不许其撤回广告。然着手指定行为之人,因广告之撤回,

---

〔1〕 Mugdan I, S. 292.
〔2〕 王伯琦:前揭书,第三十三页;郑玉波:前揭书,第六十七页。

致空费劳力与金钱者，往往有之，此为因信赖广告所受之损失。故本条令广告人对于善意所受之损失，广告人即应负赔偿之责。不以广告人有过失为要件，行为人之善意，为其赔偿请求权之成立，应由行为人负举证责任，但撤回广告之方法与以前广告不同者，有时可推定行为人为善意，行为人证明其支出费用，系在广告撤回以前者，无须更证明其为善意，盖行为人于广告撤回前支出，无所谓恶意者。"[1] 此似采❸说。

依本文见解，以❶说较为妥适。盖悬赏广告既经撤销，其撤销之方式又须与悬赏广告相同或同样有效，则行为人纵不知悬赏广告之撤销而再着手于指定行为，亦应自己承受损失，不宜使广告人负赔偿责任也。依吾人所信，须如此解释，始能贯彻撤销制度之功能及适当平衡当事人之利益。

七、结　论

悬赏广告法律性质之争论，严格言之，是一个法律学方法论上之问题（Rechtsnatur der Auslobung als methodisches Problem）。假若吾人能够舍弃形式推论而改采实质之解释标准，则现行法上之悬赏广告应属单独行为无疑。又在契约主义下，容许悬赏广告以单独行为之形态而存在，不但符合法律规定内容，裨益交易安全，而且能够兼顾当事人利益及实践公平正义原则，实属正当。

---

[1] 洪文澜：前揭书，第四十七页。

无因管理制度基本体系之再构成

一、问题之说明及体系之构成

一、问题之说明

(一)衡量之利益

管理他人事务,通常多基于一定之法律关系(委任或监护)。于此情形,当事人间之权利义务,应依该特定法律关系加以决定,无待详论。然而,在日常生活中,未受委任,并无法定义务而管理他人事务(无因管理)者,亦时有之。收留走失之孩童,风雨夜为朋友修补屋顶,为远行之邻居代取邮件包裹,救助车祸受伤之路人,均其著例。于诸此情形,涉及二个利益:其一,受管理事务者之利益(本人之利益)。个人事务应由自己处理,他人不得干预,系法律之基本原则,违反此项原则,任意干预他人事务时,通常应构成侵权行为。其二,社会利益(管理人之利益)。危难相助,见义勇为,不但为道德所赞许,且为人类社会共同生活之要求,干预他人事务,亦有容许之必要。

无因管理制度之基本任务,即在于权衡、规律上述二种利益。易言之,即在区别类型,创设一定之条件,适当规律当事人间权利义务关系;对立法者言,如何实现此项立法目的,实在不是一件容易之工作。[1]

（二）不明确之利益衡量

现行民法关于无因管理，共设七条规定，基本上系以德国民法为骨干。德国民法关于无因管理（Geschäftsführung ohne Auftrag）之规定（德国民法第六七七条至第六八七条），体例不够严密，未能明确地表现立法上利益衡量之原则，甚受学者批评。现行民法虽兼采瑞士债务法（瑞士债务法第四一九条至第四二四条），有所改进，但德国民法之缺点，依然存在。[2]

现行民法关于无因管理之规定，其构成核心概念计有二个：一为意思（Wille），二为利益（Interesse）。首先，管理人须有为他人管理事务之意思，始能成立无因管理（第一七二条前段）；其次，事务之管理，"应依本人明示或可得推知之意思，以有利于本人之方法为之"（第一七二条后段）。无因管理之法律效果，亦因"管理事务是否利于本人，并不违反本人明示或可得推知之意思"而异（参阅第一七六、一七七条）。本人之意思如何探知、利益如何判断，理论上争议甚多，具体案例处理，尤属不易。[3]

（三）判例与学说之任务

据上所述，可知无因管理制度，一方面由于立法上利益衡量标准未臻明确，另一方面由于整个制度建立在不确定法律概念之上，疑义甚多。因此如何探究立法原则及适当解释适用法律之概念用语，实为判例学说的基本任务。

依德国学者Wollschläger氏最近之统计，自一八七九年迄至一九

---

[1] Larenz, Schuldrecht II, 11. Aufl. 1977, S. 310f.
[2] 德国民法关于无因管理之缺点，参阅 Larenz, Schuldrecht II; Staudinger – Nipperdey, Kommentar zum BGB, 11. Aufl. 1958, Bem. zu §677.
[3] 关于无因管理制度之意思（Wille）及利益（Interesse），参阅 Lent, Wille und Interesse bei der Geschäftsbesorgung; Streber, Wille und Interesse des Geschäftsherrn bei der Geschäftsführung ohne Auftrag, 1907.

七五年,德国法院所处理无因管理的案例约为一千一百件。[1] 而自一九二七年"最高法院"成立以来,关于无因管理之案例其经采为判例的,计有三则,其经选录于裁判类编的,计有五则(包括判例二则),其他究有多少,因资料欠缺,难以查稽。

判例要旨所收录者,计有三则,前已述及,即:❶一九二八年上字第二一六号判决:"无委任或无义务为他人管理事务者,应依本人真意或得以推知之意,用有利于本人之方法为之。"❷一九五六年台上字第六三七号判决:"上诉人基于继承其父之遗产而取得系争房屋所有权,原与其叔某甲无涉,某甲之代为管理,曾用自己名义出租于被上诉人,如系已受委任,则生委任关系,依第五四一条第二项之规定,受任人以自己名义为委任人取得之权利,固应移转于委任人;如未受委任则为无因管理,依第一七三条第二项之规定,关于第五四一条亦在准用之列,均不待承租之被上诉人之同意而始生效,从而某甲将其代为管理之系争房屋,因出租于被上诉人所生之权利移转于上诉人,纵使未得被上诉人之同意,亦难谓不生效力,上诉人自得就系争房屋,行使出租人之权利。"❸一九六六年台上字第二二八号判决:"无因管理成立后,管理人因故意或过失不法侵害本人之权利者,侵权行为仍可成立,非谓成立无因管理后,即可排斥侵权行为之成立。"

就上述三则判例分析之,一九二八年上字第二一六号判决著于民法制定之前,查其内容,与第一七二条相当,已失其规范意义。一九五六年台上字第六三七号判决,旨在说明管理人移转其因管理事务(出租他人房屋)所得之权利于本人时,无须得到承租人之同意。一九六六年台上字第二二八号判决,确认基于无因管理所生之损害赔偿请求权,与侵权行为损害赔偿请求权,得成立竞合关系。综观此二则判例,虽具有阐释疑义之功能,但皆未论及无因管理之基本问题。在此情形之下,如何探究立法上利益衡量之基本原则,并根据此项基本原则,将现行规定组成体系,适当规律本人利益与管理人之利益,实为

---

[1] Wollschläger, Die Geschäftsführung ohne Auftrag, Theorie und Rechtssprechung, 1976.

学说之任务，亦为本文研究之主要目的。

二、体系之构成

所谓无因管理，系指无法定或约定之义务，为他人管理事务者而言。因此须有为他人利益之意思而管理他人事务，始能成立。管理他人事务，无为他人的意思，即不能成立无因管理。其主要情形有二：❶误信他人事务为自己事务而管理，例如误以朋友之书为己有而出卖（误信管理）；❷明知他人事务，仍作自己事务而管理，例如明知某书为其朋友所有，为获得利益而出卖（不法管理），学说上称之为不真正无因管理，或准无因管理。关于所谓之不真正无因管理，现行民法未设规定，原则上应适用侵权行为及不当得利之规定。有疑问者，系在何种情形得类推无因管理之规定以解决特殊问题。关于此点，俟于后文再为说明。

关于无因管理制度体系之建立，必须明确区别二个基本概念：一为事务管理之承担(Übernahme der Geschäftsführung)，二为事务管理之实施（Durchführung der Geschäftsführung）。前者系指开始管理事务之行为，第一七四条及第一七五条所称"事务之管理"及第一七六条、第一七七条所称"管理事务"，均指此而言；[1] 后者系指承担事务之管理后，关于管理事务所采之措施及方法，第一七二条后段系指此而言。兹举一例说明之：A遇B昏迷于途，A予以救助，系事务管理之承担，A或将B送往医院，或自己虽不懂医术但仍擅为医疗，则属事务管理之实施。

关于事务管理之承担，又应分为二种基本类型：❶管理事务利于本人，并不违反本人明示或可得推知之意思（第一七六条第一项）。❷管理事务不利于本人，违反本人明示或可得推知之意思（第一七七条）。

民法上无因管理之体系，系建立在这二个基本类型之上，赋予不

---

[1] 史尚宽：《债法总论》，第六十五页。

同之法律效果。此二个基本类型，不但代表二种不同利益状态，而且也表现了立法者利益衡量之原则。[1] 甲遇乙昏迷于途，甲予以救助，其管理事务合于本人可推知之意思，并不违反其利益，虽系干预他人事务，但法律特予容许，对管理人予以适当之优遇，一面阻却其违法性，一面使其得请求本人偿还支出之费用，清偿所负担之债务，或赔偿所受之损害。反之，A 知其友人 B 藏有传家古物，认为目前市价最高，机不可失，擅自取走拍卖，虽极尽小心守护之能事，但终为小偷所窃。于此情形，A 有为 B 管理事务之意思，虽仍可成立无因管理，但其管理事务违反本人明示或可得推知之意思，实无优遇之理，故一面加重其责任（第一七四条第一项），一面限制其对本人之请求权（第一七七条）。

民法关于上述无因管理之二个基本类型，虽然未能明确表现在条文之中，但就第一七六条及第一七七条对照比较言之，似无疑问。在分别说明前，拟先将无因管理制度之构成及当事人间基本权利义务关系，图示如下，再详为分析。

---

[1] Larenz, Schuldrecht Ⅱ, S. 310f.；Staudinger/Nipperdey, §677.

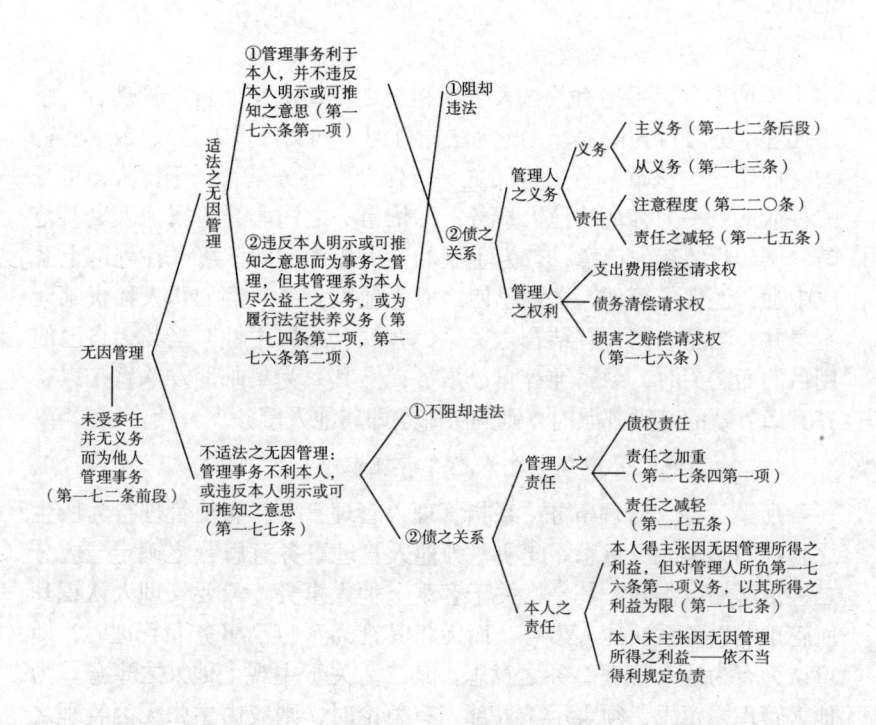

无因管理制度基本体系之再构成 69

```
                          ┌─ ①管理事务利于本人，并不违反本人明示或可推知之意思（第一七六条第一项）
            ┌─ 适法之无因管理 ─┤
            │             └─ ②违反本人明示或可推知之意思而为事务之管理，但其管理系为本人尽公益上之义务，或为履行法定扶养义务（第一七四条第二项，第一七六条第二项）
            │
            │    ┌─ ①阻却违法
            │    │
            │    │              ┌─ 义务 ─┬─ 主义务（第一七二条后段）
            │    │              │        └─ 从义务（第一七三条）
            │    │   管理人之义务 ┤
            │    │              └─ 责任 ─┬─ 注意程度（第二二〇条）
无因管理 ─┤    ②债之关系 ┤                  └─ 责任之减轻（第一七五条）
未受委任 │    │              ┌─ 支出费用偿还请求权
并无义务 │    │   管理人之权利 ┼─ 债务清偿请求权
而为他人 │    │              └─ 损害之赔偿请求权（第一七六条）
管理事务 │
（第一七二│
条前段）  │   ┌─ ①不阻却违法
          │   │
          │   │              ┌─ 债权责任
          └─ 不适法之无因管理：│   管理人之责任 ┬─ 责任之加重（第一七条四第一项）
             管理事务不利本人， │              └─ 责任之减轻（第一七五条）
             或违反本人明示或可  │
             可推知之意思      ②债之关系 ┤
             （第一七七条）    │              ┌─ 本人得主张因无因管理所得之利益，但对管理人所负第一七六条第一项义务，以其所得之利益为限（第一七七条）
                              └─ 本人之责任 ┤
                                            └─ 本人未主张因无因管理所得之利益——依不当得利规定负责
```

二、适法之无因管理

一、一般构成要件

第一七二条规定："未受委任，并无义务，而为他人管理事务者，其管理应依本人明示或可得推知之意思，以有利于本人之方法为之。"本条前段所规定者，系无因管理之构成要件，后段系关于事务管理之方法。准此以解，无因管理之成立，须具备之要件有：须管理他人之事务；须有为他人管理事务之意思；须无约定或法定之义务。兹分别说明之。[1]

(一) 管理他人事务

所谓事务，系指有关吾人生活利益之一切事项而言。管理者，系指处理事务之行为而言，无论为法律行为（购买稀贵邮票），或事实行为（收留迷失孩童）等，皆属之。所处理之事务是否属于他人，可分二种情形：一为客观的他人事务，即依事务之内容，系属他人利益范畴，例如收留迷失孩童；二为主观的他人事务，即该事务在外部上系属中性，但得依管理人之意思使之成为他人事务，例如购入稀贵邮票本身并非当然与何人有结合之关系，客观上系属中性，当其为自己使用目的而购买时，系属纯粹自己事务，惟其系为集邮朋友购置，以补齐其尚欠缺的某类邮票时，则购买邮票即属他人事务。

(二) 为他人管理事务之意思（管理意思）

所谓为他人管理事务，系指管理人管理事务，有使管理行为所生之利益归属本人之意思。此项"为他人管理事务意思"之确定，应分二种情形加以判断：其一，关于客观上他人事务。只要管理人认识其所管理的事务系属他人事务，而无将其视为系自己事务而管理时，即可认为有为他人管理事务之意思。其二，关于主观上他人之事务。为他人管理之意思，须表示于外部，有争论时，则应由主张无因管理之人，负举证责任。

(三) 无约定或法定之义务

无因管理所称之"无因"，系指"未受委任，并无义务"而言。易言之，即无契约上之义务及法律上之义务（例如扶养、监护）而为他人管理事务者而言。基于契约关系而处理他人事务，多由于委任。民法特举委任为例，从而基于雇佣或其他契约而处理事务，系履行契约上义务，亦不构成无因管理。

---

[1] 参阅 Schubert, Die Tatbestand der Geschäftsführung ohne Auftrag, AcP 178, 425f.

二、无因管理之适法化

未受委任，并无义务，而为他人管理事务，虽构成无因管理，但仅于下列二种情形，无因管理始具有适法之性质或为适法之无因管理（Berechtigte Geschäftsführung ohne Auftrag）。[1]

一种情形是，管理事务利于本人，并不违反本人明示或可得推知之意思（第一七六条第一项）。所谓管理事务，系指事务管理之承担而言。管理事务利于本人，并不违反其意思，须于承担事务管理时既已具备。管理事务是否利于本人，应斟酌一切与本人、管理人及事务之种类性质相关之情事，客观决定之。明示之意思，系指本人事实上已表示之意思；无明示之意思时，管理事务须不违反斟酌一切相关情事而推知之本人之意思。一般言之，本人可推知之意思与客观上之利益常相一致。管理事务利于本人，并不违反本人明示或可推知之意思，事例甚多，例如风雨夜为邻居修补屋顶、收留迷失之幼童、救助车祸受伤之人等，均属之。

另一种情形是，管理人违反本人明示或可得推知之意思，而为事务之管理，但其管理系为本人尽公益上之义务，或为其履行法定扶养义务（参阅第一七四条第二项）。所谓公益上之义务，系指义务具有公益性。义务有属私法上性质者，例如甲建造房屋，挖掘地道，拒不设置必要警告或安全设施，乙代为设置时，即为甲尽公益上之义务（交通安全义务）；义务有属公法上之性质者，例如丙欠税拒缴，丁代为缴纳时，即为丙尽公益上之义务。法定扶养义务，系指民法亲属篇所规定之亲属扶养义务（参阅第一一一四条以下规定）。设有甲遗弃寡母，乙照顾其衣食时，即系为甲履行法定扶养义务。于诸此情形，事务之管理虽违反管理人之意思，但因系为本人尽公益上之义务，或为履行

---

[1] 参阅 Larenz, Schuldrecht Ⅱ, S. 310f.；Staudinger/Nipperdey, §677. Fikentscher, Schuldrecht, 5. Aufl. 1975, S. 493f. 关于日本学者之最近见解，参阅松坂佐一：《事务管理·不当利得》（新版），"法律学全集"22－1，昭和46年（有斐阁），第32页（尤其是注3）；平田春二："事务管理の成立と不法干涉との限界"，《不当利得事务管理の研究》(2)（谷口知平教授还历纪念），昭和52（有斐阁），第233页。

法定扶养义务,其无因管理行为,亦属正当适法。

三、法律效果

(一) 阻却违法

无因管理系干预他人之事务,因此亦侵害他人之权益。例如修缮他人房屋,系侵害其所有权;收留迷失之幼童,系侵害其自由权;救助车祸受伤之人,系侵害其身体权或自由权。侵害他人之权利,本应构成侵权行为,但无因管理本为人类勇义互助行为,其事实管理利于本人,并不违反其意思,或虽违反其意思,但其管理系为本人尽公益上之义务或履行法定扶养义务者,有利于公益,故法律特使其具有阻却违法性,成为适法行为。[1]

(二) 法定债之关系与当事人之权利义务

适法之无因管理一经成立,则管理人与本人之间即发生债权债务关系,一方之义务,即成为他方之权利。故以下专就管理人一方之义务及权利立论,至于本人之权利义务,可由反面解释得之,不另加说明。

1. 管理人之义务（主要义务和从属义务）

管理人之主要义务,系应依本人明示或可得推知之意思,以有利于本人之方法为事务之管理（第一七二条第一项后段）。关于利益、明示或可得推知之意思等概念,前已详论,于此不赘。兹仅举一例说明之。甲见乙昏迷于途,情势危急,加以救助时,成立适法之无因管理。甲雇计程车送乙前往邻近医院救治时,其管理事务系依本人可推知之意思,以有利于本人之方法为之。反之,甲用自己机车载运回乡下,用土法治疗,其管理事务,系违反本人可推知之意思,非以有利于本人之方法为之。

管理人之从属义务包括两项:其一,通知义务。管理人开始管理时,以能通知时为限,应即通知本人,如无急迫之情事,应俟本人之

---

[1] Larenz, Schuldrecht Ⅱ, S. 310f.; Staudinger/Nipperdey, §677.

指示（第一七三条第一项），是为管理人之通知义务。通知之能否，应依事务之性质及当时之情形定之。如为可能，管理人即负有勿稍迟滞为其通知之义务。已为通知后，倘无急迫情事，须中止其管理行为，以待本人之指示。其二，计算之义务。第一七三条第二项规定："第五四〇条至第五四二条之规定，于无因管理准用之。"该三条系关于委任契约受任人之计算义务。准用于此，是为管理人之计算义务。析言之，共计有三项：❶管理人应将管理事务进行之状况报告本人，管理关系终止时，应明确报告其颠末（第五四〇条）；❷管理人因管理事务所收取之金钱、物品及孳息，应交付本人，管理人以自己名义为本人取得之权利，应移转于本人（第五四一条）；❸管理人为自己之利益，使用应交付于本人之金钱，或使用应为本人利益而使用之金钱者，应自使用之日起，支付利息，如有损害，并应赔偿（第五四二条）。

2. 管理人之责任（债务不履行责任和管理人之侵权责任）

债务不履行责任包括两方面：一方面是注意程度。管理人之管理事务，既须依本人明示或可得推知之意思，以有利于本人之方法为之，并负有通知及计算之义务，前已说明。原则上，管理人应尽善良管理之注意，否则应负债务不履行责任（参阅第二二〇条）。另一方面是责任之减轻。依第一七五条规定："管理人为免除本人之生命、身体或财产上之急迫危险，而为事务之管理者，对于因其管理所生之损害，除有恶意或重大过失者外，不负赔偿责任。"例如为救治车祸受伤之人，因轻过失而损坏其衣物或擦伤其身体时，不负损害赔偿责任。盖当此紧急情况，难期周全，对管理人之注意程度，应予降低，以适当减轻其责任也。管理人认为其事务管理，系为免除本人之生命、身体或财产之急迫危险时，即有本条之适用，此项危险事实上是否存在，在所不问。惟管理人未尽适当注意，以确定危险状态是否存在时，本条即无适用之余地。[1]

适法无因管理，本身虽得阻却违法，但在管理事务过程中，管理

---

[1] Brox, Besonderes Schuldrecht, 4. Aufl. 1976, Rdn. 375 (S. 212).

人因故意或过失不法侵害本人之权利时,是否构成侵权行为,民法未设明文。一九六六年台上字第二二八号判决(判例)谓:"无因管理成立后,管理人因故意或过失,不法侵害本人权利者,侵权行为仍可成立,非谓成立无因管理后,即可排斥侵权行为之成立。"此项见解,实属正确,可资赞同。

3. 管理人之权利

第一七六条第一项规定:"管理事务利于本人,并不违反本人明示或可得推知之意思,管理人为本人支出必要或有益之费用,或负担债务,或受损害时,得请求本人偿还其费用及自支出时起之利息,或清偿其所负担之债务,或赔偿其损害。"又依第一七六条第二项规定:"管理人管理事务虽违反本人之意思,但其管理系为本人尽公益上之义务,或为其履行法定扶养义务者,仍有前项之请求权。"由此规定可知,适法之无因管理人具有三种权利:

其一,费用偿还请求权。管理人为本人支出之必要费用或有益费用,均得请求本人偿还,同时并得请求偿还上述费用自支出时起之利息。费用是否必要或有益,应以支出之时为准决定之。

其二,负债清偿请求权。管理人为本人在管理上负担债务时,得请求本人清偿其债务。在解释上,此项债务应以必要或有益者为限。

其三,损害赔偿请求权。管理人因管理事务受有损害时,得请求本人赔偿其损害。又此项损害,应以与管理事务具有相当因果关系,始得请求,是不待言。

关于适法无因管理人之上述三种请求权,试举一例加以说明:设乙因车祸受伤昏迷于途,甲为之救助,雇计程车送往医院。甲就所支出之计程车车资对乙有偿还请求权;就尚未缴纳之医药费,有负债清偿请求权;就染有血渍不堪使用之衣服,有损害赔偿请求权。于此应注意的是,管理人所得请求者,不受本人因无因管理实际上所受利益之限制,就超过部分,仍得悉数请求。至管理人就损害之发生或扩大与有过失者,法院得减轻赔偿金额,或免除之(第二一七条第一项),

自不待言。[1]

适法无因管理人除上述三种请求权外，是否有报酬请求权，甚有争论。通说采否定之见解。胡长清对此作有详细之说明："民法对于无因管理，并非以其为道德行为，从而奖励之，故在解释上，管理人除费用偿还请求权外，无报酬请求权。关于此点，外国法律设有明文禁止者（暹逻民法第一六三条规定管理人不得请求报酬）。吾民法无之，余以为解释上应属相同。"[2] 郑玉波先生认为："自立法政策言，无因管理既一面保护本人利益，一面复谋取社会利益，若对于管理人赋预见报酬请求权以奖励之，不更具有重要意义乎？"[3] 关于立法政策，见仁见智，意见容有不同，暂不讨论。就现行制度而言，通说否认管理人之报酬请求权，基本上固属正确。惟德国学者有认为管理事务，系在其职业范围内之活动者，例如医生救助病患，可认为有间接财产之支出（mittelbare Vermogensaufwendung），得请求通常之报酬之赔偿。[4] 此项见解可供参考。

三、不适法之无因管理

一、基本理论

未受委任，并无义务，而管理他人事务，其管理事务之承担，有不利于本人或违反本人明示或可得推知之意思者，例如 A 有传家古董，其朋友 B 知 A 经济困难，以目前市场情况最为有利，机不可失，乃擅至 A 家，取走古董出售。于此情形，依第一七七条规定，本人仍得享有因管理所得之利益，而本人所负前条第一项对于管理人之义务，以

---

[1] Larenz, Schuldrecht II, S. 321.
[2] 胡长清：《民法债编总论》，第八十四页。
[3] 郑玉波：《民法债编总论》，第八十二页。
[4] Larenz, Schuldrecht II, S. 320.

其所得利益为限。此种类型之无因管理，其法律性质如何，具有何种法律效果，最具争议，可谓系现行民法上一项疑难问题。为此，特参酌学说、判例详为论述。

（一）学说

1. 构成无因管理，阻却违法

王伯琦先生认为，管理人虽违反本人之意思，或不利于本人，但其有为本人之意思时，仍可成立无因管理，并发生违法阻却之效果。至于当事人间之权利义务，则依三种情形分别处理之：❶其管理事务不违反本人之意思，而不利于本人。在此情形，问题在于本人所受之损害，管理人于行为时是否已尽其注意义务，以定其应否负责。❷管理事务违反本人之意思，且不利于本人。在此情形，本人所受之损害，应适用第一七四条，使负责任。❸管理事务违反本人之意思，而利于本人。是为第一七七条所指之情形，本人仍得享有无因管理所得之利益，而所负之义务，则以其所得之利益为限。[1] 郑玉波先生基本上亦采此见解，但特别说明本人若不享受其利益时，则管理人自己不能向本人主张第一七六条第一项所定之三种请求权，但仍得依不当得利之规定，向本人请求返还所得之利益。[2]

2. 第一七七条仅适用于不利于本人及违反其意思尚未分明之情形

胡长清氏认为第一七七条所谓不利于本人并违反其意思，系指不利于本人及违反本人之意思尚未分明者而言。于此情形法律规定仍使其成立无因管理，一方面规定本人得享有因无因管理所得之利益，另一方面则明定其负担义务之限度。如管理人明知或可得而知本人不欲其管理，乃竟悍然为之，则根本不能成立无因管理。[3] 戴修瓒氏基本上亦采同样见解。[4] 王伯琦先生对此见解，作有如下之批评："实则

---

[1] 王伯琦：《民法债编总论》，第五十三页。
[2] 郑玉波：前揭书，第九十六页。
[3] 胡长清：前揭书，第九十五页。
[4] 戴修瓒：《民法债编总论》，第一〇四页。

本人不致有尚未分明之情形。其中明示之意思，无论矣。否则亦应就其特有之情况，推知其意思，纵不知本人为谁，亦应以一般人客观之意思为其意思。此种情形，无不可推知之意思。若谓可得推知之意思，必为特定本人之意思，则无异谓管理人必须先知本人为谁，其属非是，尤无待言。"[1]

3. 不成立适法之无因管理

洪文澜氏认为，管理事务不利于本人，或违反本人明示或可得推知之意思者，适法之无因管理不能成立。本人与管理人间之法律关系，应依关于不当得利及侵权行为之规定而定之。然此时本人所得主张之权利，若较适法之无因管理为少，法律上即失其权衡。例如甲违反乙之意思，擅以乙之金钱，为乙买地数亩，且依当时情事观察，其为乙买地，极不利于乙，然因嗣后情事变迁，地价上涨数倍，此时乙若仅得向甲请求赔偿其金钱上之损害，而不得依第一七六条第二项、第五四一条向甲请求交付该地，则乙所得主张之权利，反较适法之无因管理为少，其不合于理论，自不待言。故本条规定本人仍得享有无因管理所得之利益。本人若主张享有无因管理所得之利益，即对于管理人，亦负有前条第一项之义务。惟本人主张享有管理所得之利益，而其对于管理人所负义务，超过其利益者，亦往往有之，此际仅于不超过其利益之限度内，负其义务。[2]

(二) 判例 (不成立适法之无因管理)

关于管理事务不利于本人，或违反本人明示或可推知之意思时所生之法律效果，一九六三年台上字第三〇八三号判决认为，不能成立适法之无因管理，其因管理事务而本人受利益，致管理人受损害者，则管理人仍得依不当得利之规定，请求返还其利益。兹录判决全文于后，用供参考："本件上诉人租用台北市金门街十二巷十三弄一之三号房屋，由被上诉人于执行法院拍卖时买受，因需收回自住，诉经判决

---

[1] 王伯琦：前揭书，第四十八页。
[2] 洪文澜：《民法债编通则释义》，第八十九页。

确定，于一九六一年八月二十一日收回。此项事实，为两造所不争。被上诉人请求上诉人赔偿自催告迁让房屋限期届满时即一九五九年一月一日起至迁让日止之损害金，其金额经核算应为每月新台币二百七十七点七四元，为原审确定之事实。而上诉人则以其曾因上开房屋柱梁腐烂，支出修缮费新台币六千九百元，为抵消之抗辩。原审维持第一审所为命上诉人自一九五九年一月一日起至迁让日止，按月偿付被上诉人损害金新台币二百七十七点七四元之判决，系以上诉人为恶意占有人，依第九五七条之规定，得依关于无因管理之规定，对于被上诉人请求偿还修缮费。惟依第一七六条第一项之规定，此项偿还请求权，应于管理事务者，不违反本人明示或可得推知之意思时，始能成立。但查本件上诉人修理房屋，系在一九六一年五月十二日，此时本案迁让房屋部分，业经第二审判决上诉人败诉在案。被上诉人急需收回房屋自住，上诉人竟延不交还再行修缮，继续无权占住，其系违反被上诉人之意思甚明。此项意思，又为上诉人不得诿为不明知，自不得请求被上诉人偿还修缮费，其所为抵消之抗辩，即无从成立云云，为其论断之基础。但按管理事务违反本人明示或可得推知之意思者，虽不能成立适法之无因管理，第因管理事务而本人受利益，致管理人受损害者，则管理人仍得依关于不当得利之规定，请求返还其利益。上诉人主张抵销之房屋修缮费，其性质如何，是否不能抵销，原审并未加以详查，遽为上诉人不利益之断定，尚嫌疏略。上诉论旨，声明废弃原判决，不得谓为无理由。"

综据上述学说判例，本文认为，其主要争点在于：❶管理事务不利本人，或违反其意思时，是否构成无因管理；❷管理事务不利本人，或违反其意思时，若得构成无因管理，是否得发生阻却违法之效果。

洪文澜氏及"最高法院"认为，管理事务不利于本人，或违反其明示或可得推知之意思者，不能成立适法之无因管理。所谓"不能成立适法之无因管理"，究系指根本不能成立无因管理，抑或认为虽能成立无因管理、但不具适法性，不甚明确。本文认为，管理事务利于本人，并不违反其意思者，无论从社会公益及本人利益言，对于管理人应予优惠。一方面使其行为具有适法性,另一方面使其得主张费用偿还、负债清偿及损害赔偿请求权;反之,若事务管理不利于本人,并违反其意思者,因其具有为他人管理事务之意思,仍可成立无因管理。惟于此情形,衡量社会利益及本人利益,对管理人无特别予以优惠之必要,故不应使其管理事务行为具有违法阻却之法律效果(不适法之无因管理)。[1]

二、构成要件

不适法无因管理之成立,须具备下列二个要件:其一,未受委任,并无义务,而为他人管理事务;其二,管理事务不利本人,或违反其明示或可得推知之意思。兹举二例说明之:甲在后院种植名贵药草,远行未归,新搬进之邻居,误以为系杂草而拔除之;又例如A见B之家中冒出浓烟,以为发生火灾,购置灭火器破门而入,冲至厨房,始发现B正在清理烤焦之面包。[2] 诸此情形,管理事务不利本人,并违反其可得推知之意思,均应构成不适法之无因管理。

三、法律效果

(一)管理人之义务

1. 侵权责任

管理事务不利本人,或违反其意思者,虽仍能成立无因管理,但不阻却违法。因此,管理事务人之行为具有故意过失侵害他人权利者,应负损害赔偿责任。

2. 责任之加重

依第一七四条第一项规定:"管理人违反本人明示或可得推知之意思而为事务之管理者,对于因其管理所生之损害,虽无过失,亦应负赔偿责任。"此为对不适法无因管理人责任加重之规定。关于本条项之适用,有应注意者二:其一,管理事务违反本人明示或可得推知之意

---

[1] Larenz, Schuldrecht Ⅱ, S. 322.
[2] Medicus, Bürgerliches Recht, 8. Aufl. 1978, Rdnr. 424 (S. 189).

思时，即有本条之适用，至于管理事务是否符合本人之利益，在所不问。其二，须管理人对于违反本人意思为管理事务之承担具有故意过失，始负担其管理行为所生之危险性（无过失责任）。[1] 例如甲故意违背乙之意思，擅自取走乙之古董前往市场拍卖，途中为他人所毁损时，甲对于损害之发生，虽无过失，仍应负损害赔偿责任。

3. 责任之减轻

第一七五条规定："管理人为免除本人之生命、身体或财产上之急迫危险而为事务之管理者，对于因其管理所生之损害，除有恶意或重大过失外，不负赔偿之责。"本条规定，对于不适法之无因管理，亦有适用之余地。例如甲住处有山崩之虞，但誓言绝不迁移，并禁止他人搬动其财物。某日山崩情势危殆，乙一面拉劝甲离开，不慎撕破其衣服，一面抢救财物，不慎毁损陶器二件，其非出于恶意或重大过失者，不负赔偿责任。

（二）本人之权利义务

第一七七条规定："管理事务不合前条规定时，本人仍得享有因管理所得之利益，而本人所负前条第一项对于管理人之义务，以其所得之利益为限。"本条明定本人得主张享受无因管理之利益，解释上当然亦得不主张享受无因管理之利益。因此，关于本人之权利义务，应分其是否主张享受无因管理所得之利益，而有不同。

1. 本人主张享有无因管理之利益

本人主张享有无因管理之利益时，应偿还管理人所支出之债务，清偿其所负担之债务，赔偿其所受之损失，但以本人所得之利益为限。例如甲违背乙之意思，出卖乙传家古董，得价金一万元，但支出费用五百元，若甲主张享受无因管理之利益（一万元价金）时，应清偿乙所支出之费用五百元。

---

[1] 参阅德国民法第六七八条：管理事务违反本人之真实或可得推知之意思，且其违反为管理人所应知者，纵令管理人无可归责于自己之其他过咎，仍应对本人赔偿因管理事务所生之损害。

2. 本人不主张享受无因管理之利益

本人是否主张享受无因管理之利益，系斟酌各种因素决定之。当其不主张享受无因管理之利益时，对管理人，自无须偿还其所支出之费用，清偿其所负担之债务，或赔偿其所受之损失。惟若本人因管理事务受有利益时，则应依不当得利之规定，负返还责任。例如甲之屋顶漏雨，因甲喜听风雨声而不愿修理，乙明知其意思而违反之，擅自购买材料为之修缮，不慎跌下摔伤。当甲不主张享受无因管理时，虽应依不当得利之规定，返还其因修缮屋顶所获之利益，但对乙跌倒所受之损害，则不必负损害赔偿责任。

四、实例研究

关于无因管理制度，本文提出一个新的体系架构，将无因管理分为二个类型，并使其具有不同之法律效果：❶适法之无因管理，即管理事务利于本人，并不违反本人明示或可推知之意思（或管理事务虽违反本人明示或可推知之意思，但其管理系为本人尽公益上之义务，或为其履行法定扶养义务）。❷不适法之无因管理，即管理事务不利本人，或违反本人明示或可推知之意思。

此项体系对于处理无因管理之案例，殊为重要。其次序可归为三个步骤，分别检讨其构成要件，决定其法律效果：❶是否构成无因管理；❷是否为适法之无因管理；❸是否为不适法之无因管理。以下特举实例八则，试加说明，用供参考。

例一：中学生十五岁之甲，放学回家途中遇邻居老妪昏迷于途，雇计程车护送回家，于扶持老妪下车之际，不慎毁损其名贵衣服。

此一案例，涉及到无因管理性质之问题。按无因管理之行为，有为事实行为，有为法律行为，但此均为无因管理之手段，无因管理本身并非为法律行为，而是事实行为，即非法律行为之适法行为。

关于行为能力规定之适用，甚有争论。德国学者有认为无因管理虽非法律行为，但亦必须有特定意思指向（Willensrichtung），系属一个类似法律行为之行为（Geschäftsähnliche Handlung），因此法律行为能力之规定，应予类推适用。[1] 管理人系无行为能力或限制行为能力人时，须经其法定代理人同意，始能发生德国民法第六七七条以下所定之权利义务关系，否则应适用该法第六八二条，即"管理人无行为能力或其行为能力受限制者，仅依侵权行为之损害赔偿及不当得利之规定，负其责任"。最近，德国通说强调无因管理系事实行为，不以管理人行为能力为必要；该条仅在于限制损害赔偿返还义务范围，并不影响德国民法第六七七条所定管理人之基本义务及该法第六八三条之请求权。[2]

现行民法并未采类如德国民法第六八二条之规定。通说一致认为行为能力之规定，无适用之余地，故无行为能力人或限制行为能力人，只须有实际上之意思能力，亦得为无因管理。[3] 此项见解符合无因管理之本质，兼顾未成年人之利益，实值赞同。因此就本例而言，管理人虽系限制行为能力人，仍能成立无因管理。又管理事务利于本人，并不违反本人明示或可推知之意思，故管理人就支出之计程车费，有返还请求权。又管理行为系为免除本人生命之急迫危险，对于毁损名贵衣服，除有恶意或重大过失外，不负赔偿责任。

例二： 甲、乙驾车不慎相撞，损害丙之房屋，应负损害赔偿十万元。甲对丙全部清偿时，就对内超过其应负担部分，是否构成无因管理？

学者有认为于此情形，为清偿者（甲），对债权人（丙）虽负有义务，但对本人（乙）并无义务，不妨成立无因管理。[4] 依本文见

---

[1] 参阅 Palant/Thomas, Kommentar zum BGB, 37. Aufl. 1978, 1 zu §682; LG Aschen, NJW 63, 1252.
[2] 参阅 Larenz, Schuldrecht Ⅱ, S. 318; Diederischen, MDR 64, 889; Canaris, NJW 64, 1988; Esser, Schuldrecht Ⅱ, 3. Aufl. 1969, S. 316f.
[3] 王伯琦：前揭书，第四十六页；郑玉波：前揭书，第八十三页。
[4] 郑玉波：前揭书，第八十八页。

解，于此情形应不构成无因管理。真正连带债务中之一人超过其对内应负担部分为清偿时，依第二八〇条规定，对其他连带债务人有求偿权，其他债务人之给付义务并未免除，仅是变更债权人而已，超过内部负担部分之给付，并非系管理他人事务。再者，对清偿人言，既有求偿权，倘赋予其他救济之方法，殊无必要。在不真正连带债务之情形，债务人中之一人全部清偿，亦非系管理他人事务。设甲借书与乙，因乙之过失被丙所盗。对甲而言，乙、丙系不真正连带债务人。丙向甲赔偿其所受损害时，并非系管理乙之事务，盖丙最后原应承担损害赔偿责任也。乙向甲为损害赔偿时，亦非系管理丙之事务，因为丙之债务并未免除也；惟于此情形，甲应将其对丙之损害赔偿请求权让与乙，自不待言。[1]

例三：甲见邻居乙宅失火，初则以为事不关己，坐视不救，其后发现有被殃及之虞，乃速前往购买灭火器，支出百元，赶往救火，抵达现场时，火已扑灭。

未受委任，并无义务，为救火之目的，购买物品者，系管理他人事务，若具有为他人管理事务之意思时，应构成无因管理（第一七二条前段）。在本案，救火之动机虽为免除自己之危险，但为他人之意思与为自己意思之并存，并不妨害无因管理之成立。[2] 又甲之管理事务利于本人，并不违反本人之意思，系属适法无因管理。管理人（甲）以自己名义为本人（乙）取得之灭火器，应移转于乙（第一七三条准用第五四一条）。管理人（甲）得向本人（乙）请求返还购买灭火器所支出之费用及自支出时起之利息（第一七六条第一项）。至于管理人抵达现场时，火已扑灭，对其支出费用请求权并无影响。盖适法无因管理之成立，系以管理事务利于本人即为已足，并不以本人因管理行为实际上获有利益为要件也。

例四：甲遵照交通规则，驾车在公路上行驶，遇前面骑自行车之

---

[1] 参阅 Brox, Besonderes Schuldrecht., Rdnr. 366 (S. 206).
[2] 郑玉波：前揭书，第八十八页。

十三岁小学生乙突向左转,情势危殆,甲为避免撞到乙,乃作紧急右转,落入稻田,车坏人伤,经查甲乙均无过失。试问甲就其所受损害,得否依无因管理之规定请求赔偿?

此为交通事故经常发生之案例,最近德国判例学说争论甚多,实务上系采肯定说。德国最高法院一九六二年十一月二十七日判决(BGH NJW 1963, 390),对此问题作有详细说明,特摘录于后,用供参考:

"……原审法院依德国民法第六七七、六八三及六七〇条规定,肯定原告之请求权。依诸此规定,未受委任,并无法律上义务,管理他人事务者,如其管理事务之承担符合本人之利益,并不违反本人明示或可得推知之意思者,得请求赔偿其所支出之费用。原审认为S(原告)紧急右转落入稻田,系为维护被告之利益,避免其遭受伤亡,系为被告管理事务并符合其利益及意思,得请求赔偿其所受之损害。原告驾驶汽车,对危险之发生与有原因,损害赔偿金额应予减半……。"此项结论,可资赞同。

关于汽车驾驶人于危急情况,为避免他人遭受损害,致危害自身时,是否具备无因管理之要件,学说上赞成者有: Bruggemann DAR 54, 151ff.; Ermann BGB 3. Aufl. Vorbem. zu §677; Körner DAR 62, 11; Peleiderer VersR 61, 675; Roth/Stielow NJW 57, 489; Staudinger/Nipperdey, BGB, 11. Aufl. §677 Anm, 5; Weimar DRiZ 56, 129; LG Bückeburg in DAR 54, 297. 采不同见解者有: Das OLG Koblenz NJW 53, 1633; Larenz, Lehrbuch des Schuldrecht, 5. Aufl. Bd. II, S. 230; Palandt/Gramm, BGB, 20, Aufl. §677 Anm. 26 und Wussow, Das Unfallhaftpflichtrecht, 6, Aufl. S. 330.

依德国民法第六七七条规定,无因管理之成立,首须具备事务管理(Geschäftsbesorgung)之要件。在本案,此一要件实已具备。S驾车急速转弯,避免被告遭受伤亡,系管理一项存于被告利益之事项,应属"事务管理"。此一概念应采广义解释,包括事实行为在内。他人生命或健康遇危险之际,加以援救,构成事务管理,众所公认,殊无疑义。

　　S所管理者，系客观上他人事务。如前所述，S系为避免被告遭受伤亡，旨在维护被告之利益。驾驶人并无冒自己生命危险以防止他人遭受伤害之义务。当驾驶人驾驶汽车，已尽其最大之注意，但仍处于"自我冒险牺牲"抑或"辗毙他人"之特殊状态时，道路交通法（StVO）并未责令其必须牺牲自己，成全别人。如果S紧急刹车，而向路旁闪避时，既已履行交通法第一条之规定，纵因此辗毙被告时，亦不必依道路交通法第七条而负责。S所从事的，超过于此，致其本身及他乘客陷于险境，则其行为已经不是法律义务之履行，应视为是人类互助行为，无因管理应有适用之余地。

　　依原审法院之认定，无因管理之主观要件亦具备。关于此点，只要S有管理他人事务之意思，即为已足。原告救助被告脱离险境，有为他人管理事务之意思，实足推定。Koblenz高等法院认为，驾驶人处此情势，作此行为，一方面系属履行自己之义务，另一方面亦为避免检察官调查或牵涉损害赔偿诉讼之困扰。此项观点以偏概全，实难赞同。驾驶人面临他人生命危难，而急转趋避，一般言之，多未想到避免讼累之问题。诚如原审法院所云，处此情况，时间短促，驾驶人是否有此想法，而此种想法又足使并无过失之驾驶人采取危害自己及乘客生命安全之措施，实有疑问。一般言之，驾驶人在此严重情况下所想到的，是正在遭受危害之生命，急速转弯之目的，亦在于避免辗毙他人，在大多数之情形，驾驶人之行为实堪如此认定。在本案，原审法院认为此即为S行为之动机……。"[1]

　　德国最高法院此项判决，系建立在二个前提上：其一，驾驶人本身并无过失，纵未急速转弯，辗毙被告，亦属不可避免之事故，不必负责。其二，被告本身对此事故之发生，亦无过失，不负侵权责任。在此情形，无因管理之适用，实具有合理分配损害之功能。在台湾现

---

〔1〕　参阅 Larenz, Schuldrecht Ⅱ, S. 321；Deutsch, Die Selbstopferung im Stassenverkehr, AcP 165, 193.

行法上是否可采，实值研究。[1]

例五：甲欠乙债务一百万元，逾期未还，丙代为清偿。

未受委任，并无义务，而清偿他人债务者，系为他人管理事务，应构成无因管理（第一七二条前段）。有疑问者，系清偿他人债务是否"利于本人，并不违反本人明示或可推知之意思。"关于此点，尚有争论。依本文见解，应视具体情形而定。如债务人有意清偿，但一时尚未能凑足款项，债权人正以拍卖房屋相威胁时，则管理人代为清偿，系利于本人，并不违反本人明示或可推知之意思，得主张第一七六条之请求权。反之，债务人对债权人亦有债权，拟于适当时期予以抵消时，管理人之清偿行为系不利于本人，违反本人明示或可得而推知之意思，是为不适法之无因管理，除本人表示享有无因管理之利益外，管理人（丙）仅能向本人（甲）主张依不当得利之规定，返还其所受之利益，就因清偿所支出之费用，则无偿还请求权（第一七七条）。[2]

例六：甲因违法被处罚金一千元，拒不缴纳，乙知其事，代缴纳后，向甲请求返还一千元及自支出时起之利息。

于本案，甲拒不缴纳罚金，乙明知其事，管理事务违反本人明示或可得推知之意思。又乙之管理事务亦非为本人尽公益上之义务。第一七四条第二项所称为本人尽公益上义务，须第三人之干预亦符合公益时，始能成立。第三人代缴罚金，与刑罚之目的不相吻合，即不得谓系为本人尽公益上之义务，从而亦无依第一七六条第二项规定主张其权利之余地。[3]

例七：甲跳水自杀，乙奋勇救助，致伤害甲之脸部，并失落手表。

救助自杀之人，系违反本人明示或可得推知之意思而为事务之管理。有学者认为，本人之意思背于公序良俗，应类推第一七四条第二

---

[1] 日本学者对此案例亦甚重视，参阅松坂佐一：前揭书，第19页（注3）。
[2] 参阅 Brox, Besonderes Schuldrecht, Rdnr. 369 (S. 208); Fikentscher, Schuldrecht, S. 494.
[3] 参阅 Brox, Besonderes Schuldrecht, Rdnr. 370 (S. 209).

项规定。[1] 德国通说亦采此观点。惟德国权威民法学者 Larenz 教授对此见解，作有如下之批评："通说认为可将此项案例，纳入德国民法第六七九条之下（相当于第一七四条第二项），认为本人之意思违反公序良俗，无须考虑。此项论点尚有斟酌的余地。依目前伦理观点而言，自杀（即自杀者不愿被救助之意思），并非在任何情况，于道德上均值非难；又救助自杀者是否符合公益，亦时有疑问。实际上，违反自杀者意思而救助之所以具有正当性，其主要理由系由于救助者履行了人类互助义务（Menschenhilfe）。因此本案不是依类推适用德国民法第六七九条予以解决，而是应该采取一般之考虑，认为违反本人之意思而干预其事务，系基于伦理观点之要求，法律例外不予非难。"[2] Larenz 教授此项见解殊值参考。惟无论采取何种说法，救助自杀之人，管理人系为免除本人生命之急迫危险，对其管理所生之损害（伤害被救助者之脸部），除有恶意或重大过失外，不负赔偿之责（第一七五条）。又于此情形，管理人虽违反本人之意思，对其所受之损害（失落之手表），亦有赔偿请求权（第一七六条）。

例八：甲借名画一幅供乙观赏，乙擅自出售于善意之丙，得到价金一百万元，超过市价二十万元。甲对该二十万元有无请求权？

1. 问题之说明

乙无权处分甲之画，丙善意取得该画之所有权时，甲得依不当得利之规定，向乙请求返还其所受之利益（价金）。至其返还范围，通说认为，损害大于利益时，应以利益为准；利益大于损害时，则应以损害为准。[3] 就上例而言，乙所得到价金，大于甲所受之损害（二十万元），就此超过之金额，甲无不当得利请求权。又甲依侵权行为法规定请求赔偿时，赔偿金额亦不能超过实际所受损害，对于二十万元亦无请求权。惟于此情形让乙保有二十万元，实属不当，违反公平正义原

---

〔1〕 王伯琦：前揭书，第四十八页。
〔2〕 Larenz, Schuldrecht Ⅱ, S. 317.
〔3〕 王伯琦：前揭书，第六十二页；郑玉波：前揭书，第一二二页。

则，必须设法加以解决。其可供采行之途径有二：其一，检讨不当得利无权处分人返还所得利益之范围。[1] 其二，适用无因管理制度，使甲得向乙请求返还管理事务所得之利益。以下仅就后者加以说明。

2. 学说

关于无因管理规定（第一七七条），对无权处分他人物品案件之适用，学者见解不一。计有：直接适用说；不法的管理说；类推适用说；被请求人不得对抗说。兹分别说明如下。

（1）直接适用说。所谓直接适用说，系谓第一七七条亦直接包括无权处分他人物品之情形。学者采此说者有史尚宽氏，略谓："依第一七七条之规定，所谓'不合于前项规定'，应有下列情形……管理人知其为他人之事务，为自己之利益，以之为自己之事务而为管理。例如甲知为乙之物，称为自己之物，以高价出卖与善意之第三人。……例如窃盗甲某将所盗之物高价出卖，……较之本人所可得者为多。此时，本人依不当得利之规定，不得请求其多出之利益，而依第一七七条规定则优为之。依返还其所盗之物于被盗之人，亦不能使其取得出卖该物之高价，而依本条规定，则可达此目的。"[2]

（2）不法的管理说。郑玉波氏认为，将他人之物做为自己之物，高价出卖而取得之价金，系不法的管理，依德国民法第六八七条第二项规定，[3] 于上述情形，使该管理人（出卖人）与无因管理人负同一义务，俾本人（物之所有人）得对之请求返还全部利益，以资保护；"第一七七条之规定，亦寓有同样之意义焉。"[4] 所谓"亦寓有同样之意义"，是否系指应直接适用第一七七条之规定，尚欠明了。

（3）类推适用说。洪文澜氏认为，知为客观的他人之事务，为图

---

[1] Reeb, Grundprobleme des Bereicherungsrecht, 1975, S. 107f.
[2] 史尚宽：前揭书，第六十六页以下。
[3] 德国民法第六八七条第二项规定："以他人事务为自己之事务而为处理时，如明知自己无此权利者，本人得主张第六七七条、第六七八条、第六八一条及第六八二条所定之请求权。"
[4] 郑玉波：前揭书，第二〇八页。

自己之利益而管理时，适法的无因管理不能成立。惟本人所得主张之权利，若较适法之无因管理为少时，理论上极为不当，自应将本条类推适用，使本人得享有因管理所得之利益。至本人对管理人所负之义务，不得将本条之规定类推适用，以其无同一之法律的理由也。但依关于不当得利之规定，对管理人有返还其利益之义务时，仍当返还之。[1]

(4) 被请求人不得对抗说。王伯琦先生认为，如甲违反乙之意思，将其寄托之物品出卖，而结果该物品之价格大跌。如乙依侵权行为之规定请求赔偿，则甲反将获利。依第一七七条，则乙仍得享有其利益。在此情形，管理人实际上并无为他人之意思，似不能构成无因管理，但当事人不得主张自己之不法行为而获有利益，为法律上之大原则。故本人主张其为无因管理时，管理人无法主张侵权行为以为对抗。[2]

3. 本文见解

明知为他人之物，仍为出售图利，无为他人管理事务之意思，应不构成无因管理。史尚宽氏认为，于此情形仍应适用第一七七条规定，似难赞同。又依吾人见解，当事人不得主张自己之不法行为而获有利益，系法律上之大原则，以此作为否认权利发生之理由，固有所据，但似不得作为承认他方请求权之理由。易言之，此项法律原则，不得作为被害人（即标的物之原所有人）主张适用第一七七条之依据。就法律学方法论而言，以类推适用第一七七条规定较为妥适。此项类推适用，旨在贯彻第一七七条所含之价值判断，以维护当事人利益。从而上述案例，甲得主张因乙出卖其画所得之全部价金。

---

[1] 洪文澜：前揭书，第九十页。
[2] 王伯琦：前揭书，第五十三页。

五、结　论

　　他人事务原不得任意干预，否则应构成侵权行为，但人类互助系社会生活共存之道，亦有容许之必要。无因管理制度之基本功能即在于权衡折衷此二个基本原则，适当地规律当事人之权利义务关系。本文旨在探讨立法上利益衡量的标准，并认为现行民法上无因管理制度系建立在二个基本类型之上。一为适法之无因管理，其情形有二：❶管理事务利于本人，并不违反本人明示或可得推知之意思；❷管理事务虽违反本人明示或可得推知之意思，但其管理系为本人尽公益上之义务，或为其履行法定扶养义务。另一为不适法之无因管理，即管理事务不利本人，或违反本人明示或可得推知之意思。此二个基本类型表示着二种不同之利益状态，而且也表现了立法者利益衡量之标准，赋予不同之法律效果，使他人事务干预禁止原则与人类互助行为容许性，得到了适当之调和。

无权处分与不当得利

一、序　说

A将藏存之油画一幅借与B观赏，B虚称该画为其所有，出卖于C，并即为交付，以移转所有权，C交付价金十万元。兹为观察及讨论之方便，特将此项交易所涉及之基本法律关系，图示如下：

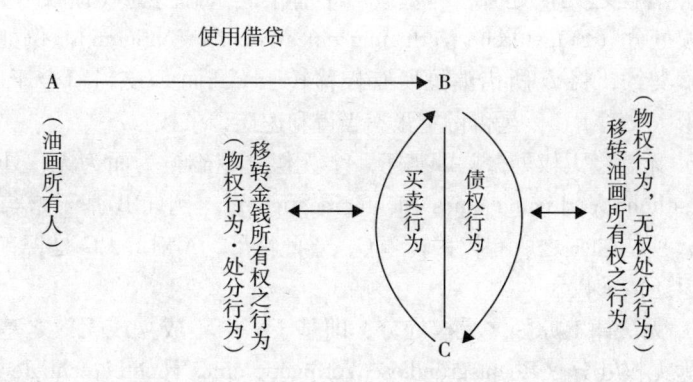

```
                使用借贷
    A ─────────────────────▶ B
   （                   （        （
    油    ◀──▶  买   债   ◀──▶  物
    画         卖   权          权
    所    移   行   行          行
    有    转   为   为          为
    人    金                    ，
    ）    钱        ↕           无
          所        C           权
          有                    处
          权                    分
          之                    行
          行                    为
          为                    ，
          ·                    移
          处                    转
          分                    油
          行                    画
          为                    所
          ）                    有
                                权
                                之
                                行
                                为
                                ）
```

在上述案例，B与C间之交易，包括三个法律行为：❶B、C间之买卖契约（原因行为、基础行为、债权行为）；❷B移转油画所有权于

C 之行为（物权行为、处分行为）；❸C 支付价金之行为（物权行为、处分行为）。B、C 间之买卖契约，虽系以他人之物为标的，但仍属有效。[1] C 支付价金之处分行为，亦属有效，惟 B 擅自让与 A 所有之油画，使其发生权利变动，系属无权处分行为。

无权处分行为云者，系指无权人，以自己名义，就标的物所为之处分行为。所谓无权人，系指就标的物，无处分权之人。无权处分，除经有权利人之承认外，不生法律行为上之效力，但为维护交易上之安全，法律设有善意取得制度。关于动产善意取得，民法设有详细规定；简言之，即以动产物权之移转或设定为目的，而善意受让动产之交付者，除法规另有规定外，纵为移转或设定之人无移转或设定之权利，受移转或设定之人，仍取得其权利（参阅第八〇一条、第八四六条、第九四八条以下规定）。[2] 就上述案例而言，C 是否能取得油画之所有权，端视其是否善意受让动产之交付而定。

无权处分与不当得利之关系，在交易上最为常见，在法学理论上最饶趣味。本文拟提出三个基本问题加以讨论：

（1）有偿之无权处分，即基于一个有偿之基础行为（债权行为）而为无权处分（Entgeltliche Verfügung eines Nichtberechtigten）。例如 B 基于买卖契约，将 A 所借油画所有权移转于 C，而 C 支付价金于 B；于此情形，A 对 B、C 是否得主张不当得利返还请求权？

（2）无偿之无权处分，即基于一个无偿之基础行为而为无权处分（Unentgeltliche Verfugung eines Nichtberechtigten）。例如 B 基于赠与契约，将 A 所借油画之所有权移转于 C；于此情形，A 对 B、C 是否有不当得利返还请求权？

（3）无法律上原因之无权处分，即基于一个不成立或无效之基础行为而为无权处分（Rechtsgrundlose Verfügung eines Nichtberechtigten）。

---

[1] 关于出卖他人之物所涉及之问题，请参阅黄茂荣："他人之物的买卖"，《民事法判解评释》（一），一九七八年，第一九八页。

[2] 参阅姚瑞光：《民法物权论》，第四〇五页。

例如 B 基于不成立之买卖契约，将 A 所借油画之所有权移转于 C，而 C 支付价金于 B；于此情形，当事人间有何种不当得利请求权？[1]

二、有偿之无权处分与不当得利

一、受让人取得所有权

（一）所有权之取得

B 将 A 所借之油画，擅自让售于 C 时，B 移转 A 画所有权于 C 之行为，系无权处分，原则上不发生效力，但 C 若系善意时，则能取得标的物之所有权。设 A 之油画系盗赃物或遗失物时，A 在二年内未向 C 请求返还时，善意之 C 亦取得油画之所有权（参阅第九四九条）。

（二）不当得利请求权

受让人 C 依动产善意取得制度，取得油画所有权时，A 之权利即归消灭。于此情形，C 受有利益，A 遭受损害，虽具有损益变动关系，但 A 仍不得对 C 主张不当得利返还请求权。盖 C 之取得利益，系基于 B、C 间之买卖契约，具有法律上之原因也。

A 虽不能向善意受让人 C 主张不当得利，但却得向无权处分人 B 主张之。B 基于买卖契约取得 C 所支付之价金（或价金请求权），系 A 之油画所有权消灭之对价，依权益归属原则，应归属于 A，因此 B 受领价金（或取得价金请求权），受有利益，致 A 遭受损害，具有损益变动关系，并无法律上原因，应构成不当得利。

不当得利之受领人，除返还其所受之利益外，如本于该利益更有所取得者，并应返还，但依其利益之性质或其他情形不能返还时，应偿还其价额（第一八一条）。又在上述案例，B 于受领利益时，知无法律上之原因，应将受领时所得之利益，附加利息，一并偿还，如有损

---

[1] 参阅 Larenz, Schuldrecht II, S. 500ff.；Koppensteiner/Kramer, Ungerechtfertigte Bereicherung, 1975, S. 102; Reeb, Grundprobleme des Bereicherungsrecht, 1975, S. 68f.

害并应赔偿（第一八二条第二项）。B所领之利益系"价金"，其所负之返还范围，应分三种情形加以说明：

（1）价金相当于油画在交易上之价额。例如油画市价为十万元，而B所得之价金亦为十万元时，则其所应返还者为十万元。

（2）价金低于油画在交易上之价额。例如油画市价为十万元，B所得之价金为五万元时，则其应返还者为五万元。盖不当得利制度在于使B返还不当之得利，而非在于填补A所受之损失也。惟A得依侵权行为法规定向B请求损害赔偿，自不待言。

（3）价金高于油画在交易上之价额。例如油画之市价为十万元，而B卖得之价金为二十万元，于此情形，B应返还多少，甚有争论。[1] 通说认为，A对于超过交易上价额之部分（十万元）并无请求权。盖利益大小于损害，应以损害为标准返还其利益，否则受损人将获得不当之利益，自非可许。[2] 依此见解，无权处分人，得保有十万元，与公平原则实有违背。为此，有学者乃主张于此情形，得适用无因管理之规定，使A得向B请求返还其所得之全部价金；有认为应直接适用第一七七条规定；有认为得成立不法管理；有认为在此情形，管理人实际上并无为他人之意思，似不能构成无因管理，但当事人不得主张自己不法行为而获利益，为法律上之大原则，故本人主张其为无因管理时，管理人无法以侵权行为以为对抗。还有学者认为应类推适用第一七七条规定。依本文见解，就法学方法论而言，以第四说较为可采。[3]

二、受让人未取得所有权

1. 受让人未取得所有权

B无权处分A所有之油画，受让油画之买受人C，非属善意时，

---

[1] Larenz, Schuldrecht II, S. 501; Koppensteiner/Kramer, Ungerechtfertigte Bereicherung, S. 105.

[2] 胡长清：《民法债编总论》，第一一四页；郑玉波：《民法债编总论》，第一二二页。

[3] 参阅拙著："无因管理制度体系之再构成"，载于本书。

不能取得所有权。又受让人 C 虽系善意，但油画系属盗赃或遗失物时，A 于二年内向 C 请求返还其物时，C 亦不能取得其所有权。

2. 所有人之承认与不当得利请求权

在受让人 C 未取得油画所有权之情形，A 得对 C 主张所有物返还请求权。A 虽得依侵权行为法之规定向无权处分人 B 请求损害赔偿，但对 B 所得之价金（或价金请求权），则不得主张不当得利返还请求权。盖 A 对油画之所有权尚属存在，B 所得之价金非其对价也。然而，受让人 C 占有油画，因非可归责于自己之事由致该油画毁损或灭失时，可免负返还之责任；又于受让人 C 负赔偿责任之情形，若其无资力时，原权利人亦有难获清偿之虞。于此情形，对 A 而言，若能转而向 B 请求价金，当属有利。有疑问的是，在法律上有无适当途径，可资采取？依吾人所信，为解决此一问题，可适用民法关于无权处分承认之规定。

第一一八条第一项规定，"无权利人就权利标的物所为之处分，经有权利人之承认，始生效力。"由是可知，无权处分行为系须得第三人同意之行为，如权利人未予承认者，其效力尚未确定，受让人不能取得权利。权利人承认时，系为无权处分行为之医疗，除法律有特别规定者外，溯及既往发生效力（第一一五条）。[1] 依此规定，受让人 C 因 B 之无权处分不能取得所有权时，所有人得承认 B 之无权处分行为，使 C 取得油画所有权。A 之所有权归于消灭，B 所取得之价金，系 A 之所有权消灭之对价，从而 A 对 B 得依不当得利之规定，请求返还其所受利益。此项制度一方面使受让人依其所欲取得权利，另一方面又使权利人 A 得适当维护其权益，确能符合当事人之利益。[2]

无权处分行为经承认时，原则上溯及为法律行为时发生效力（第一一五条）。因此发生一项疑问，即无权处分之承认是否会使无权处分变成有权处分，致影响原权利人之价金返还请求权？关于此点，在德

---

[1] 关于无权处分之一般理论，详阅洪逊欣：《民法总则》，一九七六年修订初版，第二九四页。

[2] 此为德国判例及学者之通说，参阅 Larenz, Schuldrecht II, S. 502. 采不同见解者有 Heck, Grundriss des Schuldrechts, 1929, S. 426.

国法上尚有争议。权威民法学者 Larenz 教授认为，溯及力所涉及者，仅系法律效果（使处分发生效力），无权处分之事实不因承认而变更。[1] 此项见解，可资赞同。

承认系意思表示（单独行为），具有形成之性质，得向无权处分人或其相对人，依明示或默示之方法为之。其在德国，则有三种特殊之理论：

（1）德国最高法院在判决中曾再三表示，权利人向无权处分人起诉请求返还价金时，即可认为系对无权处分之承认。[2] 德国学者对最高法院此项见解甚有批评，认为起诉若可即解释为承认，则权利人之权利于起诉时即归消灭，若无权处分人所受领之价金不存在或无资力时，对权利人实属不利。[3]

（2）为克服此项困难，德国学者乃提出一项"附解除条件承认"之理论，认为权利人之承认，于处分之标的物（例如油画）再出现时，失其效力，从而权利人得向受让人或其他无权占有人，主张所有物返还请求权。[4] 此说对权利人之保护固属周到，但承认系单独行为，具有形成之性质，是否得附条件，不无疑问。

（3）依 Larenz 教授之见解，应采取权利人之承认与无权处分人价金支付同时履行之理论。[5] 此说对保护权利人固属周到，惟在理论上，尚有斟酌余地。盖于未承认前，权利人对无权处分人尚无请求其所得价金之权利，则在诉讼上如何能够主张"价金交付"与"承认"之同时履行？依本文见解，"承认"系属意思表示，应依一般原则决定之。权利人承认后，纵发生不利情势，亦应由自己承担；辗转曲折以维护其利益，似无必要。

---

[1] Larenz, Schuldrecht II, S. 502.
[2] RGZ 106, 144; 115, 34; BGHZ 56, 131. 关于诸此判决在法学方法论上之分析，参阅 Engisch, Einführung in das juristische Denken, 1956, S. 66f.
[3] 参阅 Wilckens, Ist der Rückgriff des Bestohlenen auf den Veräusserungserlos notwendig endgültiger Verzicht auf das Eigentum, AcP 157, 399f.
[4] Wilckens, aaO.
[5] Larenz, Schuldrecht II, S. 502.

三、无偿之无权处分与不当得利

一、问题之说明

A将已有之油画借与B观赏，B擅自将该画赠与其朋友C，并为交付。C为恶意时，不能取得所有权，A得对C主张所有物返还请求权。倘C为善意时，则C依动产善意取得规定取得标的物所有权。于此情形，A之法律地位可简述如下：❶对C而言，A原则上不得主张不当得利返还请求权，因为C之受让标的物系基于B、C间之赠与契约，具有法律上原因。❷对B而言，A无主张不当得利请求权之余地，因为B将A之油画赠与C，并未获有对价；A仅能依侵权行为法之规定向B请求损害赔偿。惟侵权行为之成立，以行为人具有故意、过失为要件，而无权处分人不具故意过失者，亦时有之。例如B父系艺术家，A有一画请B父鉴定。B父死后，B误以为该画系其父所有而赠与C时，一般言之，尚无过失可言，不构成侵权行为。在A得对B主张侵权行为之情形，若B无资力时，A亦不免遭受损害。因此如何保护A之利益，实值研究。

二、对无偿受让人不当得利请求权之创设

关于无偿无权处分所生不当得利之问题，郑玉波教授曾作以下之说明："依德国民法第八一六条第一项后段规定，善意受让人如系无偿取得者，应负返还义务。吾民法对此无特别规定，解释上如为贯彻善意受让制度之精神，则善意受让人纵系无偿取得，亦不应使负不当得利之返还义务。然若顾及原权利人之利益，则在有偿取得之情形，固不能使之负返还之义务，但在无偿取得，如原处分人无资力时，似应使负返还义务为宜，不过在吾民法上尚未能如此解释，若有第一八三

条之情形，则又当别论。"[1]

诚如郑玉波教授所云，为顾及原权利人之利益，应使受让人负返还义务为宜。依吾人所信，为实现此项目的，应由法院创设例外规定，使原权利人得向无偿受让人依不当得利之规定请求返还其所受之利益。本文所提出之此项见解，在法学方法论上，具有三点依据：

（1）原权利人有保护之必要，已如上述，受让人系无偿取得权利，使其依不当得利规定负返还义务，并不违反公平之原则。

（2）无偿受益人与其他权利人之重大利益发生冲突时，应予适当让步，民法设有规定（参阅第一八三条、第四一〇条、第四一六条及第四一八条），在无偿无权处分之情形，使原权利人得向受让人请求返还其所受之利益，与民法上价值判断之一般原则，并无违背。

（3）不当得利制度之基本思想在于调节不当（无法律上原因）之损益变动；不当得利之构成，虽有其特定之要件，但衡平既系不当得利之最高指导原则，则就无偿无权处分，此种特定类型创设例外，促进法律进步，实为适当而必要。[2]

三、与第一八三条规定之比较

第一八三条规定："不当得利之受领人，以其所受者，无偿让与第三人，而受领人因此免返还义务者，第三人于其所免返还义务之限度内负返还责任。"关于本条之适用，易滋疑义，兹举一例说明。某甲将油画一幅赠与乙，并即交付以移转所有权；其后，乙将该画转赠与丙。设甲、乙间之赠与契约不成立时，基于物权行为无因性之理论，物权行为之效力不因赠与契约之不成立而受影响，从而乙仍能取得标的物之所有权。惟赠与契约既不成立，则乙之取得权利无法律上之原因，因此应依不当得利之规定，将其所取得油画所有权返还于甲。设乙于受领时，知无法律上原因时，则因其已将油画转赠与丙，不能返还，

---

[1] 郑玉波：前揭书，第一一五页。
[2] 关于法院创造法律进步在方法论上之说明，参阅 Larenz, Methodenlehre der Rechtswissenschaft, 3. Aufl. 1975, S. 350f.

应偿还价额，附加利息，如有损害，并应赔偿。设乙于受领时，不知无法律上原因时，则因其已将油画转赠与丙，利益不存在，免负返还或偿还价额之义务，但丙系无偿取得油画之所有权，依第一八三条规定，负有返还其所受利益之责任。

由上述可知，在第一八三条规定适用之情形，丙之受让油画所有权系基于乙、丙之赠与契约，而乙系油画所有权人，有权处分油画，丙取得油画所有权并不构成不当得利，但因系无偿取得，法律为平衡当事人利益，特创设例外，使丙负返还义务。反之，在无偿无权处分之情形，B将A所借与展览之油画转赠与C，B系无权处分，但善意之C仍能取得所有权，系基于有效之赠与契约，并不构成不当得利。二者构成要件虽有不同，但利益状态并无差异，丙依第一八三条规定既负有返还义务，则对C而言，亦应如此，始能实践法律价值判断之一贯性。

四、无法律上原因之无权处分与不当得利

一、所有权之变动

A将油画一幅借与B观赏，B擅将该画出卖于C，并移转所有权（无权处分），其后发现B、C间买卖契约不存在（不成立或无效）时，学说上称之为无法律上原因之无权处分。于此情形，首应检讨的是物权变动之问题；换言之，善意之C是否取得标的物所有权？

史尚宽先生认为，动产善意取得须以有"有效之原因行为"为要件。史尚宽先生谓："受让人之善意取得占有，惟可补正权原之瑕疵，即惟可补正让与人权利之欠缺。为权利取得原因之法律，必须客观地存在，假如无权原之瑕疵，其占有人应即可取得其动产上之权利，从而因无效行为或经撤销成为无效之法律行为，受物之交付之占有人，对于相对人之原状回复之请求，不得主张善意取得之保护，而拒绝占有物之返还。有谓物权行为为无因行为，其原因

行为之无效或撤销，对于物权行为之效力，不生影响，故原因行为虽为无效或撤销，其物权行为仍有善意取得之适用。然此与物权行为之为有因或无因，不生关系。盖纵以物权行为之原因事实如不存在，当事人间至少有不当得利返还之问题，无法律上之原因取得物权，当事人之一方，负有返还之义务，不得保有其权利。此则与善意取得制度之精神不符。故善意取得之规定，对基于无效或得撤销之行为而授受动产之当事人间，应不适用。其当事人以外之第三人，始得援用之。例如，甲为未成年人，未得法定代理人之同意，以其所有之金表出卖与乙时，乙对于甲有返还其金表之义务。如乙将此金表更转卖，而丙善意受让其占有时，则得以善意取得其所有权为理由，拒绝甲之回复请求。"[1]

史尚宽先生所提出之论点，言之成理，诚值重视。惟依本文见解，动产之善意取得，不应以原因行为（债权行为）之有效为要件。其理由有三：

（1）第八〇一条规定，"动产之受让人占有动产，而受关于占有规定之保护者，纵让与人无移转所有权之权利，受让人仍得取得其所有权。"就法律文义而言，并不以有效原因行为（债权行为）为要件。

（2）债权行为与物权行为之区别及物权行为之无因性，系现行民法之基本原则，[2]于动产善意取得制度上亦应适用。无权处分他人动产，非经权利人承认时，原不生效力，善意取得制度旨在创设例外，使善意受让人仍能取得动产所有权，至于原因行为是否存在，则属于受让人取得权利是否有"法律上之原因"之范畴。

（3）有效原因行为存在时，善意受让人取得动产所有权，具有法律上之原因；反之原因行为不存在时，则善意受让人取得动产

---

[1] 史尚宽：《物权法论》，第五〇六页。
[2] 关于物权行为无因性理论，参阅拙著："物权行为无因性理论之检讨"，《民法学说与判例研究》第一册；刘得宽："对物权行为的'独立性'与'无因性'之探讨"，《法学丛刊》第九十二期（一九七八年十二月），第十七页。

所有权无法律上原因,应依不当得利规定负返还之义务。此项法律状态,符合现行民法之基本原则,与善意取得制度之精神,似亦无何违背之处。要言之,依吾人所采见解,当事人权益关系较为明确,对于促进交易安全,似有裨益。[1]

二、不当得利请求权

据上所述,可知 B 无权处分 A 所借与之油画时,善意受让人 C 虽能取得标的物之所有权,但若 B、C 之间原因行为(买卖)不存在时,则其取得油画所有权及占有油画系无法律上原因。然则,于此情形究竟谁(A 或 B?)得向 C 主张不当得利返还请求权,甚有争论。[2] 约有二说:一为直接请求权说(Einheitskonditionstheorie);二为双重请求权说(Doppelkonditionstheorie)。依直接请求权说,原权利人 A 丧失其油画所有权,受有损害,得直接向受让人 C 请求返还其所受之利益。[3] 依双重请求权说之见解,C 之受益系基于 B 之给付,当给付之法律上原因不存在时(买卖契约不成立、无效或撤销),为维护当事人间之利益(例如同时履行抗辩),应由给付人 B 向 C 主张不当得利,换言之,即 B 得向 C 主张应将油画之占有移转于自己,并将油画之所有权移转于 A。对油画所有人 A 而言,B 享有对 C 之不当得利请求权,系受有利益,并无法律上原因,构成不当得利,从而 A 得依不当得利之规定向 B 主张返还其对 C 之不当得利请求权(双重不当得利返还请求权)。[4] 直接请求权说与双重请求权说各有所据,均具有相当说服力。惟依吾人

---

〔1〕 此为德国判例、学说之一致见解,参阅 Westermann, Sachenrecht, 5. Aufl. 1966, 3. 219f.; Baur, Sachenrecht, 6. Aufl. 1970, S. 442f.

〔2〕 参阅 Boehmer, Grundlagen der Bürgerlichen Rechtsordnung, II 2. 1951, S. 6f. 关于德国不同见解之分类,参阅 Mertens, Bereicherungsrecht zu Klausurprobleme aus dem BGB, 1975, S. 61f.

〔3〕 Fikentscher, Schuldrecht, 5. Aufl. 1975, S. 595; Grunsky, JZ 1962, 207f.

〔4〕 von Cammerer, Leistungsrückgewähr bei gutgläubigem Erwerb, in Festschrift für Boehmer, 1954, S. 145f. (= Gesammelte Schriften S. 225); Esser, Schuldrecht II, 3. Aufl. 1969, 373; Larenz, Schuldrecht Ⅱ, S. 504.

所信，双重请求权强调给付关系，符合不当得利之基本原则，兼顾当事人利益，似较可采。

五、结　论

综据上述，关于无权处分所生不当得利之问题，可以归纳为三个基本类型。其解决原则如下：

（1）有偿之无权处分（B基于买卖契约将A所有油画之所有权让与于C）。于此情形，受让人依善意取得规定取得标的物所有权时，原权利人得向无权处分人请求返还其所受之利益（价金或价金请求权）；受让人未取得权利标的物时，原权利人得承认无权处分行为，使受让人取得权利标的物后，再转而向无权处分人请求返还其所受利益。

（2）无偿之无权处分（B基于赠与契约，将A所有油画之所有权让与于C）。于此情形，受让人取得标的物所有权时，原权利人原则上对无权处分人及受让人均无不当得利返还请求权，但为平衡当事人之利益，应由法院依民法之基本价值判断，创设例外，使无偿受让人依不当得利规定，返还其所受之利益。

（3）无法律上原因之无权处分（B基于不成立买卖契约将A所有油画之所有权让与于C）。于此情形，受让人是否能取得标的物所有权，尚有疑问。依本文见解，应采肯定说。至就不当得利而言，有认为原权利人得径向受让人请求；惟依不当得利之原则及权衡当事人间之利益，原则上似应由无权处分人向受让人请求之，惟原权利人得向无权利人请求让与其对受让人之不当得利请求权（双重请求权说）。

赌债与不法原因给付

一、序　　说

赌博者，以偶然之机会，决定财物之输赢也。赌博财物，自古有之，其所以盛行不衰者，实由于侥幸之心理作祟，或游闲之岁月难熬。[1] 赌博之形态繁多，其经核准经营者，因有法律上之依据，不生合法与否之问题，无待详论。其未经核准者，效力如何，现行民法未设规定，"最高法院"著有判决数则，涉及赌博所生之重要法律问题。最近郑玉波教授著有"论赌债"一文，阐释赌债非属自然债务之观念，澄清若干疑义，甚具价值。[2] 本文原则上采取相同之见解，认为"赌债非债"，并根据此项基本认识，综合分析检讨历年判决，期能建立一个较为完整之理论体系。

二、"最高法院"之判决及基本见解

一、判决

（一）一九五四年台上字第二二五号判决

1. 裁判要旨

虽被上诉人初系诱上诉人前往赌博，但上诉人与其赌博输款，

---

[1] 郑玉波："论赌债"，《法学丛刊》第八十五期（一九七七年九月），第一页。
[2] 郑玉波：前揭文，第一页、第二页。

并非出自被上诉人之诈欺,即难空言主张不法原因仅存在于被上诉人之一方,至上诉人因赌博输款而出具之借用证及交付担保品纵系违反禁止规定,应归无效,然仍属不法原因之给付,亦不能藉此诉求返还。

2. 判决理由

本件上诉人请求被上诉人返还新台币九千五百元、金饰十五台两及新台币一万四千元借用证一纸,不外谓被上诉人于一九五三年一月上旬在嘉义大同旅社售与上诉人西药油炭盘尼西林一千支,计价新台币二万三千五百元,当付新台币九千五百元,尚欠新台币一万四千元,立与欠条一纸并以金饰十五台两为抵押。当由上诉人与被上诉人李北钟回去取药,讵该李北钟中途他往,被上诉人林办、罗陆亦均逃走,应请命被上诉人赔偿上列损害并返还借用证云云。被上诉人则以上诉人与伊赌博输款因欠一万四千元出立借用证,并以金饰作抵为抗辩。查上诉人自诉被上诉人诈欺,业经刑事诉讼一、二两审斟酌调查证据之结果,认定被上诉人并无诈欺行为,系因赌博而收上诉人之款项及金饰借用证,宣告被上诉人无罪确定在案。而上诉人交与被上诉人之款项及金饰借用证如果系付西药价款,当时被上诉人并未交货,纵令上诉人所带之款不敷付价之用,尽可先付一部价金,俟取货时再付其余残额,何必出具借用证且以金饰作抵。足见其所交之款项及金饰借用证确非购买西药,而系给付赌博输款之用。此项自然债务依法无请求返还之余地,就令该借用证内有一部系属借款,既未清偿此款亦不得遽行请求返还。虽被上诉人初系诱上诉人前往赌博,但上诉人与其赌博输款,并非出自被上诉人之诈欺,既如上述,更难空言主张不法原因仅存在于被上诉人一方,至上诉人因赌博输款而出具之借用证及交付担保品纵系违反禁止规定,应归无效,然仍属不法原因之给付,亦不能藉此诉求返还。原审将第一审所为上诉人败诉之判决予以维持,于法尚无不合,上诉论旨难谓有理。

（二）一九五五年台上字第四二一号判决（判例）

1. 裁判要旨

赌博为法令禁止之行为，其因该行为所生债之关系，原无请求权之可言，除有特别情形外，纵使经双方同意以清偿此项债务之方法而变更为负担其他新债务时，亦属脱法行为，仍不能因之而取得请求权。

2. 判决理由

按赌博为法令禁止之行为，其因该行为所生之债权债务关系，原无请求权之可言，纵使经双方同意以清偿此项债务之方法而变更为负担其他新债务时，亦属脱法行为，仍不能因之取得请求权。本件两造所争之新台币二万零四百元，被上诉人虽主张系由上诉人向其所借用，提出上诉人之借用证书为证，而上诉人则谓此项债务原为与被上诉人赌博因赌输之结果所发生，故书立字据假装为消费借贷，被上诉人实无请求权云云，资为抗辩。此项抗辩事实之真正，业经第一审斟酌证人谢天数、刘文清、张静祥等一致之陈述，予以认定。原审就此等证人之证言亦未于判决理由项下说明有不足采取之意见，第以上诉人对于此种债务既已书立字据作为借款，即系因清偿赌博债务而对被上诉人负担新债务，不得更以旧债务发生之原因为拒绝给付新债务之理由，并基此而为有利于被上诉人之判决。按诸上开说明，于法尚难谓合，上诉论旨，执是以为指摘，声明废弃原判决，非无理由。

（三）一九六五年台上字第四〇四号判决

1. 裁判要旨

因不法之原因而为给付者，不得请求返还不当得利，第一八〇条第四款定有明文。本件上诉人基于赌博债务，诉请被上诉人返还其输去之款，自非法所应许。

2. 判决理由

本件上诉人主张被上诉人等邀约上诉人以衬衣钮扣为赌具，议定暗号骗取诉外人李春枝之老板（不详姓名）之钱财，于一九六二年五月二十七日及同月三十日往潮洲镇同胞旅社赌博。讵被上诉人等竟将暗号泄漏与李春枝之老板，共同骗取上诉人之现款新台币（下同）一万七千元，经"台湾省高等法院台南分院"以诈欺罪判处被上诉人等罪刑确定在案，依侵权行为或不当得利之规定请求被上诉人连带如数返还及其法定利息等情，为起诉原因事实。查因不法之原因而为给付者，不得请求返还不当得利，第一八○条第四款定有明文。本件上诉人基于赌博债务，诉请被上诉人返还其输去之款，自非法所应许。又上诉人伙同被上诉人拟骗取外人李春枝之老板之钱财，结果反被李春枝之老板赢去现款一万七千元。其赢去之现款致使上诉人发生损害，亦与侵权行为之构成要件有所未合。原审废弃第一审不利于被上诉人之判决，判予驳回上诉人之诉，虽非以此为理由，然结果既非不可维持，亦应认上诉为无理由。

二、基本见解

综据上开三则判决，关于赌博之效力及赌债之给付，"最高法院"采取以下七点见解：

（1）赌博系法令禁止之行为。

（2）赌博行为所生债之关系，无请求权，属于自然债务。

（3）清偿赌债系不法原因给付，不能请求返还。

（4）赌债更改为金钱借贷债务，系脱法行为，仍不能因之而取得请求权。

（5）因赌博输款而出具之借用证，违反禁止规定，应归无效，仍属不法原因给付，不得诉求返还。

（6）因赌博输款而交付担保品系违反禁止规定，应归无效，仍属不法原因给付，不得诉求返还。

（7）诈骗赌博，非属侵权行为。

三、分析检讨

一、赌博之效力与自然债务

（一）赌博之效力

赌博乃法律行为之一种（射倖性之契约），其效力如何，民律第一次草案（清宣统三年修订法律馆稿）第八五五条第一项规定："博戏或赌事不能发生债务，但因博戏或赌事已给付者，其后不得请求返还。"[1] 现行民法未设明文，学者通说认为，赌博系违反公序良俗之行为，应适用第七十二条规定，即法律行为有悖于公共秩序或善良风俗者无效。[2] "最高法院"认为，赌博系法令禁止之行为（一九五五年台上字第四二一号判决），但究竟违反何种禁止规定，并未明白指出。余见应系指刑法及违警罚法处罚赌博之规定而言（参阅"刑法"第二六六条至第二七〇条，"违警罚法"第六十四条第一项第七、八款）。第七十一条规定："法律行为违反强制或禁止规定者无效，但其规定并不以之为无效者，不在此限。"上开判决仅谓"赌博系法令禁止之行为"，从未明白表示，赌博行

---

[1] 《民法制定史料汇编》，一九七六年版，第六〇九页。其立法理由略谓："谨按，博戏及赌事，均为侥幸契约，理至易明，然其区别何在，自古学说聚讼。博戏者，以不经济之行为，凭事实偶然之胜败，得丧财产上利益之契约也。赌事者，以其所主张之确否，得丧财产上利益之契约。此项契约，虽非正常，然实际行之者甚众，故不能不以法律明示其关系。"又谓："博戏及赌事既无益于社会之经济，且使风俗浮薄之害，不宜使其发生债务，以维持公义。至因博戏及赌事已为给付者，其后亦不得以债务存在为理由而请求归还。盖败者博戏及赌事已为给付者，咎由自取，法律不必保护之。又败者对于胜者名为担负新债务，其实仍系履行赌博债务，自亦不使发生债务之效力，盖法律若于此项新债务予以保护，适以助人巧避本条之禁令也。"

[2] 洪逊欣：《民法总则》，一九七六年修定订初版，第三四〇页；史尚宽：《民法总论》，第三〇四页；郑玉波：《民法总则》，第三三六页。

为系属无效,其理由何在,不得而知。惟赌博既属法令禁止之行为,又无其他关于其效力之特别规定,则赌博行为应属无效,似无疑问。然则,赌博究属背于公序良俗之行为,抑或系法令禁止行为,依吾人所信,二者可以并存。因此,赌博若未具备法令禁止之要件者,依其情形,仍得因违背公序良俗而无效。

无效之法律行为,自始、当然、确定不生效力,不发生该法律行为上之效果(债权债务关系)。例如,买卖黄金契约违反法律禁止规定,应属无效,不生债之关系,出卖人无请求价金之权利,买受人亦无请求交付标的物之权利。赌博行为违反公序良俗或法令禁止规定,应归无效时,亦不生债之关系。赌债非属债务,赢家无请求"赌债"之权利,输家亦无清偿"赌债"之义务。

(二) 自然债务

自然债务(Naturobligation)系学术上之用语,非法律上之概念。其意义如何,学者基本见解相同,即认为"所谓自然债务,系指债权人有债权,而请求权已不完整,债权人请求给付时,债务人得拒绝给付;但如债务人为给付,债权人得基于权利而受领,并非不当得利,债务人不得请求返还。"[1] 通说认为,所谓之自然债务包括:消灭时效完成之债务(第一四四条第二项),因不法原因而生之债务,或基于道德上义务之债务。[2] 又有学者认为,自然债务依其效力之强弱,分为两类:一类为效力较强之自然债务。此种债务除不得强制执行外,其余均与一般债务无异,不但债务人任意清偿时,其清偿有效,即对之提供担保(人保或物保)者,其担保亦有效(第一四四条第二项),如其于成为自然债务以前已附有物保者,于其成为自然债务之后,尚得就其担保品求偿(第一四五条),有时且得以供抵销。另一类为效力较弱之自然债务,不

---

[1] 王伯琦:《民法债编总论》,第五页;"论自然债务",《法学丛刊》第七期(一九五七年七月),第四十一页。
[2] 梅仲协:《民法要义》,第一二四页。

得附以担保或以契约承认,惟于债务人清偿时,债权人得保持之,不必依不当得利之规定返还。

(三) 赌债系自然债务?

关于赌债之性质,"最高法院"首先认为赌博系法令禁止行为,再肯定赌债系自然债务(即赢家有债权而无请求权),并强调清偿赌债乃不法原因给付,不得请求返还。依吾人所信,诸此论点,实有疑义:一者,如前所述,赌博若系"法令禁止行为",应属无效,根本不生债之关系,岂仅赢家无请求权而已。二者,赌债若系自然债务(有债权而无请求权),则赢家受领给付具有法律上之原因,根本不构成不当得利问题,有何"不法原因给付不得请求返还"之可言。若清偿赌债系不法原因给付,不得请求返还,则"赌债"应非属自然债务,盖不法原因给付之不得请求返还,系以受领给付无法律上之原因为前提要件也。要言之,诚如郑玉波教授所云:"自然债务给付之不得请求返还,系因有自然债务之存在,非属不当得利;而不法原因之给付则并无债务之存在,本应构成不当得利,但因给付人存有不法之原因,而法律上有所谓'不得主张自己之不法而有所请求'之原则,遂不许其请求返还。"[1]准此以言,"最高法院"之前后见解似有矛盾,难以赞同。

台湾判例学说不认为赌债系自然债务,并且为效力较弱之自然债务,或系受德国立法例之影响。按德国民法第七六二条第一项规定:"博戏或赌博不能发生债务,因博戏或赌博而已为给付者,不得以债务不存在为理由,请求返还。"依德国民法此项规定,赌博原则上并不违反法律禁止规定而无效,仅是一种无诉权之债(Unklagbare Schuld)。关于其法律性质,有人认为系自然债务,有人认为系取得给付之依据,尚无定论。[2] 应注意的是,依德国通说,赌博合于刑法处罚规定,或依其特殊情事,违反公序良俗而为

---

[1] 郑玉波:"论赌债",《法学丛刊》第八十五期,第二页。
[2] Sorgel/Schmidt, Kommentar zum BGB, Bd. 3, 10. Aufl. 1970, l zu §762.

无效时，则根本不生债之关系，其所为之给付系属不法原因给付，依德国民法第八一七条规定，不得请求返还。[1] 在现行民法，并无类似德国民法第七六二条之规定，通说认为赌博系违反公序良俗或禁止规定，应归无效，自不得采与德国民法第七六二条规定同一之解释。

（四）结语：赌债非债

综据上述，赌博系违反公序良俗（学说）或法令禁止规定（判例）而无效，不生债之关系。"赌债非债"，赢家不享有债权，输家亦不负债务，非属所谓之自然债务。判例学说有认为赌债系自然债务，并试图由此导出特定之法律效果。此就实体法而言，似无依据；就法学方法论言，所谓自然债务者，系学术上之用语，若仅用来说明既存之法律现象，或无不妥，[2] 惟用来作为法律解释适用之依据，则属概念滥用，不免导出不当之结果，此不可不注意。

二、赌债之给付

（一）基本理论

无法律上原因而受利益，致他人受损害者，应返还其利益（第一七九条），惟因不法原因而为给付者，不得请求返还，但不法之原因仅于受领人一方存在时，不在此限（第一八〇条第四款）。不法原因给付之不得请求返还，立法理由何在，有认为系制裁不法；[3] 有认为给付原因既属不法，其请求返还，非特必须主张自己之不法行为，且亦无异鼓励为不法行为，故特设例外，不许其请求返还；[4] 还有认为当事人从事不法行为，乃将自己置于法

---

[1] Palant/Thomas, Kommentar zum BGB, 37 Aufl. 1978, 5 zu § 762.
[2] 关于自然债务此项概念之检讨，参阅 Larenz, Schuldrecht, Bd. 1, 11. Aufl. 1976, S. 18.
[3] 郑玉波："论赌债"，《法学丛刊》第八十五期，第二页。
[4] 王伯琦：前揭书，第六十一页。

律秩序以外，无予保护之必要。[1] 以上各说均有相当理由，比较言之，似以第三说较为可采。

所谓不法，其意义如何，有四种见解：❶包括强行规定之违反（第七十一条）及公序良俗之违背（第七十二条）；❷仅违背公序良俗之情形，不包括强行规定之违反在内；❸仅指违背善良风俗之情形，违反强行规定及违背公共秩序均不包括在内；❹仅指强度的违背善良风俗（违反社会道德之丑恶）之情形，其它均不包括在内。[2] 上述各说广狭不一，主要系由于对"不法原因给付不得请求返还"此项规定，在立法政策上所采取之基本立场之不同。有认为此项规定极为正确，应尽量扩张其适用范围；亦有认为此项规定既属例外规定，解释上自应从严，庶可减少发生不当（不法即合法）之结果。[3] 判例及学说多采❶之见解。至于赌博，乃系违反禁止规定（判例）及背于公序良俗（学说），具有不法性，实无疑义。

基于不法原因所为之给付，不得请求返还，已如上述。所谓"给付"，其意义如何，"最高法院"就个别案例所肯定者，有寄藏赃物（一九三一年上字第二一二九号判决）、为贩卖鸦片烟土之出资（一九四〇年上字第六二六号判决）、买卖妇女为娼而支出之身价（一九四〇年上字第六〇〇号判决）。学者曾提出概括之说明，谓为："给付者，本于受损人之意思所为财产上之给与也。其依事实上之行为而为之，抑依法律行为而为之时，不以移转所有权为限，设定或移转所有权以外之物权、让与债权、免除债务、发行票据等，皆包含之。"[4] 本文认为，揆诸第一八〇条第四款之规范目

---

[1] Larenz, Schuldrecht Ⅱ, 11. Aufl. 1977, S. 497f. 最近专论，请参阅 Honsell, Die Rückabwicklung Sittenwidriger oder Verbotener Geschäfte, 1974.

[2] 郑玉波："不法原因给付之分析"，《法令月刊》第二十三卷第九期（一九七二年九月），第一页。

[3] 郑玉波："不法原因给付之分析"。

[4] 参阅胡长清：《民法债编总论》，第一一〇页；史尚宽：《债法总论》，第八十四页。

的，其所称之给付，系指本于受损人之意思所为财产之给与，且当事人之给付目的，在使受领者终局保有此项财产给与；至债务之负担（Eingehung der Verbindlichkeit），仍在给付前之阶段（Vorstufe），于此尚不得谓为给付。[1] 以下特依此一给付之概念，讨论"赌债"之给付，尤其有关清偿、更改、间接给付、抵消等问题。至"赌债"之担保，则另设专段分析之。

（二）赌债之清偿

所谓清偿，系指依债务本旨，向债权人或其他有受领权之人提出给付，以消灭债之关系。例如，A欠B十万元，A交付十万元以为清偿者是。设A欠B十万元系属赌债时，因赌债非债，B之受领十万元无法律上之原因，应构成不当得利；但清偿赌债，系属不法原因"给付"，不得请求返还。一九六五年台上字第四〇四号判决谓："因不法原因而为给付者，不得请求返还不当得利，第一八〇条第四款定有明文。本件上诉人基于赌博债务，诉请被上诉人返还其输去之款，自非法所应许。"此项基本见解，可资赞同。

（三）代物清偿

所谓代物清偿，系指债权人受领他种给付，以代原定给付，使债之关系消灭之契约。例如，A以机车抵十万元债务，向B提出给付，而经B受领者，即为代物清偿，并发生债之关系消灭之效果。若A所抵之债务系属赌债时，由于赌债非债，债之关系不存在，机车之交付，系非债清偿，但代物清偿之功能与清偿同，应构成不法原因"给付"，故亦不得请求返还。

（四）更改

所谓更改，系指设定一新的债务，以代旧有之债，而旧有之

----

[1] 此为德、日判例及学者之通说。Larenz, Schuldrecht Ⅱ, S. 498; Esser, Schuldrecht Ⅱ, 3. Aufl. 1969, S. 360; 松坂佐一：《事务管理·不当利得》，"法律学全集"22—1，昭和48年，有斐阁，第200页。

债，即因此而废止。例如，A 欠 B 十万元，经双方改为金钱借贷债务，即属之。设 A 欠 B 十万元，系赌债时，更改之效力如何，"最高法院"著有二则判决，足见此问题在实务上之重要性，殊值注意。一九五四年台上字第二二五号判决谓："至上诉人因赌博输款而出具之借用证，纵系违反禁止规定，应归无效，仍属不法原因之给付，亦不能藉此诉求返还。"又一九五五年台上字第四二一号判决（判例）谓："赌博为法令禁止之行为，其因该行为所生之债之关系，原无请求权之可言，除有特别情形外，纵使经双方同意以清偿此项债务之方法，而变更为负担其他新债务时，亦属脱法行为，仍不能因之取得请求权。"

上述二则判决内容，尚有研究之余地。

就一九五四年台上字第二二五号判决而言，其所谓出具之借用证"无效"，似有"语病"。借用证系一种债权凭证，似不生违反禁止规定无效之问题。所称无效者，非"出具之借用证"，而系将"赌债"改为消费借贷债务之契约也。又所谓禁止规定，究竟指何而言，不得确知。出具之借用证既属无效，其不得请求返还之理由安在，亦欠明了。

就一九五五年台上字第四二一号判决（判例）而言，"最高法院"一方面认为，将赌债改为消费借贷债务，系属脱法行为，但另一方面似又认为金钱借贷债务仍属有效成立，仅其债权人（赌博之赢家）不因此而取得请求权而已。[1] 然更改若系脱法之行为，原则上应属无效，从而赌债当不能更改为消费借贷债务；赌债若能更改为消费借贷债务而仍不变更其为自然债务之性质时，则更改似尚不构成脱法行为。就此二则判决综合观之，一则认为赌债之更改，违反禁止规定，出具之借用证无效，不得请求返还；一则认为

----

[1] 一九五五年台上字第四二一号判决（判例）究竟认为更改系脱法行为无效，抑或认为更改仍为有效，仅债权人不能依新债务而取得请求权，不甚明白。本文是依"最高法院"系采后说而加讨论。郑玉波先生似亦采相同解释，参阅"论赌债"，《法学丛刊》第八十五期，第四页。

赌债之更改为脱法行为，但金钱借贷债务尚有效成立，仅其债权人不能因此而取得请求权而已。二者在法理上似有矛盾之处。

依本文见解，债务更改系以消灭旧债务为原因，故必须有旧债务存在，始有更改可言。因而若未有旧债务存在时，则更改契约即不能生效。[1] 赌债非债，既无债务存在，应不生更改之效果，金钱借贷债务仍未有效成立。再者，更改系属债务变更，尚未构成不法原因之"给付"，不发生不能请求返还之问题，从而赌博之赢家，无法依金钱借贷关系请求给付之权利，其占有借用证，无法律上之原因，应予返还。

（五）签发支票而为间接给付

所谓间接给付（新债清偿，新债抵旧），系指因清偿旧债务而负担新债务，因新债务之履行而使旧债务消灭之契约。第三二〇条"因清偿债务而对于债权人负担新债务者，除当事人另有意思表示外，若新债务不履行时，其旧债务仍不消灭"之规定即指此制度而言。关于间接给付，在交易上，以签发支票最为普遍。其于赌博，当事人签发支票以间接给付之方式清偿赌债，亦甚常见，其效力如何，不无疑问。"最高法院"未著判例，学界则有三种不同理论。史尚宽先生认为，给付以负担债务为目的者，例如票据约束（但支票，及交付由未参与不法行为之第三人所出之票据，或不法当事人所出之票据已转交他人时，不在其内）、债务约束、债务承认，依德国民法，于未履行前，仍得请求返还（德国民法第八一七条）。"台湾现行民法"无此规定，解释上受领人受领行为如亦为不法，不得以其不法行为为理由，请求法律上之保护，故给付人得拒绝履行（对善意取得之第三人自当别论）。[2] 郑玉波先生认为，依瑞士债务法第五一四条规定："博戏或赌博之债务人为偿付博戏或赌博金额，所签发之债务证书或流通证券，虽已交付，仍不

---

[1] 关于更改之一般理论，参阅史尚宽：《债法总论》，第七八〇页。
[2] 史尚宽：《债法总论》，第八十五页。

得主张之，但善意之第三人因有价证券所取得之权利，不受影响。"由此规定，可见清偿赌债所为之间接给付，亦不生效力，不过不得对抗善意第三人而已。现行民法尽管无明文规定，但不妨采相类似之解释，认为清偿赌债所签发之支票，其受款人（最初之执票人，即赢家）与发票人（输家）之间，可以构成抗辩事由，对于善意第三人（执票人）仍不得对抗。[1]陈世荣先生认为，签发票据之原因是否有效，固于票据债权之存在无涉，惟其签发票据，如无真实合法之原因，则在直接当事人间，仍得以此为理由，拒绝兑款；纵已兑款，仍得请求不当得利之偿还。例如为履行赌博债务而授受票据即是。[2]

依本文见解，签发支票系不要因行为。赌债非债，债务不存在时，票据债务仍然成立，但债务既不存在，原则上应构成不当得利返还之问题。有疑问者，系为清偿债务而签发支票，是否可认为系不法原因"给付"，不得请求返还？此种以债务之承担为给付内容之行为（例如债务承诺，签发票据），其主要特色在于，给付虽已提出，但尚未完成。因此在立法例上，有观点认为不宜强制实现，应许请求返还（参阅德国民法第八一七条后段）。此项观点，基本上可值赞同。为此，所谓"给付"，应采限制解释，不包括上述情形在内。又史尚宽先生适用诚实信用原则，认为不法原因受领人，不得请求法律上之保护，故给付人得拒绝履行。此项见解，亦属可采。至票据已兑现者，不得请求不当得利之返还，自属当然。

（六）抵消

二人互负债务而其给付种类相同，并均届清偿期者，各得以其债务与他方之债务，互相抵消（第三三四条）。A欠B"赌债"十万元，B欠A贷款十万元，若B表示以赌债与贷款抵消，不生抵

---

[1] 郑玉波："论赌债"，《法学丛刊》第八十五期，第四页。
[2] 陈世荣：《票据之利用与流通》，"正中实用法学丛书"，一九七八年，第二一七页。

消之效果，盖"赌债"非债，A未负有债务，B自无从抵消也。若A表示以贷款与赌债抵消时，则因抵消为消灭债之方法，其功能与清偿同，应属不法原因之"给付"，不得请求返还。换言之，即抵消之人，不得主张未发生抵消之效力。

三、赌债之担保

（一）担保物权

为赌债设定担保物权者（质权或抵押权），颇为常见。其效力如何，殊有疑问。一九五四年台上字第二二五号判决谓："至上诉人因赌博输款而交付担保品，纵系违反禁止规定，应归无效，然仍属不法原因给付，亦不能藉此诉求返还。"此项见解，具有三点疑义：

（1）一九五四年台上字第二二五号判决中所谓"交付担保品"系违反禁止规定，应归无效，其概念用语未臻精确，易启疑义。依吾人所信，无效者，系设定担保物权之物权行为；"交付担保品"系事实行为，根本不生无效之问题。

（2）赌博为一种契约，系债权行为，担保物权之设定，系属物权行为。依"最高法院"见解，赌博（债权行为）系违反禁止规定，仍发生债之关系，仅无请求权而已（一九五五年台上字第四二一号判决）。查其文义，似认为赌博非属无效。一九五四年台上字第二二五号判决认为，交付担保品（动产质权之设定，物权行为），违反禁止规定，应归无效。如是观之，"最高法院"一方面认为赌博（债权行为）尚非无效，另一方面又认为为赌债而设定担保物权之物权行为无效，似有矛盾之处。有观点认为，赌债系属所谓效力较弱之自然债务，为之设定担保物权，应不生效力。然此项论点，欠缺实体法之依据，实难赞同。

（3）一九五四年台上字第二二五号判决认为，为赌博而设定担保物权之行为，系"违反禁止规定，应归无效"，其中所谓"禁止规定"究指何而言，实难明了。有观点认为，为赌博而设定担保物权之行为，因违反公序良俗而无效。然而不要因之物权行为是否会因违反公序良俗而无效，尚有争论。史尚宽先生谓："……不要因行为，例如权利移转之合意、让与、债务约束，其目的非为法律行为内容之部分，故其原因行为虽有背于公序良俗，通常仍为有效。因违反社会的原因行为所交付之物，不得基于所有权，依第七六七条请求返还。其物惟得因其原因行为无效，依第一七九条不当得利之规定，请求返还。然如物之权利移转之合意，亦为无效，则得依物上请求权，请求返还。尤其是在物权的履行行为，不因其原因行为有背于公序良俗，而带有反社会性。"[1] 担保物权之设定，系属不要因行为，原则上似不发生违反公序良俗之问题。

综据上述，本文认为，首先，为赌债而设定担保物权之物权行为本身，并未因违反禁止规定或背于公序良俗而无效。惟担保物权之发生，须以主债务之存在为前提（担保物权之从属性）。赌债非债，既如上述，则对于无债务存在所为之担保，亦无存在之余地，从而他方当事人虽占有交付之担保品，仍未因此而取得担保物权（动产质权）。其次，为赌债（或其他不法行为）而设定之担保权，是否构成不法原因"给付"，而不得请求返还？一九五四年台上字第二二五号判决认为："交付担保品，纵系违反禁止规定，应归无效，然仍属不法原因之给付，亦不能藉此诉求返还。"然依上所述，此之所谓不法原因之"给付"，不是交付之担保品，应属担保物权之设定。依本文见解，为赌债而设定担保物权，系属为主给付之补助性给付，其目的非在于终局地移转财产，不属于不法原因之"给付"，从而所设定之担保物权，系属不动产抵押权时，给付之人得请求涂销其登记；其所设定之担保物权系属动产质权时，得请求返还其所交付之动产。此亦为德国通说所采之见解。[2] 日本

---

[1] 史尚宽：《民法总论》，第三〇七页；参阅洪逊欣：前揭书，第三四二页。
[2] Ennecerus/Lehmann, Recht der Schuldverhältnisse, 15. Aufl. 1958, S. 905; RG 100, 159; BGHZ 19, 205.

判例认为，被担保之债权无效时，不发生得利，日本民法第七〇八条（相当于第一八〇条第四款规定）无适用之余地。[1] 日本学者则更进一步认为，在为不法原因而设定担保物权之情形，受领利益者为享受其终局利益，势必基于其抵押权请求国家协力拍卖标的物。对于此项申请，应不予许可，故应准许给付者请求返还。倘不许其请求返还，则一方面受领者无从实现终局之效果，他方面给付者又不得请求返还，财产价值变动悬而未定，法律关系复杂，妨害物质利用，自社会观点言，殊难忍受。换言之，倘就非终局之从属给付，否认其返还请求权，势必残留主给付利益强制实现可能性之问题，违反日本民法第七〇八条之立法趣旨。因此，应承认给付者得请求涂销登记或请求返还标的物之权利。[2]

（二）保证

关于赌债保证之效力，"最高法院"未著有判决，其见解如何，不得而知。本文认为应与物上担保采同一解释。申言之，赌债非债，对于无债务存在所为之保证，不生效力，保证人根本无代为履行之责任。保证人之清偿非为不法原因之给付，盖保证人既未参与赌博，无不法原因之存在也。惟若保证人明知其无债务而清偿时，则依第一八〇条第三款规定，不得请求返还，自不待言。

四、诈骗赌博、侵权行为与不法原因给付

（一）诈骗赌博与不法原因给付

依第一八〇条第四项规定，因不法原因而为之给付，不得请求返还；但不法之原因，仅于受领人一方存在时，不在此限。依此规定，关于不法原因给付，计有三种情形：❶不法原因存在于受领人；❷不法原因存在于给付人；❸不法原因存在于双方当事人。于

---

[1] 大判昭 8.3.29，民集 12.5.18，同昭 11.3.13，民集 15.423。
[2] 我妻荣：《债权各论》下卷，"民法讲义" V4，昭和 47 年，第 1156 页以下；松坂佐一：前揭书，第 202 页。

❶之情形（例如公务员就职务上行为强索贿赂），给付者得请求返还。在❷、❸之情形，给付人均不得请求返还。有疑问者，在诈骗赌博之情形，给付之人（输家）是否得主张不法原因仅存在于受领人（赢家）一方？关于此点，一九五四年台上字第二二五号判决谓："虽被上诉人初系诱上诉人前往赌博，但上诉人与其赌博输款，并非出自被上诉人之诈欺，即难空言主张不法原因仅存于被上诉人。"据此理由观之，"最高法院"似倾向认为诈骗赌博之情形，不法性仅存在于受领人之一方。此项论点，实难赞同。依吾人见解，赌博本身既为不法，赌博之人既均参与不法行为，则其所为之给付均应构成不法原因给付。

（二）诈骗赌博与侵权行为

诈骗赌博赢取钱财，是否构成侵权行为？在一九六五年台上字第四〇四号判决一案，甲、乙原通谋以赌博为手段，骗取丙之钱财，其后甲将暗号泄漏与丙，共同骗取乙之钱财。经台湾省高等法院台南分院以诈欺罪判处罪刑确定在案。"最高法院"认为丙赢去现款一万七千元，致乙发生损害，"亦与侵权行为之构成要件有所未合"。此所谓"与侵权行为之构成要件有所未合"，究系指何要件而言，不得而知。依吾人见解，诈骗赌博，在刑法上为诈欺罪；在民法上为故意以悖于善良风俗之方法加害于他人（第一八四条第一项后段，并参阅第二项），构成侵权行为，实无疑问。"最高法院"之所以否认诈欺赌博系侵权行为，系认为被害人本身亦参与法令所禁止之行为，故纵有损害，亦不得请求。然依吾人所信，被害人参与不法之行为，并不影响侵权行为之成立。例如甲、乙约定杀害丙，至现场时，甲、丙突然伙同杀死乙。于此情形，甲、丙二人，在刑法上触犯杀人罪名，在民法上亦构成共同侵权行为。

诈骗赌博，应构成侵权行为，虽无疑问，然则被害人得否依侵权行为法之规定请求损害赔偿？一九六七年台上字第二二三二号判决（判例）谓："为行使基于侵权行为之损害赔偿请求权，有主张自己不法之情事时，例如拟用金钱之力量，使考试发生不正确之结果，而受他人诈欺者，是其为此不法目的所支出之金钱，则应适用第一八〇条第四款前段之规定，认为不得请求赔偿。"此项判例所揭示之基本原则是否绝对正确，尚有疑问。[1] 纵采此项见解，认为该基本原则，对诈骗赌博之被害人行使基于侵权行为损害赔偿请求权时，亦有适用余地，然诈骗赌博是否构成侵权行为，与被害人是否得行使基于侵权行为损害赔偿请求权，系属二事，性质上截然有别，不宜混为一谈。

四、结　论

一、不同之见解

关于赌博所涉及之法律问题，本文所采基本见解，与"最高法院"不同。兹分六点言之：

（1）"最高法院"认为，赌博系法令禁止之行为（一九五五年台上字第四二一号判决）。本文认为，赌博基本上系违反公序良俗之行为，从而赌博未具备禁止规定之要件者，依其情形，亦得认为具有反社会性。

（2）"最高法院"似未明确表示赌博行为无效，本文认为，赌博行为违背法律禁止规定，或悖于公序良俗者，应属无效（第七十一、七十二条）。

（3）"最高法院"认为，法令禁止之行为，其因该行为所生之债之关系，原无请求权，系属自然债务（一九五五年台上字第四二一号判决）。本文认为，赌博行为既属无效，根本不生债之关

---

[1] 参阅史尚宽：《债法总论》，第八十六页；Larenz, Schuldrecht II, S. 498f.；Heck, Die Auslegung des §817 Satz 2 auf alle Bereicherungsansprüche, AcP 384, 1；Die reichsgerichtliche Rechtsprechung zu §138, 817, AcP 117, 315；松坂佐一：前揭书，第206页；谷口知平：《不法原因给付の研究》，昭和28年，有斐阁，第159页以下。

系，赌债非属债务，非系所谓"有债权、但请求权不完整"之自然债务。又"最高法院"一方面认为赌债系自然债务，另一方面又认为清偿赌债系不法原因给付，在概念上似有矛盾。

(4)"最高法院"认为，因赌博输款出具之借用证，系违反禁止规定，应属无效，然仍属不法原因给付，亦不能请求返还（一九五四年台上字第二二五号判决）。本文认为，无效者系债之更改，非出具之借用证。盖"赌债非债"，对于不存在之债务，本无更改之可言，而非违反所谓禁止规定也。又债之更改，不得认为系不法原因之"给付"，他方当事人（即赌博之赢家）无请求履行之权利，其占有借用证，系属不当得利，应予返还。

(5)"最高法院"认为，因赌博输款交付担保品，纵系违反禁止规定，应归无效，然仍属不法原因之给付，亦不能藉此诉求返还（一九五四年台上字第二二五号判决）。本文认为，交付担保品者，实系担保物权之设定，此项物权行为并未违反所谓之禁止规定，担保物权之未能设定，乃系基于担保物权从属性之理论。盖赌债非债，对于无债务存在所为之担保，无存在之余地也。又本文并采德、日判例及学者之通说，认为担保物权之设定，系为主给付而为之补助给付，给付目的非在于终局地移转财产，非属第一八〇条第四款所称之给付，从而给付之人，得请求涂销抵押权之登记或返还交付之担保物。

(6)"最高法院"认为，诈骗赌博与侵权行为之构成要件有所未合（一九六五年台上字第四〇四号判决）。本文认为，诈骗赌博，以诈术骗人财物，系故意以悖于善良风俗之方法加损害于他人，应构成侵权行为。

二、几点感想

于评论判决之余，有三点感想，尚须说明：

(1)"最高法院"在其判决中一再提到，为赌债而出具之借用证，交付担保品，系"法令禁止行为"或违反"禁止规定"。所谓"禁止规定"，究何所指，颇难理解，实应给予说明。

（2）"最高法院"在其判决中，表示诈骗赌博与"侵权行为之构成要件有所未合"。侵权行为之构成要件计有❶加害行为；❷侵害法律所保护之权益；❸致生损害；❹行为之不法；❺行为人有责任能力；❻故意过失。到底何项要件不具备，法院既未加说明，当事人只能枉测，败诉者难以心服，见解是否正确，在客观上亦难以查验。

（3）"最高法院"在其判决中表示，因赌博输款而出具之借用证及交付担保品，系违反禁止规定，应归无效。"出具之借用证"为一种凭证，"交付担保品"为一种事实行为，在法理上，均无"违反禁止规定，应归无效"之可言。实则，前者系债务更新（更改），系属有偿要因契约，后者系动产质权之设定，系属物权行为。吾人认为各法院应使用精确之法律概念来处理法律问题。使用不精确之非法律概念，不但徒滋疑义，而且常会导致错误之结论。总而言之，判决理由内容之加强，实在是"最高法院"面临之重大课题。

侵权行为法之危机及其发展趋势

一、侵权行为法之危机

侵权行为法之基本目的,系在于移转或分散社会上发生之各种损害。侵权行为法所设之各项原则,就在于决定何种损害应该由加害人赔偿,或在何种情形,虽有损害,但仍应由被害人自己承担。损害之发生与赔偿深受社会组织、经济发展及伦理道德观念之影响。在农业社会,重视家族连带关系,其侵权行为法之功能、指导原则及结构体系,与强调个人自由主义之工业社会相较,即有显著不同。奥地利学者 Unger 氏曾谓:"损害赔偿法,在特别程度上,乃是某一特定文化时代中,伦理信念、社会生活与经济关系之产品和沉淀物。"[1] 此言确实含有真理。

侵权行为法自与刑罚分开,成为一个独立法律制度以来,历经演变,迄至十七八世纪,终于抛弃了结果责任主义,采用过失责任主义,建立完整理论体系,达到了鼎盛时代。在工业革命之后,经济活动剧增,工业灾害等意外事故频繁发生,责任保险应运而生,过失责任主义再经修正,就若干特殊危害,决定采取无过失责任制

---

[1] Unger, Handeln auf eigene Gefahr, 1893, S. 1: "Das Schadensrecht ist in ganz besonderem Grade das Produkt und der Niederschlag der ethischen Überzeugung sowie der sozialen und wirtschaftlichen Verhältnisse einer bestimmten Kulturepoche."

度。在另一方面，社会安全体制亦渐次建立，也担负了填补损害之任务。

在此种发展情势下，传统侵权行为法之任务及适用范围，在最近数年间曾受到空前严厉之检讨。美国加州大学 Fleming 教授认为今日之侵权行为法正处于交叉路口（Cross Road），其生存正受到威胁；[1] 英国剑桥大学比较法教授 Jolowicz 氏宣称侵权行为法正面临危机（Crisis）；[2] 瑞典阿孚士（Aarhus）大学 Jorgensen 教授更断言侵权行为法之没落（The Decline and Fall of the Law of Torts）。[3]

上述学者对于侵权行为法命运之论断，虽系针对西洋法制而言，但实具有启示性。台湾之侵权行为法亦正处于转变时期，亟待检讨。本文拟参酌域外立法例，简要说明整个侵权行为法之演变过程，探讨相关社会经济因素，分析现行法制之现状，并指出其未来之发展趋势。

二、过失责任主义之基本思想及贡献

一、侵权行为法之成为独立制度

侵权行为之发展过程，大体言之，具有共同特征。在农牧社会，家族系最基本之社会单位，对外享有特定之权利义务关系；对内则以维持荣誉及和平为基本任务，对侵权行为之反应就是复仇。复仇之方式，本来漫无限制，后来逐渐采用同类型主义，即所谓"以牙还牙，以眼还眼"。其所注重的，不是加害人之主观意识，

---

[1] John G. Fleming, "Contemporary Roles of the Law of Torts", 18 Am. J. Comp. L. 1 (1970).
[2] Winfield and Jolowicz, The Law of Tort (9ed., London, 1971) V.
[3] Stig Jorgensen, "The Decline and Fall of the Law of Torts", 18 Am. J. Comp. L. 39 (1970).

而是客观之损害结果。报仇一方面满足了被害人或其家庭之心理感情，另一方面亦可因此预防将来损害之发生，这是原始社会国家机关未备时期维持个人与社会发展之必要制度。

复仇行为破坏秩序，不合团体利益，而且农业社会需要和平，于是理智逐渐控制感情，同时在私有财产体制之下，物质之补偿终较心理快感具有实益。在此情形下，复仇方式乃遭废弃，赎罪金制度卒告建立。其向国家支付者为刑罚；其向被害人或其家族支付者，则为损害赔偿。大约在这个时期，侵权行为法开始与刑法分离，成为独立之法律制度。

二、过失责任主义之理论依据

在十七八世纪，人类社会迈入一个新的时期。在科学技术方面，工业革命加速促进商事交易活动；在经济方面，强调放任；在思想方面，重视理性及个人自由。此种社会变迁对法制发展产生深远之影响。在私法方面，确立了三个基本原则：一为重视私有财产；二为契约自由；三为本文所要讨论之侵权行为过失责任主义。

十九世纪德国大法学家耶林（Rudolf von Jhering）曾谓："使人负损害赔偿的，不是因为有损害，而是因为有过失，其道理就如同化学上之原则，使蜡烛燃烧的，不是光，而是氧，一般的浅显明白。"[1] 耶林氏之名言，充分表现当时之法学思潮。过失责任主义之所以被奉为金科玉律，视同自然法则，归纳言之，计有逻辑力量、道德观念、社会价值及人类尊严四个因素。[2] 兹分别说明之：

1. 逻辑力量

一个人就自己过失行为所肇致之损害，应负赔偿责任。在重视

---

[1] Rudolf von Jhering, Das Schuldmoment im römischen Privatrecht, 1867, S. 40: "Nicht der Schaden verpflichtet zum Schadensersatz, sondern die Schuld, ein einfacher Satz, ebenso einfach wie derjenige des Chemikers, dass nicht das Licht brennt, sondern der Sauerstoff der Luft."

[2] Andre Tunc, Introduction, Torts, International Encyclopedia of Comparative Law, Vol. XI, 1974, Chap, l, p. 64f.

理性之时代，系当然自明之道理，无须证明。此项原则之反面，即行为非出之于过失者，不必负赔偿责任，在逻辑上亦具有同样之说服力。

2. 道德观念

一个人就自己过失行为所肇致之损害，应负赔偿责任，系正义之要求，亦被认为无须证明。反之，若行为非出于过失，行为人已尽注意之能事者，在道德上即无须加以非难。

3. 社会价值

任何法律必须调和"个人自由"与"社会安全"这二个基本价值。而过失责任主义被认为最能达成此项任务。盖个人若已尽其注意，即得免负侵权责任，则自由不受束缚，聪明才智可予发挥。人人尽其注意，一般损害亦可避免，社会安全亦足维护也。

4. 人类尊严

过失责任主义肯定人类之自由，承认个人抉择、区别善恶之能力。个人基于其自由意思决定，从事某种行为，造成损害，因其具有过失，法律予以制裁，使负赔偿责任，最可表现对人类尊严之尊重。

三、过失责任主义之法制化

过失责任主义系十九世纪西洋法律思想所建立之基本信念。十九世纪也是欧陆法典化运动时期，英国法亦正进入重要法制变革阶段，从而过失责任主义乃成为各国（地区）法制之基本原则。兹就法、德、英、美及台湾地区立法例加以说明。

1. 法国法

一八〇〇年之法国民法（或称拿破仑民法）系近代第一个民法法典，关于侵权行为仅设五条规定（第一三八二——一三八六条）。第一三八二条规定："使他人发生损害之行为，无论系何种行为，其有过咎者（faute），应负赔偿责任"；第一三八三条规定："个人不仅对于因自己行为所生之损害，即对于因自己之懈怠或疏忽所生之损害亦应负责。"[1]

由上述二条规定,可知法国民法之整个侵权行为制度系建立在一个统一之过失责任主义之上。这个基于自然法理论而产生之信念,使法国民法立法者毅然抛弃传统上个别侵权行为类型,制定一个概括、抽象之基本原则。无疑的,这是在人类法制史上空前伟大之成就。[2]

2. 德国民法

就德国法系言,一八一一年之奥地利民法是开明时期自然法之产物,亦明白宣示采取过失责任主义(奥地利民法第一二九五条)。[3] 德国民法于一九〇〇年公布实施,适逢社会思潮转变时期,虽然已经受到社会主义思想之影响,但是在基本上仍然采取过失责任主义。德国民法第八二三条第一项规定:"因故意或过失,不法侵害他人之生命、身体、健康、所有权或其他权利者,对所生之损害应负赔偿责任";同条第二项规定:"违反以保护他人为目的之法律者,亦负同一义务。依其法律之内容无过失亦得违反者,仅于有过失时,始生赔偿责任。"[4] 一九一二年之瑞士债务法第四十一条亦规定:"因故意或过失不法侵害他人者,应负损害赔偿责任。"[5] 日本民法第七〇九条亦采取同样原则。[6]

3. 英国法

欧陆主要国家自十九世纪以来,多在制定之民法典中宣示采用过失责任主义,前已详述。在英国方面,其发展过程较为漫长曲

---

[1] 参阅 Amos and Walton, Introduction to French Law (3ed., Oxford, 1967), p. 100f.
[2] 参阅 Zweigert/Kötz, Einführung in die Rechtsvergleichung, Bd. II, 1969, S. 336.
[3] 参阅 Zweigert/Kötz, aaO. S. 316.
[4] 参阅 Hein Kötz, Deliktsrecht, 1976, S. 38f.
[5] 参阅 Karl Oftinger, Schweizerisches, Haftpflichtrecht, 1969, S. 1lf.
[6] 参阅加藤一郎:《注释民法》(19),昭和40年。

折，但充分表现过失责任主义发展趋向，也有略加说明之必要。[1]

如所周知，英国侵权行为法系以令状制度（Writ System）为基础而建立之侵权行为体系（Torts System），加害事实必须与法定侵权行为类型（例如 Conversion, Nuisance, Defamation, Deceit 等）相当，被害人始得请求损害赔偿。否则，纵受有损害，亦无救济途径。每一个侵权行为（Tort）系独立存在，有其个别成立要件，有其个别抗辩事由，旨在保护特定法益不受特定方式之侵害。一八七五年司法制度之改革，形式上虽已废除 Forms of Action（诉之格式），[2] 不再要求原告所主张加害事实必须符合特定侵权行为类型。然而，诚如 Maitland 氏所谓："诉之格式虽被埋葬，但仍从坟墓支配着我们。"[3] 迄至一九四一年，Lord Akin 尚带着勉励之语气表示："当这些古老的魔鬼带着中世纪之脚链，发着声响，站立在正义路上之际，法官应勇敢无惧地通过。"[4] 英国法制的发展，证明英国法官确实不畏魔鬼之骚扰，在正义路上勇敢前进。"过失侵权行为"（Tort of Negligence）之创设，即其著例，可谓是英国侵权行为法发展之重大成就。

英国法上最早成立之侵权行为系"Trespass"（直接暴力侵害）。其主要特征是侵害行为必须是直接（direct）、暴力（forcible），法律所保护之客体为不动产（Trespass to Land）、动产（Trespass to Chattel）及人身（Trespass to Person）。在此情形下，

---

[1] 关于英国侵权行为法之一般理论，主要著作有：Glanville Williams and B. A. Hepple, Foundations of the Law of Torts, 1976; R. W. M. Dias and B. S. Markesinis, The English Law of Torts, 1976; Winfield and Jololwcz, The Law of Torts (10ed., 1975); Hepple and Mathews, Tort: Cases and Materials, 1974; Tony Weir, A Casebook or Tort (3ed., 1974).

[2] 参阅 J. H. Baker, An Introduction to English Legal History, 1971, pp. 78–86.

[3] Maitland, Forms of Action, 1909, p. 296: "The forms of action we have buried, but they still rule us from their graves".

[4] United Australia Ltd. v. Barclatys Bank [1941] A.C. l. at 29: "When these ghosts of the past stand in the path of justice chanking their medieval chains, the proper course for the judge is to pass through them undeterred."

损害行为出于间接或非暴力之方式者，Trespass 之诉即不成立。为补救此项缺点，十四世纪之法院开始创设一种称为"Trespass on the Case"之侵权行为类型。所谓"On the Case"者，系指原告之诉能否成立，依个案（Case）具体情形而定。此种新创设侵权行为的特色，在于不以侵害行为之直接性及暴力性为要件。关于 Trespass 及 Trespass on the Case 之区别，Fortescue 法官在 Reynolds v. Clarke 一案（一七二五年）曾作如次说明："设有人投掷木头于道路，当其于落下之际，击中他人者，构成 Trespass；反之，木头落地后，有人经过跌倒而致受伤者，则构成 Trespass on the Case。"[1] 属于 Trespass on the Case 之侵权行为有 Defamation，Breach of Contract 等，但最为重要者，系 Negligence（过失侵权行为）。

在英国法上，Negligence 原指行为人欠缺注意，故为侵权责任之主观要件。但到了十九世纪，Negligence 逐渐发展成为一种独立之侵权行为，而于有名之 Donoghue v. Stevenson 一案（一九三二年），[2] 达到完成之阶段。在本案，原告在某咖啡馆中有朋友为其购买一瓶姜啤酒（Ginger-beer），其中含有已腐败之蜗牛躯体。先则不知而饮用，迨其后发觉时，深受惊吓，乃向该 Gingerbeer 之制造人请求赔偿。Lord Akin 认为被告违反其对原告所负之注意义务，应负赔偿责任。Negligence 此项过失侵权行为之成立须具备三项构成要件：一为"Duty of Care"（注意义务）；二为"Breach of The Duty"（义务之违反）；三为"Careless Conduct"（过失之行为）。由于其具有普遍概括性，已成为英国侵权行为法最重要之制度。[3]

4. 美国法

美国法制系建立在英国普通法（Common Law）体系之上，因

---

[1] Reynolds v. Clarke (1725) l Str. 634, 636.
[2] Donoghue V. Stevenson (1932) A. C. 562.
[3] Winfield and Jolowicz, pp. 45-83; Weir, Casebook on Tort, Chap. l.

此在侵权行为方面亦接受英国法 Negligence 之一般理论。惟美国社会经济情况较为特殊，各邦享有司法管辖权，从而关于 Negligence 构成要件及适用范围，例如注意义务（Duty of Care）及损害之因果关系，虽尚未有统一见解，但过失责任主义亦为美国法之基本原则，殊无疑问。[1]

5. 现行民法

第一八四条第一项规定："因故意或过失不法侵害他人之权利者，负损害赔偿责任。故意以背于善良风俗之方法加损害于他人者亦同。"然而，应注意的是该条第二项规定："违反保护他人之法律者，推定其有过失。"其他关于法定代理人责任（第一八七条）、雇用人责任（第一八八条）、动物占有人责任（第一九〇条）及工作物所有人责任（第一九一条），亦均设有过失推定之规定。由是可知，过失责任仍为台湾侵权行为法之基本原则，但兼采过失推定之立法技术，期能适应社会需要，保护被害人之利益。[3]

四、过失责任主义之贡献

自十九世纪以来，侵权行为法多建立在过失责任主义之上。此项原则，固然是个人自由主义的产物，但在规律人类社会经济活动上，具有二项卓越贡献：

（1）扩大侵权行为法之适用范围。早期侵权行为法系采取结果责任主义，侵权行为趋于类型化。过失责任主义之广泛适用性，打破了此种限制。十九世纪以来，工业技术进步，人类交易活动频繁，损害事故增加迅速。基于过失责任主义而建立之侵权行为法，在填补损害方面，担负了重要任务。

（2）促进社会进化。在结果责任主义之下，若有损害即应赔偿，行为人动辄得咎，行为之际，瞻前顾后，畏缩不进，创造活动

---

[1] Prosser, Law of Torts, 1971, Chap. 5.
[3] 王伯琦：《民法债编总论》，第六十五页；史尚宽：《债法总论》，第一〇四页；郑玉波：《民法债编总论》，第一三一页。

甚受限制；反之，依过失责任主义，行为人若已尽适当注意，即可不必负责，有助于促进社会经济活动。现代文明之发达与过失责任主义实具有密切关系。

三、无过失责任主义之建立

一、促进建立无过失责任制度之社会经济因素

以过失责任主义为基本原则之侵权行为，于十九世纪达到鼎盛时期，但在这个时期业已开始遭受压力。此项压力主要来自工业灾害及铁路交通事故。立法者所采取之对策是制定特别法。例如一八三八年十一月三日之普鲁士铁路法（Das Preussische Eisenbahngesetz vom 3. 11. 1838），[1]另创补偿制度，例如英国一八九七年之劳工补偿法（Workmen's Compensation Act 1897）。[2]换言之，即立法者一方面坚守过失责任原则，另一方面则例外地就特别损害事故承认无过失责任，或将之纳入社会安全体制之内。然而，由于意外事故急剧增加，为适应社会需要，无过失责任制度渐次扩张，迄至今日，已成为与过失责任具有同等地位之损害赔偿归责原则。至其原因，可归纳为二点：一为意外灾害之严重性；一为损害填补之必要性。

（一）意外灾害之严重性

现代工业社会之主要意外灾害，计有工业灾害、汽车事故、公害及商品瑕疵四类。

工业灾害系工业革命后世界各国首先遭遇之问题。其在台湾地

---

[1] Fikentscher, Schuldrecht, 1975, S. 670f.; Larenz, Schuldrecht Ⅱ, 11. Aufl. 1977, S. 617.

[2] 60 & 61 Vic., C. 37; P. S. Atiyah, Accidents, Compensation and the Law (2nd ed., 1975), p. 316f.

区，据一九七五年度工矿检查报告，在工厂（制造业）方面，伤害人数为三千八百三十六人（伤害千人率为四点六四），残废人数为一千五百一十四人（残废千人率为一点八三），死亡人数为二百二十人（死亡千人率为零点二零）；在矿场灾害方面，伤害人数为五千七百九十一人（伤害千人率为一百一十九点一零），残废人数为一百零四人（残废千人率为十六点四八），死亡人数为七十五人（死亡千人率为二点七六），与英、美、德、日、法等国比较，显然偏高。[1]

汽车事故成为现代社会主要意外灾害，始自二次大战之后。在美国，死于车祸者每年约有十万人，遭受各种轻重伤者高达一千万人。[2] 在台湾，自一九六九年起，每年发生之事故约为一万件，死亡人数均在一千人以上，并有日益增加之趋势（例如一九六八年为一千七百一十九人，而一九七四年为二千四百八十三人），伤害人数每年达一万二千人左右。[3] 由于汽车数量增长迅速，情况日趋严重，殆为不可避免之趋势。

所谓公害，系指人为活动所生之水污染、空气污染、土地污染、噪音、振动、恶臭、放射物质及其他因破坏环境致他人遭受损害之法律事实。[4] 此亦为现代工业国家之主要灾害。在台湾，关于公害所造成之损害，因欠缺统计资料，未能查知，惟其情况惨烈，似为公认之事实。

现代社会系属消费社会，商品种类繁杂，经常因设计错误、品质控制疏懈或对使用方法未为适当之说明，致发生损害。如何使制造人就所生之损害，负赔偿责任，以保护消费者权益，实已成为世

---

[1] 参阅《一九七五年工矿检查年报》，第二十二至二十七页。
[2] 参阅 Andre Tunc, Introduction, Torts, International Encyclopedia of Comparative Law, Vol. XI, Chap, 1, p. 3.
[3] 参阅《交通安全》第五十六期，第九页。
[4] 朱柏松："公害之民事责任论"，台湾大学法律学研究所硕士论文（一九七四年度），第八页。

界各国共同关心之问题。一九七七年一月十九日至二十一日在伦敦举行之产品责任世界会议（First World Congress on Product Liability），对此问题曾作深入详尽之讨论。在台湾，商品制造人责任亦已受到学者之重视，并成为民法修改之重点问题。[1]

（二）填补损害之必要性

现代社会意外灾害具有四个基本特色：❶造成事故之活动皆为合法而必要；❷事故发生频繁，每日有之，连续不断；❸肇致之损害异常巨大，受害者众多；❹事故之发生多为高度工业技术缺陷之结果，难以防范，加害人是否具有过失，被害人难以证明。[2]

现代社会意外灾害后果严重，小者影响个人生计，大者使全家陷于不幸。在传统社会，家庭对个人，雇主对学徒，地主对佃农，多采家长式之照顾，多少具有填补损害之功能。但由于现代社会意外灾害之巨大性及频发性，传统救济制度实难胜任填补之任务，何况此种制度已告崩溃。在此情形之下，如何修正过失责任主义，创设合理制度，实为各国法制所面临之共同课题。

二、无过失责任之法制化

（一）各国立法例

1. 法国法

一八〇四年法国民法关于侵权行为，仅设五条规定，前已论及。至其归责原则，直至十九世纪末叶，判例学说均认为系采过失责任主义。第一三八二条及第一三八四条文义明白，向无争议。第一三八四条规定："除对于因自己行为所生之损害外，即对于其所应负责之他人之行为或保管之物所生之损害，亦应负赔偿责任。"所谓"对于其所应负责之他人行为所生之损害，亦应负赔偿责任"

---

[1] 参阅拙著：《民法学说与判例研究》第一册。
[2] 林腾鹞："危险责任之研究"，台湾大学法律学研究所硕士论文（一九七二年度），第十二页。

系指雇佣人责任。通说原认为系采过失推定主义，雇佣人得证明其对受雇人之选任或监督已尽相当注意而免责。至于所称"对于保管之物所生之损害，亦应负赔偿责任"，依立法者之原意，系指第一三八五条及第一三八六条动物持有人责任及建筑物所有人之责任而言。依法国民法制定后之通说，当事人亦得证明其对动物之监督并无疏懈，或对建筑物之建造及维持并无过失而免责。[1]

然而，在法国民法实行后之第九十三年（一八九七年），为适应社会经济需要，法国最高法院（Cour de Cassation）首先开始采取部分学者所提出之理论，认为法国民法第一三八四条后段所称"对自己所保管之物所生之损害，亦应负赔偿责任"系一项概括规定，对一切之物皆有适用之余地。[2] 在一九一四年一月十九日另一个重要判决中，法国最高法院更进一步认为，物之保管人除能证明损害系由于不可抗力、被害人之过失、第三人过失所肇致者外，纵其对损害之发生并无过失，亦应负赔偿责任。[3] 上述二项重要判决，确立了无过失责任主义，根本改变了法国侵权行为之结构，使其达到现代法之程度。关于此点，可分二项加以说明：

首先，第一三八四条所指"被保管之物"范围既经概括化，在实务上，凡火车、汽车、电气、瓦斯、臭气等均包括在内。又依最近发展趋势，本条规定对于商品因其瑕疵所肇致之损害，亦有适用余地。[4]

其次，无过失责任原则既已依法国最高法院判决而建立，制定特别法之必要性相对减少。故目前在法国依特别法规定，应负无过失责任者，仅有铁索道持有人、航空器持有人对航空器、对地面所

---

[1] 参阅 Zweigert/Kötz, S. 384; Amos and Walton, p. 232f.
[2] Rep. 303, 1897, D. 1897, 1, 43.
[3] Rep, 19, 1, 1914, S. 1914, 1, 129. 并请参阅 Zweigert/Kötz, aaO.; Amos and Walton. Ibid.
[4] 参阅 Joachim Schmidt/Salzer, Produkthaftung im französischen, belgischen, deutschen, schweizerischen, englischen, kanadischen und usamerikanischen Recht sowie in rechtspolitischer Sicht, 1975. S. 34.

生之损害及原子装置之经营者。[1]

2. 德国法

德国民法系建立在过失责任主义之上，前已论及。其惟一之例外，系德国民法第八三三条第一项所规定之动物持有人责任。[2] 关于无过失责任，系采特别立法，其主要者有：❶一八七一年之"Das Reichhaftpflichtgesetz"（帝国责任法，主要规定铁路对人身损害之赔偿责任）；❷一九四〇年之"Gesetz über die Haftpflicht der Eisenbahnen und Strassenbahnen für Sachschaden"（铁路及电车对物品损害赔偿法）；❸一九五九年之 Strassenverkehrgesetz（道路交通法，其前身为一九〇九年之汽车法 Kraftfahrzeuggesetz）；❹一九五七年之 Wasserhaushaltsgesetz（水保持法）；❺一九五九年之 Atomgesetz（原子能法）等。

关于此类特别立法，有三点应予说明：

首先，此种不以过失为责任要件之法律制度，在德国称为 Gefährdungshaftung（危险责任），以与 Verschuldenshaftung（过失责任）相对称，二者并同时构成德国责任法之双轨体系（Zweispürigkeit des Haftpflichtrechts）。[3]

其次，各特别法系应个别需要制定，其发展时期前后长达百年，法律之结构、责任要件及适用范围等殊不一致，解释适用之际，颇滋疑义。一九六七年德国司法行政部在其提出损害赔偿法修正草案中（Referentenentwurf eines Gesetzes zur Änderung und Ergänzung schadensersatzrechtlicher Vorschriften），特别建议修正

---

[1] Zweigert/Kötz. aaO, S. 386; Amos and Walton, Ibid. p. 237.
[2] 德国民法第八三三条第一项规定："动物致人于死、或伤害人之身体或健康，或毁损物品者，动物之持有人对于被害人因此所生之损害，负赔偿责任。"此系采无过失责任主义。惟同条第二项规定："损害由于家畜所引起，而此项家畜系供其持有人职业上、生业活动上或生计上之需要，且持有人于管束动物，已尽交易上必要之注意，或纵加以此项注意，而仍不免发生损害者，持有人不负赔偿之义务。"此系采过失推定责任主义。
[3] Esser, Die Zweispurigkeit unseres Haftpflichtrechts, JZ 1953, 129.

Haftpflichtgesetz（责任法），期能去芜存菁，建立合理之体制。[1]

第三，德国最高法院认为不得从前述特别法导出无过失责任之一般原则，从而就法律所未规定之特别危害事故，仍应适用过失责任原则。惟为保护被害人利益，最高法院有时采用举证责任之倒置方法，商品制造人责任为其著例。在一九六八年十一月二十八日一项判决中，有某养鸡场之主人 A 氏，为预防鸡瘟，特请兽医 H 氏先为注射，但瘟病仍然发生，损失重大。查其原因，发现系药厂 D 出产之注射液不洁，含有病毒。德国最高法院肯定 D 厂应依德国民法第八二三条第一项规定（相当于第一八四条第一项前段）负侵权行为之损害赔偿责任。关于举证责任问题，德国最高法院认为商品制造系属高度科学技术，要求被害人证明制造人具有过失，势所难能，因此应由制造人证明其对商品之制造并无过失；不能澄清肇致损害原因之不利益，应由制造人承担之。[2]

3. 英国法

在英国，关于无过失责任（Strict Liability），其主要者计有四项：❶一九四九年民航法（Civil Aviation Act, 1949）所规定航空器所有人就航空器对地面造成损害之责任；❷一九五九年及一九六五年原子能装置法（Nuclear Installation Acts, 1959, 1965）；❸动物持有人之责任（Animals Liability）；❹Rylands v. Fletcher 原则。前二者系国际立法之共同制度；动物持有人责任制度原来甚为零乱，一九七一年动物法（Animals Act 1971）虽作有合理改进，但仍甚为复杂。[3] Rylands v. Fletcher 一案所创设之法律原则，在实务上最为重要，以下仅就此加以说明。

---

[1] 参阅 Referentenentwurf eines Gesetzes zur Änderung und Ergänzung schadensersatzrechtlicher Vorschriften, 1967, S. 162; von Caemmerer, Reform der Gefährdungshaftung, 1971.
[2] BGHZ51, 91ff. = NJW 1969, S. 269ff.
[3] P. M. North, The Modern Law of Animals, 1972; Report of The Law Commision, No. 13, Civil Liability for Animals (1967).

在 Rylands v. Fletcher 一案中，被告雇佣承包商（Independant Contractor）在其土地上建造一座贮水池，做为磨坊供水之用。在工地下面有一个已经封闭之废矿，尚有坑道与附近原告所有之煤矿相通。被告及承包商均未发觉此事，致未能采取预防措施。当贮水池使用后，池水经过废矿坑道，渗入原告煤矿，造成损害。Blackburn 法官类推适用其他案例，创设了以下原则，即：土地所有人在非依自然方法使用（non-natural use）其土地过程中，为自己之目的，在土地上堆放物品者，就该物品逃逸（escape）而肇致之损害，无论其是否具有过失，均应负赔偿责任。[1]

4. 美国法

各州法院多采取英国法上 Rylands v. Fletcher 原则，使企业者就特别危险活动（Ultrahazardous Activity）所生之损害，负无过失赔偿责任，并扩大其适用范围。[2] 然而，应特别提及的是，商品制造人就商品瑕疵（缺陷）所造成之人身或财产损害，虽无过失，原则上亦须负赔偿责任。此为美国侵权行为法上一项特别制度，影响甚巨。其发展过程，不但为美国法律思维方式（Legal Reasoning）之典范，而且就特别损害，如何由过失责任蜕变演进成为无过失责任，亦具有启示性。

在建立商品制造人无过失责任制度之发展过程中，首先必须要克服的是英国法上 Winterbottom v. Wright（1842）一案所确立之 Privity of Contract（契约相对性或契约当事人关系）之理论。[3] Privity of Contract 理论之基本要义系认为出卖人对契约相对人以外之第三人，在契约法上或侵权行为法上均不负赔偿责任。为修正此项被认为错误之理论，美国法院曾藉用各种理论，创设例外。[4] Thomas v. Winchester（1852）一案，纽约州最高法院认为，出售

---

[1] Rylands v. Fletcher (1868) L. R. l Ex 265.
[2] Prosser, Law of Torts, Chap. 14, p. 506f.
[3] 152Eng Rptr 402 (1842).
[4] Prosser and Smith, Torts, Cases and Materials. 1967, p. 795f.

之商品对生命及健康具有本质上之危险时（inherently dangerous to life of health），有过失之制造人对所生之损害即应负赔偿责任。

然而，最具创设性、突破性的，是 Mcpherrson v. Buick Motors Corp.（1916）一案所创设之原则。[1] 在本案，原告从零售商购买被告所制造之汽车，由于车轮具有瑕疵，裂为碎片，致汽车翻覆，原告被抛出车外而受伤。该肇祸车轮不是被告之产品，而是从他人购置而来，但若经适当检查亦可发现其缺陷。纽约州最高法院推事 Cardozo 在本案创设了商品制造人过失责任之一般原则，认为："任何物品制造上具有过失，依其本质，可合理确定将构成对生命及身体之危害者，即属危险物品。除此项危险因素外，制造人若知悉该项物品将由买受人以外之第三人未经检查而使用者，则不论有无契约关系，对该项危险物品之制造，均负有注意义务。"此项理论一经提出，立即为其他各州所采纳，成为美国法上规律商品制造人责任之主要依据。

商品制造人过失责任（Negligence）原则确立后，为使被害人多获赔偿机会，法院亦经常适用"res ipsa loquitur"（事实自己说明）之规则，以减轻被害人之举证责任。最后终于更进一步在 Greenman v. Yuba Power Products Inc.（1962）[2] 一案确立了商品制造人侵权行为无过失责任（Strict liability in tort）。在本案，原告曾见到零售商推销展示一种由被告制造、名叫 Shopsmith 的兼具锯子、钻多种功能之器具。原告之妻知悉原告需要该种器具，特购买一件，作为圣诞礼物。其后原告使用其妻所购 Shopsmith 锯木之际，该器具突然从装置之机器中飞出，撞中其前额，肇致严重损害。加州最高法院推事 Traynor 在其判决文中明白表示，制造人将其商品置于市场，知悉其将未被检查其是否具有缺陷而使用时，就此项具有缺陷商品对人身所肇致之损害，应负无过失责任。又此项责任系

---

[1] 111NE1050（1916）.
[2] 377 Pzd 897（1962）.

属侵权行为性质，故不受契约法适用要件及范围之限制。"商品制造人无过失责任"已被各邦接受，成为美国法上一项法律基本原则。[1]

5. 台湾地区现行法

现行民法系建立在过失责任主义之上，其第一八四条第一项规定："因故意或过失不法侵害他人之权利者，负损害赔偿责任"，明白宣示此项原则。然而为使被害人多获救济之机会，关于法定代理人责任（第一七八条）、雇用人责任（第一八八条）、动物占有人责任（第一九〇条）、工作物所有人责任（第一九一条），已采取过失推定主义。又雇用人，纵使其能证明选任监督受雇人执行职务，已尽相当注意，亦须负衡平责任（第一八八条第二项）。论其实质，已相当接近于无过失责任。

关于侵权行为无过失责任，系在矿业、民用航空及核装置损害赔偿等特别法，设其规定。"矿业法"第六十八条规定："因矿业工作，致矿区以外之土地有重大损失时，矿业权者应给与土地所有人及关系人相当之补偿"（并请参阅同法第七十二条、第七十三条之规定）。"民用航空法"第六十七条规定："航空器失事，致人死伤，或毁损动产、不动产时，不论故意或过失，航空器所有人应负赔偿责任。其因不可抗力所生之损害亦应负责。自航空器上落下或投下物品发生损害时亦同。"又依"核子损害赔偿法"第十一条第一项规定："核子事故发生于核子设施之内者，其经营人对于所造成之核子损害，应负赔偿责任。"（并请参阅同法第十二条至第二十二条规定）。

（二）综合分析

（1）名称尚未统一。行为人对特定损害之发生纵无过失，亦应负损害赔偿责任，虽已逐渐建立完整之体系，惟关于其名称尚未

---

[1] 1 R. Hursh and H. Bailey, American Law of Products Liability, 2nd ed. Chap. 4, "Strict Liability in Tort", 1974.

统一。在台湾地区一向称之为无过失责任；在德国通称为 Gefährdungshaftung（危险责任）；在英美法上则多称为 Strict liability（严格责任）。名称虽不同，基本上均指同一事物而言。

（2）法制创设之方式，各具特色。无过失责任主义之创设，各国所采手段不同，各具风格。基本上虽兼采特别立法及法院造法二种方式，但若进一步加以观察，则英、美、法诸国偏重于法院造法，德国强调特别立法。至于台湾地区，除少数特别情况外，由法院创设过失推定或无过失责任制度，似尚无其例。

（3）无过失责任之选择性。在比较法上，似尚无全面采取无过失责任、以取代过失责任主义之立法例。立法者系斟酌损害事故之特色、当事人利益、社会公益、责任保险制度等因素，选择特定损害类型，建立无过失责任制度。

（4）无过失责任虽然严格（Strict），但非绝对（Absolute）。无过失责任之基本要义系谓：侵权行为之成立，不以加害人之行为具有过失为要件，即就损害之发生，加害人虽无过失，亦应负赔偿责任，但此并非表示加害人就其行为所生之损害，在任何情况下均应负责。各国立法例多承认加害人得提出特定之抗辩或免责事由。

三、无过失责任之基本思想

在过失责任体制之下，加害人对其行为所生之损害，所以要负赔偿责任，乃因其行为具有道德上之非难性。一般言之，此为当然自明之理，得为一般公民法律意识所接受。在无过失责任，行为人并无过失，但仍要负赔偿责任。其依据何在，则有说明之必要。

无过失责任制度的基本思想，不是在于对具有"反社会性"行为之制裁。盖企业之经营、汽车之使用、商品之产销、原子能装置之持有，系现代社会必要经济活动，实无不法性之可言。无过失责任之基本思想乃是在于对不幸损害之合理分配，亦即 Esser 教授特别强调之"分配正义"。[1] 意外灾害肇致损害，所以应由特定企业、物品或装置之所有人或持有人负担，而不应让无辜被害人蒙受其害。归纳言之，具有四点理由：

（1）特定企业、物品或装置之所有人、持有人制造了意外灾害（危险）之来源。

（2）在某种程度上亦仅该所有人或持有人能够控制这些危险。

（3）获得利益、负担危险，系公平正义之要求。

（4）企业者虽负担危险责任，但或由于法律对于损害赔偿设有一定金额之最高限制，或由于赔偿责任范围可以预计，得透过商品（或劳务）之价格机能与责任保险制度予以分散。

四、责任保险对侵权行为法之影响

一、责任保险制度之建立

责任保险是保险人于被保险人对第三人依法应负赔偿责任，受赔偿请求时，负赔偿责任之一种财产保险（参阅"保险法"第九十条）。责任保险制度在十九世纪后半叶开始建立之际，曾遭受严厉指责。论者以为，基于不法行为所生之损害，得藉保险之方式予以转嫁，一则违反道德规范，二则足以导致行为人注意之疏懈，助长反社会行为，危害公益，实不宜容许其存在。然而，批评者虽众，并未能阻止责任保险之发达。推究其故，计有三点：

（1）十九世纪以来，意外灾害有增无已，不但加害者个人难以负担，被害人亦有难获赔偿之虞。责任保险制度有助于填补被害人之损失，符合社会公益。

（2）事实经验证明，责任保险并未助长反社会行为。现代社

---

[1] Esser, Grundlagen und Entwicklung der Gefährdungshaftung, 1941, S. 69f.

会意外灾害之发生与"过失"并无密切关系，纵尽必要注意，灾害亦难避免；而行为人因投有责任保险，将故意减低其注意程度，肇致损害，实际上并不常见，而且事涉利害关系，亦不容如此。盖事故一旦发生，加害者自己不但常难逃灾祸，而且在刑事上及行政上尚须受一定之制裁。

（3）加害人藉责任保险逃避民事责任之企图，在某种程度上，亦可加以克制。例如对某种范围之保险人可以提高保险费率，依法规或契约之规定，更可使保险公司对于故意（或重大过失）肇致损害者，有求偿权。

二、台湾责任保险现况

责任保险制度自十九世纪开始建立以来，在英、美、德、法、日、瑞士等国，已发展成为庞大之企业组织，对于损害之分散、被害者之保护，殊多贡献。至就台湾而言，保险法亦设有责任保险制度。目前保险公司承保者有汽车责任保险、高尔夫球责任保险、飞机场责任保险、雇主意外责任保险、电梯意外责任保险、营缮承保人公共意外责任保险等。目前正在筹办商品（产品）保险，其种类虽称广泛，业务仍属有限，尚在发展初期阶段。

三、责任保险对侵权行为之影响

1. 促进无过失责任之建立

十九世纪以来，企业活动频繁，损害亦相对增加，企业者必须分散损害，因此有责任保险制度之产生。责任保险制度建立后，立法者（或法院）认为企业者既有适当方法可以分散其损害，乃使企业者就特定损害负推定过失责任或无过失责任。因此，责任保险与民事赔偿二者产生相互作用，责任保险提供了无过失责任制度之实际基础，而无过失责任适用范围之扩大，更促进责任保险制度之发达。[1]

2. 个人责任之没落

责任保险制度之发达，使"侵权责任"之意义发生重大变化。行为人肇致损害，而有责任保险存在时，则所谓民事责任者，已经名存实亡，加害人除向保险公司支付保险费外，实际上并不负赔偿责任。传统侵权行为法所强调的是个人责任，损害赔偿责任系对加害人行为之非难。在责任保险制度之下，民事责任仅系烟幕，损害赔偿实际由保险公司支付，社会安全虽然增加，但个人责任转趋式微。

3. 侵权行为法功能之变化

侵权责任可依保险方式予以分散，个人责任实质上不存在，使侵权行为法之功能发生变化。此可分二方面言之：一为更进一步否定了传统侵权行为法所隐含之吓阻或预防损害发生之功能；二为更积极地强调侵权行为法填补损害之作用。关于损害之填补，传统侵权行为法系采移转方式（Shifting），即依法律规定，决定损害应由被害人自己承担或例外地由加害人赔偿。在责任保险制度下，填补损害系采分散方式（Spreading），即透过保险制度，将损害分散于社会大众。现代侵权行为法所关心的基本问题，不是加害人之行为在道德上应否非难，其所重视的是，加害人是否具有较佳之能力，分散损害。

---

[1] 参阅温汶科："侵权行为责任之社会化与责任保险之作用"，《法学丛刊》第六十六期，第五十二页；何孝元：《损害赔偿之研究》，一九六八年版，第八页以下。

五、社会安全制度所担负填补损害之功能

一、社会安全制度之意义

在现代社会，损害之填补，除侵权行为法外，尚有社会安全制度。社会安全制度系基于社会福利思想而建立之体制。依其崇高之理念，应透过各种组织和制度，对公民从摇篮到墓场之一切生活及意外事故，例如生育、疾病、灾害、失业、老年、死亡等加以保护与照顾，期能造成安和乐利之社会。英国、美国、德国、瑞士、澳大利亚、新西兰、荷兰、比利时、加拿大、瑞典、挪威、丹麦等发达国家，均已建立相当完善之社会安全制度。至就台湾地区而言，社会安全体制系以社会保险为基础，目前分别举办有劳工保险、公教人员保险及军人保险三种，尚在初期建制时期。

二、社会安全制度与侵权行为法之关系

社会安全制度与侵权行为法虽同具有填补损害之机能，但其基本哲学思想显有不同。侵权行为法系在规律因不法行为而生损害之赔偿问题；反之，社会安全制度则系基于社会连带思想而对人类基本生存之照顾。由于哲学思想既有不同，技术规则亦生差异。侵权行为法对特定人所受损害，系采全部赔偿原则，除财产损害外，在特殊情形，对非财产上之损害亦加赔偿（参阅第一九四条、第一九五条）；反之，社会安全制度旨在提供最低生活之保障，偏重于人身损害之补偿，并且限于一定之金额或医疗之给付。

社会安全制度与侵权行为法，其基本哲学思想及技术规则虽有不同，但二者却有密切之联系点。

首先，应特别提请注意的是，侵权行为法之重要性与一般社会安全制度是否健全，在某种意义上，具有反比例之现象。社会安全

制度健全，则个人之伤害、残废、失业、老年、死亡均已受到合理照顾，故被害人纵未能依侵权行为法规定，得到损害赔偿，基本生活亦有保障；反之，社会安全制度尚未健全，被害人能否依侵权行为法规定得到损害赔偿，关系至巨，为重大社会问题。

其次，社会安全制度正在以不同之速度及程度，侵入传统侵权行为法之领域。在此方面，最为显著的系工业灾害。劳工因执行职务而遭受损害，依侵权行为法之规定，向雇主请求赔偿时，不但要证明雇主之过失，而且更受到"与有过失"、"自甘冒险"之抗辩，获得赔偿之机会甚受限制。[1] 为加强保护劳工，现代各国多创设劳工保险制度。台湾地区亦采此政策。参加保险之劳工遭遇伤害，或因执行职务而致伤害、残废时，不问其是否符合侵权行为之要件，均得向保险机构请求给付补助或补偿费（参阅劳工保险条例第四十三条、第四十四条、第六十四条及第七十六条等规定），对于保障劳工生活，卓著绩效。又在若干国家，汽车事故亦已纳入社会保险体制之内。[2] 在台湾亦正考虑采取此项措施，殊值重视。

在法制发展中，最值注意者，系新西兰政府于一九七二年所制定之意外事故补偿法（The Accident Compensation Act. 1972）。依该法规定，任何谋生者（Earner）因意外灾害而遭受身体伤害，不论其发生地点、时间及原因为何，及任何在新西兰因机动车车祸而受伤者，均得依法定程序向意外事故补偿委员会（The Accident Compensation Commission）请求支付一定金额。新西兰维多利亚大学教授 Palmer 氏于一九七三年曾在美国《比较法学报》（The American Journal Comparative Law）撰文介绍，原标题为"人身损害赔偿：新西兰普通法挽歌（Compensation For Personal Injury：A

---

[1] 参阅 P. S. Atiyah, pp. 283f.；Compensation for Personal Injury in New Zealand, Report of the Royal Commission of Inquiry, 1967.

[2] 参阅 Andre Tunc, Traffic Accident Compensation: Law and Proposals, International Encyclopedia of Comparative Law, Vol. XI. Chap. ll. 1971; v. Hippel, Schadensausgleich bei Verkehrsunfällen, Haftungsersetzung durch Versicherungsschutz, 1968.

Requiem for the Common Law in New Zealand），明白表示本法建立了普通法（英美法）世界中前所未有最广泛之意外事故补偿方案，对传统侵权行为体系予以致命之打击。[1] 美国《比较法学报》主编、加州大学教授 Fleming 在介绍 Palmer 教授之论文时曾谓：本法系人类文化上史无前例之法律制度之创举。

由于受到新西兰意外事故补偿法之影响，英国政府于一九七三年设立由 Lord Pearson 所主持之皇家委员会（简称为 The Pearson Commission），负责检讨现行英国关于商品买卖及劳务提供对人身损害之赔偿制度。Pearson 委员会之研究报告及改革建议近期内可望提出，英国社会人士及法律学者咸信，Pearson 委员会基本上将建议政府采取类似新西兰意外事故补偿法之体制。[2]

六、基本问题与发展趋势

一、多种损害填补制度之并存

在现代社会，损害事故日益严重，单一制度不足解决此项问题，故各国多采用混合体制，期能兼顾"个人自由及责任"与"社会安全"二个基本价值，因此产生多种损害填补制度并存之现象。其内容交错复杂，而且经常变动修正。为便于观察分析，兹将台湾现行体制，表列图示如下。

---

[1] Geoffrey W. Palmer, "Compensation For Personal Injury: A Requiem for the Common Law in New Zealand", 21 Am. J. Comp. L. I (1975); Accident Compensation: New Zealand, 25 Am. J. Comp. L. I (1975).

[2] Winfield and Jolowicz, Law of Torts, Preface to Tenth Edition. (1975, edited by W. H. V. Rogers).

侵权行为法之危机及其发展趋势

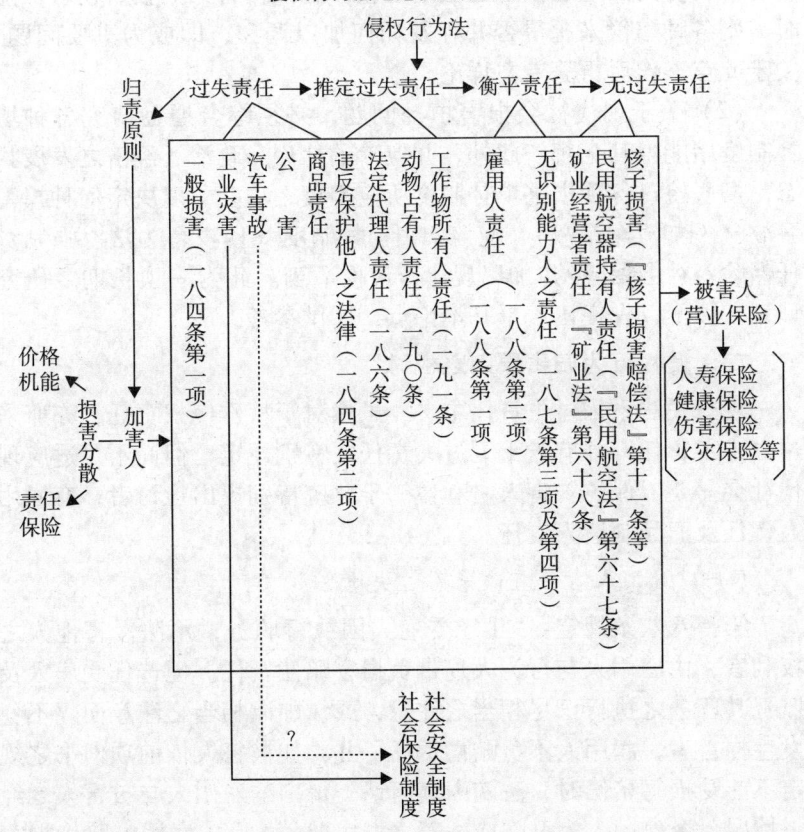

```
                          侵权行为法
                              │
归责      ┌─────────┬─────────┼─────────┐
原则    过失责任→推定过失责任→衡平责任→无过失责任
```

归责原则	类型
过失责任	一般损害（一八四条第一项）
推定过失责任	工业灾害；汽车事故；公害；商品责任；法定代理人责任（一八六条）；违反保护他人之法律（一八四条第二项）；动物占有人责任（一九〇条）；工作物所有人责任（一九一条）；雇用人责任（一八八条第一项及第二项）
衡平责任	无识别能力人之责任（一八七条第三项及第四项）
无过失责任	矿业经营者责任（『矿业法』第六十八条）；民用航空器持有人责任（『民用航空法』第六十七条）；核子损害（『核子损害赔偿法』第十一条等）

被害人（营业保险）→人寿保险、健康保险、伤害保险、火灾保险等

价格机能 ← 损害分散 ← 加害人
责任保险

? → 社会保险制度、社会安全制度

综据图示，在台湾现行法上，填补损害之制度计有侵权行为法、营业保险（责任保险）以及社会保险；在侵权行为法上又有过失责任、推定过失责任、衡平责任及无过失责任四种归责原则。此项损害填补混合体制，在法学研究上，具有二个重大意义：

（1）多种损害填补制度之并存，产生一项特殊之现象，即就同一损害，可能有多种赔偿来源。例如，某公司职员执行职务之际，因雇主或他人之过失，遭受损害时，除劳工保险伤害给付外，尚有侵权行为法上之损害赔偿请求权。若该被害人尚投有伤害保险时，则各种赔偿来源得否并存及如何加以调和，即成为重要问题。关于此点，俟后再著专文详论。

（2）关于现代社会损害填补问题，必须综合通盘研究各种填补制度始能得其全貌。此外，并应参酌社会、政治、经济之发展状态，彻底检讨各项损害填补制度所应担负之功能，以决定何种损害事故（例如汽车事故），应该归由何种制度（侵权行为法？强制责任保险？社会保险？）加以规律，最称适当。此为一项长期之研究计划，以下仅先提出若干基本论点，用供参考。[1]

二、侵权行为归责原则之检讨

现行民法系采过失责任主义，虽然对于特殊侵权责任，亦兼采过失推定责任，并有若干无过失责任之特别规定，但尚不足适应现代社会需要，保护被害人之利益。于此应特别提出检讨者，有雇用人责任及商品制造人责任。

（一）雇用人责任宜改采无过失责任

第一八八条规定："Ⅰ．受雇人因执行职务，不法侵害他人之权利者，由雇用人与行为人连带负损害赔偿责任。但选任受雇人及监督其职务之执行已尽相当之注意，或纵加以相当之注意而仍不免发生损害者，雇用人不负赔偿责任。Ⅱ．如被害人依前项但书之规定不能受损害赔偿时，法院因其声请，得斟酌雇用人与被害人之经济情况，令雇用人为全部或一部之损害赔偿。Ⅲ．雇用人赔偿损害时，对于为侵权行为之受雇人，有求偿权。"

此项规定，系过失责任主义支配下所产生之制度。立法者明知过失责任主义不足适应社会需要，但因囿于当时法学思潮，难予排

---

[1] 侵权行为法之检讨，正受学者重视，其主要著作有 P. S. Atiyah, Accidnets, Compensation and the Law (London, 1975); T. Ison, The Forensic Lottery, 1967; Hans-Leo Weyers, Unfallschaden, 1970; 有泉亨监修：《现代损害赔偿法讲座》（6卷），日本评论社，1976年。上述论著均极具参考价值。

脱，因此创设了倒置举证责任及衡平责任两项规定，藉资补助。此系一时权宜之计，但亦因此使整个制度趋于复杂。时至今日，无过失责任的法理已被普遍接受，雇用人役使他人扩张自己活动范围，责任范围宜随之扩大，应承担受雇人职务上行为危险性，实属当然。现行法此种过渡、折衷的规定，应无续予维持的必要，在立法政策上应确立无过失责任，即受雇人于执行职务，因故意过失不法侵害他人权利时，雇用人即应负损害赔偿责任，其对于受雇人之选任监督是否已尽必要之注意，在所不问。因此吾人认为，第一八八条之规定应修改如下："受雇人因执行职务，不法侵害他人之权利者，由雇用人与行为人负连带损害赔偿责任。"换言之，即保留原条文第一项前段，而该条第一项后段及第二项则均予删除。

应特别讨论的是，无过失责任是否会加重雇用人的负担，使企业者难以经营，导致工商企业不振，阻碍经济发展？对此，我们不能仅作理论上的思虑，应就实际情况加以观察。在英美等国采用雇用人无过失责任主义，已达数百年，对工商业的发达，并无任何不利影响。最近德国司法部设立专家委员会检讨德国民法第八三一条关于雇用人责任之规定，在深入研究后，亦采同样观点。因此无过失责任不足抑压雇用人之活动及发展，殆可确信。盖雇用人可藉保险（台湾现有雇用人责任保险）或提高其所供给产品或劳务之价格，分散其负担，并严其选任监督，避免损害的发生。此对整个社会之安定，亦有裨益。[1]

（二）商品制造人责任

商品因瑕疵，肇致损害，在台湾已逐渐成为普遍而严重的问题，尤其是在食品、药物及电气制品方面最值重视。由于现行法对此未设明文，故仅能适用民法一般原则，加以解决。最近发生一件

---

[1] 参阅拙著：《民法学说与判例研究》第一册。

食品案件，曾经三审判决确定，其涉及之法律观点具有参考价值。[1]

按有原告张钱妹起诉主张，伊于一九七〇年十月八日下午向被告邱钦海开设之裕成商店之受雇人邱刘梅英购买三馨食品有限公司产制之七星汽水。饮用一口，即发生口腔、咽喉、食道、胃肠发炎出血，腹部烧热，便血及头昏。虽经诊治，迄未痊愈，因认邱钦海、邱刘梅英疏于注意，而将含有毒质之强碱性液体，与其他合格汽水并排于待售之货架上，出售于伊饮用，致生伤害，应连带负损害赔偿之责。七星汽水系三馨食品股份有限公司之新产品，竟疏于注意，将含有强碱性之毒液盛装于七星汽水之玻璃瓶，加以封盖并贴上七星汽水之标志，转配由邱钦海出售于伊饮用，致受伤害，亦应负损害赔偿之责。

本件第一审判决，系依无过失责任，判三馨食品股份有限公司应负赔偿责任："原告既因饮用被告公司出品含有毒质之原装七星汽水而受伤，虽谓无过失，该被告公司自应负赔偿之责任。"第二审法院似系以第一八八条规定，判被告应负赔偿责任："……三馨公司在制造汽水过程中，并无过失，但在包装过程中，显将装有强性碱液之汽水瓶，贴以七星汽水标签，误予出厂贩卖。对于张钱妹所受伤害，应认系三馨公司之职员出于过失行为所致，张钱妹请求三馨公司赔偿，自属有理。""最高法院"亦判决原告胜诉，其主要理由为："三馨公司以产制汽水为业，于包装时竟不注意，将七星汽水标签，误贴于上述毒质之汽水瓶上，以汽水贩卖，对张钱妹所受上开损害，自应如数赔偿。"至其根据之法条，"最高法院"虽未明白指出，但查其文义，似系依第一八四条第一项前段，采过失责任主义。

商品制造人对于商品瑕疵（缺陷）所产生之损害，应负何种

---

[1] 参阅林荣耀："食品企业之民事责任"，《法学丛刊》第八十三期（一九七六年九月），第七十一页。

责任，各国法制不一，而且正在急速演变过程中，尚无定论。在英国，自 Donoguhe v. Stevenson（1932）一案后，原则上系采过失责任主义，但亦时常藉助 res ipsa loquitur 理论（事实说明自己法则），减轻原告之举证责任。[1] 德国最高法院在一九六八年十一月二十八日一项重要判决中采取"举证责任倒置"（Umkehr der Beweislast）原则，认为商品制造系属高度科学技术，要求被害人证明制作人具有过失，势所难能，因此应由制作人证明商品制造并无过失，肇致损害原因不能澄清之不利益，应由制作人承担。在美国，自 Greenmann v. Yuba Power Products Inc.（1962）一案以来，各州多已普遍建立商品制造人无过失责任。日本学者所提出之"制造物责任草案"[2] 及欧洲共同市场（EEC）所提出之"商品责任公约草案"，[3] 均规定采取无过失责任主义。

商品制造人过失责任主义不足保护消费者之利益，为共认之事实。盖制造品发生瑕疵（缺陷），系属企业内部作业，具有高度技术性，非一般消费者所能证明。在前引三馨公司七星汽水案件，被告公司将装有强性碱液之汽水瓶，贴以七星汽水标签，误予出厂贩卖，此种类型之过失，较易证明，系属例外也。为如何克服举证责任困难，并加强保护消费者利益，就司法实务观点言，似可考虑采用举证责任倒置之技术。此项法院造法活动，在法学方法论上殊无疑问，盖此不但满足现代工业社会保护消费者之迫切需要，而且符合现行法之基本价值判断。在其他被害人举证困难之情形，例如雇

---

[1] 关于英国产品责任法，最近出版 Miller and Lovell 所著之 Product Liability（London, 1977），最值参考。

[2] 参阅制造物责任研究会提出之"制造物责任法要纲试案"ジェリスト No. 597（1975. 10. 1），第16页。中文译本，请参阅刘得宽："民事判决三则研究"（附记），《政大法律评论》第十三期（一九七五年十二月），第一五六页。

[3] Fleming, "Draft Convention on Products Liability"（Council of Europe）, 23 Am. J. Comp. L. 729 (1975); Larenz, "European Products Liability", 60 Cornell Law Review 1003 (1975); Liability For Defective Products, The Law Commission and the Scottish Law Commission, Cmnd. 68 31 (HMSO), 1977, p. 76f.

用人责任、法定代理人责任、动物占有人责任、工作物所有人责任，均可采用倒置举证责任之方法。如果依法院判决之途径，不能达到此项促进法律进步之目的，荷兰民法修正草案使商品制造人负推定过失责任之立法例，亦有参考之价值。至于应否使制造人就何种商品、何种瑕疵，负无过失责任，尚须深入检讨分析企业负担能力、责任保险制度、消费者之利益与科技发展自由等因素，始能决定，自不待言。

三、保险制度之推行

保险制度可以分散危险，具有填补损害及促进集体安全之功能，应该尽力推行。责任保险不使损害集于一人或一企业，使其得由社会大众共同分担，以达损害赔偿社会化之目的，可以促进无过失责任之建立，应特受重视。例如关于雇用人责任，本文所以建议应由过失推定责任及衡平责任，改进为无过失责任者，一方面因出于保护被害人之目的，另一方面亦鉴于目前保险公司承办有雇主责任保险，可供雇主分散其责任，企业经营不致因负较重之赔偿责任而受影响也。

损害赔偿归责原则之改进，固然应该考虑有无责任保险可供利用，但此并不表示必须以责任保险之存在为前提。例如关于商品制造人责任，目前虽然尚无此项责任保险，但仍不妨使其负推定过失责任（或无过失责任）。盖制造人责任虽然加重，但可提高商品价格，将损害分散给消费者大众，企业负担能力，原则上可无顾虑。若有必要，责任保险必应运而生。

为推行责任保险，现行制度亦应加以检讨改进。"保险法"第九十五条规定，保险人得经被保险人通知，直接对第三人为赔偿金额之支付。此项规定对第三人保护较差，应参酌外国立法例（例如瑞士保险契约法第六十条第一项），使保险人得直接向被害人支付。又为确实保护被害人，直接请求权（诉权）之承认，更具有重大意义。[1]

四、社会安全体制之积极建立

保障人民基本生活，为现代福利国家之基本任务。台湾地区社会安全体制，尚在创建阶段。由于社会安全制度具有填补损害之功能，故健全之社会安全体制，可以减轻侵权行为法之负担，加强被害人之保护，至为重要，不容忽视。

关于特定损害事故，关系社会大众之利益，不能责由个人或企业负担，亦不能透过营业保险（尤其是责任保险）有效予以分散者，应考虑纳入社会保险体制之内。

七、结　语

台湾之侵权行为法是否业已没落？

显然，台湾侵权行为法尚未没落！近年来，由于工商业快速发展，交易活动频繁，损害事故显著增加，而社会安全体制犹未确实建立，损害之移转或分散，基本上仍然依赖侵权行为法之规定。侵权行为法不但没有没落之迹象，而且正处于巅峰状态，扮演着空前重要之角色。

台湾之侵权行为法是否面临危机？

无疑，台湾之侵权行为法正面临着严重危机！此之所谓危机，不是英国剑桥大学 Jolowicz 教授所指侵权行为法因社会安全制度继续扩张所遭受生存上之威胁。台湾侵权行为法之危机来自于其承受了过分繁重之任务。由于现代社会意外灾害之巨大性、频繁性及技术性，以过失责任主义为基础之传统侵权行为法，殊难合理、有效地填补所生之损害。在此情形下，我们必须立即采取下列二项

---

[1] 郑玉波："论责任保险对于企业及消费者之保护"，《军法专刊》第二十三卷第九期（一九七七年九月），第二页。

措施：

（1）深入检讨现行侵权行为法之归责原则，调整其内部结构体系。过失责任主义之原则固然不可轻言抛弃，但就特定意外损害（公害、交通事故或商品责任等），则应考虑采取推定过失责任或无过失责任主义，以加强保护被害人之利益。

（2）积极建立责任保险及社会安全制度，共同分担填补损害之任务，以减轻侵权行为法所承受之压力。

现代社会损害之填补，究极言之，实在是"个人自由主义"与"社会集体安全"二个基本价值之选择与调和。这不但是社会政策问题，也是社会正义问题。[1] 诚如 Fleming 教授所言，我们正处于"交叉路口"，何去何从，亟待抉择。我们认为，应该更积极地担负建立妥适损害填补制度之任务，而逐渐形成之社会财富尤应被合理利用，以补偿遭遇不幸损害之公民。

---

[1] Fleming, An Introduction to the Law of Torts, 1967, p. 20f.

违反保护他人法律之侵权责任

一、问题之说明

第一八四条第一项规定："故意过失不法侵害他人权利者，负损害赔偿责任。故意以悖于善良风俗之方法加损害于他人者亦同。"第二项规定："违反保护他人法律者，推定其有过失。"关于第一八四条第二项，实务上案例甚少，近见一九七六年台上字第一一七二号判决，略谓："第查因故意或过失不法侵害他人之权利者，负损害赔偿责任。又违反保护他人之法律者，推定其有过失，为第一八四条第一、二项所明定。'道路交通管理处罚条例'为法律之一种，被上诉人既有违反该条例第三十三条规定，似难谓其无过失，而不负损害赔偿责任。"此项判决，虽然普遍受到重视，但基本问题仍待澄清——即第一八四条第二项具有何种规范功能，与第一八四条第一项具有何种关系？此即为本文研究之主要目的。

二、第一八四条第二项之规范功能

一、学说

关于第一八四条第二项之规范功能，学说上有二种不同基本见解：一为单纯举证责任倒置说；二为侵权行为独立类型说。兹分述

如下:

(一) 单纯举证责任倒置说

此说认为第一八四条仅在于解决举证责任之问题,主倡此说者有胡长清[1]、史尚宽[2]。王伯琦先生亦采此说,略谓:"故意过失,应由被害人负举证责任,是为成立侵权行为最不易证明之点,被害人往往因之不能获得赔偿,无过失责任主义之创立,即所以谋补救。民法以过失为构成侵权行为之要件,但多有推定过失之规定。第一八四条第二项规定:'违反保护他人之法律者,推定其有过失'。行为之过失既先推定,被害人之举证责任即被免除,但行为人得证明自己无过失以推翻法律之推定。故此之推定实为举证责任之倒置。法律之推定过失,实为保护被害人技术之运用。"[3] 依此见解,加害事由是否构成侵权行为,应依第一八四条第一项规定决定之。惟加害人不法侵害他人权利(第一八四条前段),同时违反保护他人之法律者,依第一八四条第二项规定推定其过失,被害人免负举证责任。

(二) 侵权行为独立类型说

此说认为第一八四条第二项系独立侵权行为类型,即违反保护他人之法律,加损害于他人者,应负损害赔偿责任。主倡此说者有戴修瓒[4]、梅仲协[5]。郑玉波先生亦采此说,略谓"……此点民法虽未如德国民法第八二三条第二项设有明文,然就第一八四条第二项对于违反保护他人法律者,推定其有过失一点观之,自亦应与德国民法为同样之解释"[6]。依此见解,第一八四条第一项与第二

---

[1] 胡长清:《民法债编总论》,第一五二页。
[2] 史尚宽:《债法总论》,第一〇七页以下(尤其是第一〇九页),但其见解未称一贯,参阅第一三〇页(注)。
[3] 王伯琦:《民法债编总论》,第七十五页。
[4] 戴修瓒:《民法债编总论》,第一五三页以下。
[5] 梅仲协:《民法要义》,第一四〇页。
[6] 郑玉波:《民法债编总论》,第一五四页。

项所规定者，系各别独立之侵权行为类型，依其情形得发生竞合情形。梅仲协先生谓："……就同一事实，得同时适用该条第一、二项中之任何一项者。例如，因物之被窃而主张损害赔偿之情形是，在被害人以物之所有人资格为主张时，得适用第一项，以物之占有人资格为请求时，得适用第二项。"[1]

二、判例

一九七六年台上字第一一七二号判决略谓："因故意或过失不法侵害他人之权利者，负损害赔偿责任。又违反保护他人之法律者，推定其有过失，为第一八四条第一、二项所明定。'道路交通管理处罚条例'为法律之一种，被上诉人既有违反该条例第三十三条规定，似难谓其无过失，而不负赔偿责任。"就此判决内容而言，"最高法院"似认为第一八四条第二项仅系关于举证责任之规定，因而应与第一八四条第一项（前段）同时适用。至于其他适用第一八四条第二项之判决（参阅一九六七年台上字第五四〇号判决，一九六七年台上字第一三五三号判决），"最高法院"并未明确表示立场，其观点如何，不得而知。

三、本文之见解

依本文见解，从法制发展史、比较法、现行侵权行为体系结构及保护被害人之观点而言，应认为第一八四条第二项系独立之侵权行为类型。

（一）法制发展史

民律第一次草案（即大清民律草案）第九四五条第一项规定："故意或过失，侵害他人之权利而不法者，对于因加侵害而生之损害，负赔偿责任。"第九四六条规定："因故意或过失违反保护他人之法律者，视为前条之加害人"（其立法理由为：以保护他人利益为目的之法律〈警察法规〉，意在使人类互尽保护之义务，若违

---

[1] 梅仲协：前揭书，第一四一页。

反之，致害及他人之权利，是与亲自加害无异，故必赔偿被害人，此本条所由设也）；第九四七条规定："以悖于善良风俗之方法，故意加损害于他人者，视为第九四五条之加害人。"由是可知，依民律第二次草案，违反保护他人之法律，加损害于他人者，系一种独立之侵权行为，殊无问题。又民律第二次草案第二四六条规定："因故意或过失不法侵害他人之权利者，负损害赔偿责任，故意以伤风化之方法侵害他人权利者，亦同。"第二四七条规定："因故意或过失违背保护他人之法律者，视为前条之侵权行为人。"由是观之，在民律第二次草案"违反保护他人之法律，加损害于他人"，亦独立构成侵权责任。

民律第一次草案与第二次草案之最大不同在于将三个条文并为二个条文。第一八四条更将此两个条文浓缩为一个条文，分为两项：❶因故意或过失不法侵害他人权利者，负损害赔偿责任。故意以悖于善良风俗之方法，加损害于他人者亦同。❷违反保护他人之法律者，推定其有过失。依吾人所信，此项立法体制之变更，似仅在于增设倒置举证责任之规定，并不改变民律第一次草案及第二次草案所采取违反保护他人之法律系属一种独立侵权行为之基本立场。

(二) 比较法

比较法对于本国（地区）之解释适用具有裨益，系法律解释之一项重要因素。[1] 民法历次草案及现行法关于侵权行为之规定基本上系仿德国立法例。[2] 第一八四条第一项前段相当于德国民法第八二三条第一项（因故意过失不法侵害他人之生命、身体、

---

[1] 参阅拙著："比较法与法律之解释适用"，《戴炎辉先生七秩华诞祝贺论文集》，一九七八年，第八十一页以下。
[2] 关于德国民法侵权行为之体系，参阅 Larenz, Schuldrecht II, 11. Aufl. 1977, S. 522f.；Nipperdey, Tatbestandsaufbau und Systematik der deliktischen Grundtatbestände; NJW 1967, 1985.

健康、自由、所有权及其他权利者，负赔偿责任）;[1] 第一八四条第一项后段相当于德国民法第八二六条规定（以违反善良风俗之方法，加损害于他人者，对于所生损害负赔偿之义务）；第一八四条第二项系仿自德国民法第八二三条第二项（违反以保护他人为目的之法律者，亦负同一义务，依其法律之内容，无过失得违反者，仅于有过失时产生赔偿义务）。基此法制上渊源，戴修瓒氏主张第一八四条第二项，应采与德国民法同一解释，属于一种独立之侵权行为。[2] 胡长清氏一方面认为戴氏之说亦有所本；另一方面则又认为，"民法措词既不相同，则解释自难一致，戴氏之解释，就德国民法之规定以言，诚属甚是，但民法既明定推定其有过失，自以解为系一般举证法则之例外为适当。"[3] 依本文之见解，应以戴修瓒氏见解，较可采信。第一八四条第二项实含有二个层次之意义：第一，因故意或过失违反保护他人之法律，加损害于他人者，负损害赔偿责任；第二，加害人之过失由法律推定之。又依德国判例学说，于违反保护他人之法律加损害他人之情形，依其情形，亦可推定加害人具有过失。[4]

（三）侵权行为法之体系构成

关于侵权行为法体系构成，在立法技术上，有采列举主义者（例如罗马法及英国法），有采概括主义者（如法国法及瑞士法）。[5] 现行民法折中其间，基本上采德国立法例而加以改进，扩大受保护之权益，即因故意或过失不法侵害他人"权利"者，应负损害赔偿责任。权利以外法益之保护，虽然得依第一八四条第一

---

[1] 请参阅瑞士债务法第四十一条第一项：故意或过失不法侵害他人者，负损害赔偿。
[2] 戴修瓒：前揭书，第一五三页。
[3] 胡长清：前揭书，第一五三页。
[4] Larenz, Schuldrecht II, S. 548; Deutsch, Haftpflichtrecht, Bd. I, Allgemeine Lehren, 1976, S. 295; Wussow, Das Unfallhaftpflichtrecht, 12. Aufl. 1975, S. 151f. (156).
[5] 参阅 Zweigert/Kötz, Einführung in die Rechtsvergleichung, Bd. II, 1969, S. 314f.

项后段（故意以背于善良风俗之方法，加损害于他人）予以保护，然由于此项侵权行为构成要件甚为严格，不易成立，因此若不承认第一八四条第二项系一独立之侵权行为，现行侵权行为法上势必存在着一个严重的缺漏，即因他人之过失行为致权利以外之利益遭受损害者，即无请求损害赔偿之余地。史尚宽氏谓："或以为依民法规定，苟侵害之客体为权利以外之利益，则不足构成侵权行为，似未免太狭。在吾民法，明白承认各种人格权，较之德、日民事权利之范围，虽已为广泛，而违背良俗加害之行为，其被侵害客体得为个人一切之利益，始有运用自如之妙。所遗漏者，仅为过失而侵害非关于权利之利益，然此不失为网开一面，其例亦不多见。"[1] 依吾人见解，承认"违反保护他人之法律"为独立侵权行为，弥补漏网，以维护被害人之利益，实有必要。

（四）被害人之保护

确认第一八四条第二项"违反保护他人之法律"为独立侵权行为类型，有助于维护被害人之利益。兹就一九七五年台上字第二二六三号判决一案说明之。在本案，被上诉人为吉市制纸股份有限公司（简称吉市公司）之董监事，上诉人之被继承人黄维乾自一九六六年二月起任职为该公司之外务员后，被上诉人迄不按规定为黄维乾办理加入劳工保险手续，致黄维乾于一九七一年十二月二十日在外执行职务时，被杀伤死亡，上诉人不能依"劳工保险条例"受领丧葬费及遗族津贴共新台币六万八千元等情，依第二十八条规定，诉求被上诉人连带赔偿该款及法定利息之判决。被上诉人则以：伊虽为吉市公司之董监事，但无不法侵害上诉人之权利云云，资为抗辩。原审以第二十八条所谓法人之董事或职员，因执行职务而加于他人之损害应负赔偿责任者，指董事、职员之积极行为而言，不包括消极行为在内，从而被上诉人不为黄维乾办理加入劳工

---

[1] 史尚宽：前揭书，第一○八页。

保险手续既为消极行为，上诉人即不得据以求偿；况黄维乾系因被他人杀害而死，与执行职务无关，上诉人不得请求保险给付。因将第一审所为上诉人败诉之判决予以维持。"最高法院"判决理由认为："第二十八条所谓'因执行职务所加于他人之损害'，并不以因积极执行职务行为而生之损害为限，如依法律规定，董监事负执行该职务之义务，而怠于执行时所加于他人之损害，亦包括在内。又公司之职员，合于劳工保险条例第八条规定时，该公司应为之办理加入劳工保险手续，如有违背，应受罚锾处分（劳工保险条例第十二条、第八十三条）。从而被上诉人如有义务为黄维乾办理加入劳保手续而怠于办理，致生损害于上诉人时，依上说明，尚难谓不应负责。"

第二十八条规定："法人对于其董事或职员因执行职务所加于他人之损害，与该行为连带负赔偿责任。"依通说，本条系规定法人之侵权能力，因此法人或其机关侵权责任之成立，尚必须具备侵权行为基本要件。换言之，必须符合第一八四条之规定，而其关键问题在于，被侵害之客体究为权利抑或为权利以外之利益。雇主未为受雇人办理加入劳工保险，受雇人于保险事故发生时，即不能请领保险给付。例如，劳工保险之被保险人遭遇意外伤害，因负伤不能工作，以致未能取得报酬；正在治疗中者，自负伤不能工作之第四日起，原得请求发给普通伤害给付（参阅劳工保险条例第四十三条），但由于雇主未为其办理劳工保险，致无法得到普通伤害补助费（该条例第四十五条），于此情形，一般受雇人并无特定权利遭受侵害，仅系一般财产利益应增加而未增加，因而不能依第一八四条第一项前段请求损害赔偿。又第一八四条第一项后段虽系以保护权利以外之法益为主要目的，但以行为人系以故意背于善良风俗加损害于他人为要件。雇主未为受雇人办理加入劳工保险，一般言之，尚难即作如此认定。依本文所采见解，认为第一八四条第二项系侵权行为之独立构成要件；换言之，凡违反保护他人之法律而侵害他人者，不论其所侵害者系权利或权利以外之法益，均构成侵权行为。劳工保险条例系以保护劳工为基本目的,应认为其系属于"保护他人之法律",而劳工及其受益人,均属受其保护之范围之人。在本案,"最高法院"是否采此见解,固不得而知。惟依吾所信,惟有采此见解,本案判决始有正常之法律依据;亦惟有采此见解,始足维护被害人之利益。[1]

（五）第一八四条第二项与第一项之关系

据上所述,可知关于第一八四条第二项规定,有认为系仅举证责任之例外规定,因而必须加害行为具备第一八四条第一项前段之要件时,始有适用之余地。由此见解,可推论出三项原则:其一,不法侵害他人权利,而同时违反保护他人之法律者,依第一八四条第二项推定加害人有过失;其二,不法侵害他人权利,未同时违反保护他人之法律者,被害人须能证明加害人具有故意过失,始能请求损害赔偿;其三,故意过失不法侵害他人权利之利益者,除具备第一八四条第一项后段（故意以悖于善良风俗之方法加损害于他人）要件外,被害人纵受有损害,亦不得请求赔偿。

依本文之见解,第一八四条第二项所规定"违反保护他人之法律",系独立之侵权行为,非仅关于举证责任之规定而已。换言之,民法中一般侵权行为之体系,系由三个基本侵权行为类型构成之:

（1）故意过失不法侵害他人权利（第一八四条第一项前段）。

（2）故意以悖于善良风俗之方法加损害于他人（第一八四条第一项后段）。

（3）违反保护他人之法律加损害于他人,行为之过失并由法律推定之（第一八四条第二项）。

兹将上述体系图示如下,以便观察:

---

[1] 参阅拙著:"雇主未为受雇人办理加入劳工保险之民事责任",《军法专刊》第二十四卷第四期（一九七七年四月）,第七页。

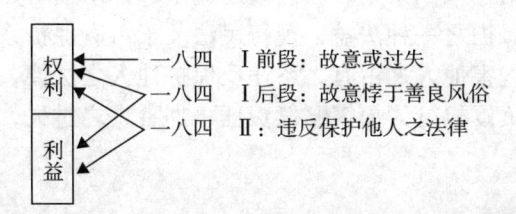

```
┌────┐  ──→ 一八四 Ⅰ前段：故意或过失
│ 权  │  ╲╱
│ 利  │  ╱╲ 一八四 Ⅰ后段：故意悖于善良风俗
├────┤  ╱
│ 利  │  ──→ 一八四 Ⅱ：违反保护他人之法律
│ 益  │
└────┘
```

据上图所示关于第一八四条第二项之适用，有应说明者四：

（1）因故意过失不法侵害他人之权利，并同时违反保护他人之法律时，被害人得依第一八四条第一项前段或第二项请求损害赔偿；其依第一八四条第二项请求损害赔偿时，加害人之过失由法律推定之。

（2）因故意过失不法侵害权利以外之利益，并同时违反保护他人之法律时，被害人仅得依第一八四条第二项规定请求损害赔偿，加害人之过失由法律推定之。

（3）以故意悖于善良风俗之方法，加损害于他人之权利，并同时违反保护他人之法律时，被害人得依第一八四条第一项前段、第一项后段或第二项请求损害赔偿。

（4）不法侵害他人权利以外之利益，而其加害行为非出于故意以悖于善良风俗之方法，且未违反保护他人之法律者，被害人纵受有损害，亦不得请求赔偿。于此情形，所以网开一面，不令加害人负损害赔偿者，系在于衡量被害人法益保护之必要性，不使行为人负过重之责任，致妨碍其活动之自由。

根据上述，可知承认违反保护他人之法律加损害于他人，系独立侵权行为之主要实益，除过失举证责任之倒置外，系在于保护之客体扩大及于权利以外之利益，对于被害人殊为有利。兹以占有之侵害为例，加以说明。占有究为事实，抑或为权利，向为罗马法以来学说所聚讼，于各立法例亦不尽相同。台湾学者有认为占有为属于物权之一种，但通说认为占有系一种事实。如认为占有系一种事实，则因故意或过失不法侵害他人占有时，因被害人非系权利受侵害，不得依第一八四条第一项前段之规定，请求损害赔偿。惟占有为受到法律保护之一种法益，现行民法关于占有保护系属保护他人之法律，故侵害他人之占有，系违反保护他人之法律，应依第一八四条第二项负侵权行为损害赔偿责任，加害人之过失，并由法律推定之。[1]

三、违反保护他人法律侵权行为构成要件

第一八四条第二项所规定者，系独立侵权行为。此项侵权行为成立，亦必须具备侵权行为之一般要件。综合言之：须违反保护他人之法律；须侵害被保护之权益；须发生损害；须有因果关系；须具违法性；须有故意过失。

一、违反保护他人之法律

（一）概说

第一八四条第二项所称"保护他人之法律"，系指任何以保护个人或特定范围之人为目的之公私法规，但专以保护社会公益或社会秩序为目的之法规则不包括在内。[2] 依梅仲协教授之说明，下列各种法规，均系保护他人之法律，且属重要者：❶刑事法规，例如关于窃盗罪、诽谤罪、诈欺罪、妨害秘密罪等之规定；❷警察法规，例如关于违警罚法之规定；❸民事法规，例如关于保护占有之规定。[3]

违反保护他人法律之构成侵权行为损害赔偿义务，必须具备二

---

[1] 参阅史尚宽：前揭书，第一三〇页（注）；郑玉波：前揭书，第一五四页。
[2] 参阅 Knöpfle, Zur Problematik der Beurteilung einer Norm als Schutzgesetz im Sinne des § 823 Abs. BGB, NJW 1967, 697; Kötz, Deliktsrecht, 1976, S. 83f.
[3] 梅仲协：前揭书，第一四一页。

个要件：一为被害人须属于法规所欲保护之人之范围（Persönlicher Schutzbereich）；二为请求赔偿之损害，其发生须系法规所欲防止者（Sachlicher Schutzbereich）。[1] 违警罚法第六十二条第三款规定，车马夜行不燃灯火者，处三日以下拘留或二十元以下罚锾或罚役，系保护他人之法律。[2] 因此当甲骑机车不燃灯火，而撞伤路人乙时，系违反保护他人之法规，应负损害赔偿责任。反之，若甲骑机车不燃灯，致撞坏乙之墙角时，则尚不得依第一八四条第二项之规定请求损害赔偿。因为违警罚法关于车马夜行须燃灯火之规定，旨在保护参与交通者之安全，而非在于保护墙角不受其毁坏也。惟于此情形，被害人得依第八二三条第一项前段规定，请求损害赔偿，自不待言。

（二）实例研究

关于第一八四条第二项所称"保护他人之法律"，"最高法院"著有数则判例。兹分别分析讨论如下：

1. 一九六七年台上字第五四〇号判决（关于"工厂法"第七条第七款、第十一条、第十二条）

裁判要旨　童工不得从事有危险性之工作，每日工作时间不得超过八小时，不得于午后八时至翌晨六时之时间内工作，此为"工厂法"第七条第七款、第十一条、第十二条分别明文规定者。上诉人违反上述规定，令被上诉人于晚间八时三十分加班，故被上诉人之被机器压断拇指，依第一八四条第二项，推定上诉人有过失。

判决理由　本件被上诉人系一九五二年二月十一日出生，在上诉人工厂充童工，被派担任台机工危险工作，又每日加班，于一九六六年一月十六日晚八时三十分加夜班时，右手拇指被机器压裂骨

---

[1] Knöpfle, aaO；Kötz, aaO；Larenz, aaO., S. 545f.；Esser, Schuldrecht II, 3. Aufl. 1969, S. 408；Fikentscher, Schuldrecht, 5. Aufl. 1975, S. 646.

[2] 王伯琦：前揭书，第七十五页。

碎，于同月三十日，在马偕医院施右拇指头部截断术。现因拇指裂缺，请求上诉人赔偿十年之减少劳动能力费及精神慰藉金。上诉人虽谓被上诉人压断拇指系自己不小心，上诉人并无过失，不负赔偿责任等，但童工不得从事危险性之工作，每日工作时间不得超过八小时，不得在午后八时至翌晨六时之时间内工作，"工厂法"第七条第七款、第十一条、第十二条分别有明文规定。被上诉人在晚间八时三十分加班之际，被机器压断拇指，依第一八四条第二项规定，推定上诉人有过失。被上诉人右拇指断缺，永不可续，精神上自属痛苦，其请求赔偿慰藉金二万元，第一审斟酌情形，核减五千元，原审予以维持，并无不合。此部分之上诉论旨，谓拇指残缺，非人所共见之缺陷，无精神损害之可言云云，显无理由。惟关于减少劳动能力之赔偿部分，上诉人在原审曾以"依劳工保险条例第六十三条规定，右手拇指残缺，仅能请求七个月又十天之工资（见原审卷三十六页）"为防御方法，原审按十年计算赔偿，而未就上诉人之防御方法加以论断，已嫌理由不备，其未经鉴定被上诉人究竟减少劳动能力若干，即任意以减少二成计算，更非有据。从而将上诉人该部分之上诉驳回，于法即属不合。此部分之上诉，非无理由。

  分析讨论 劳工保护立法，虽属公法，但在私法上具有三种作用：其一，劳工保护立法之规定得形成劳动契约之内容，成为最低之劳动条件。其二，劳工因雇主违反保护劳工立法之规定，而拒绝提出劳务时，无须主张不可归责之原则，得直接以契约内容为依据，依其情形并得主张契约上之损害赔偿请求权。其三，劳工保护立法关于保护劳工之规定系属保护他人之法律，例如，劳工保险条例、劳工安全卫生法等。[1] 工厂法系目前最主要之劳工保护立法，"最高法院"认为"工厂法"第七条第七款、第十一条、第十二条关于工时之规定，系保护他人之法律，实值赞同。

---

[1] Zöller, Arbeitsrecht, 1977, S. 205.

2. 一九六七年台上字第一三五三号判决（关于第三十五条）

裁判要旨　上诉人等身为常务董事，依第三十五条规定，理应向法院声请破产，如不为前项声请，致法人之债权人受损害时，其有过失之董事，即应负损害赔偿责任。上诉人等对于公司无法支付应付款之财产状态并不否认，则其违反保护他人之法律，未及时声请破产宣告，依第一八四条第二项之规定，难辞其过失责任。又本件上诉人等怠于声请宣告其公司破产，应负过失责任。同时其因消极之不作为而共同侵害他人之权利，揆诸第一八四条第二项之规定，要难辞其过失责任。

判决理由　查本件上诉人四人均为前安平汽车股份有限公司常务董事，上诉人周进发并为该公司董事长，上诉人周淡生并为该公司之总经理。该公司所雇用之司机万建勋，于一九六三年二月十二日执行职务时，在台北市抚远街将被上诉人撞伤甚重，经另案判决该公司与司机万建勋连带赔偿被上诉人新台币十万零九千零二十三元，经强制执行而无效果之事实，有卷附之民事确定判决书可稽并为两造所不争。现在所应审究者，即上诉人等居于该公司常务董事之地位，对于上开款项应否负连带赔偿责任一点而已。查被上诉人对安平汽车股份有限公司之损害赔偿请求权之发生及执行名义之取得，均在该公司资产超过其负债之时，而该公司自一九六四年初开始亏损，迨一九六五年二月十二日被上诉人声请法院强制执行时，该公司已经倒闭，为上诉人等所自述。则该公司由资产超过负债，渐至亏损，迄于倒闭，上诉人等居于常务董事之地位，自应随时留意公司财政状况予以适当之处理，使债权人之利益不致受到损害。万一发现公司资产不足清偿债务时，依第三十五条之规定，上诉人等身为常务董事，理应向法院声请破产，不为前项声请致法人之债权人受损害时，其有过失之董事，应负赔偿之责任。第一审法院以原债务人安平汽车股份有限公司，早于一九六五年以前已经倒闭，有该院一九六五年民执字第六七七号二月十二日执行笔录可稽，上诉人等身为该公司常务董事，对于其应付款无法支付之财产状态并不否认，则其违反保护他人之法律，未及时声请宣告破产，依第一八四条第二项之规定，要难辞其过失责任。本件上诉人等怠于声请宣告其公司破产应负过失责任，同时其因消极不作为而共同侵害他人之权利，揆诸第一八五条之规定，更应负连带赔偿责任。因此第一审法院依据上开法条暨判解判命上诉人等应连带给付被上诉人新台币十万九千零二十三元，及自一九六五年二月二十七日起至清偿日止，按银行放款日拆二分之一计算之利息，于法并无违背。原审维持第一审判决，虽未以此为理由，但其结果相同，仍应予以维持。本件上诉非有理由。

分析检讨　一九六七年台上字第一三五三号判决，认为第三十五条系保护他人之法律。惟一九五七年台上字第四九一号判决曾采不同见解，略谓："查第一八四条第二项所谓保护他人之法律，系指违反预防损害发生之法律而言。'公司法'第一九五条第二项仅载公司资产显有不足抵偿债务时，董事应即声请宣告破产，至不为此项声请致公司之债权人受损害时，该董事对于债权人应否负责，在公司法并无规定，则该'公司法'第一九五条第二项，已难认为与第一八四条第二项所谓保护他人之法律相当。况法人之董事不依第三十五条第一项向法院为破产之声请，依同条第二项之规定致法人之债权人受损害时亦以其有过失之董事为限，始负赔偿责任，此亦与第一八四条第二项之规定保护他人之法律有别，是上诉人执此指被上诉人违反保护他人之法律，推定其有过失，应负连带赔偿之责任，显非足采。"

第三十五条规定：法人之财产，不能清偿债务时，董事应即向法院声请破产；不为前项声请，致法人之债权人受损害时，其有过失之董事，应负赔偿责任。本条规定旨在保护法人之债权人，而且除法人之财产不足清偿前法人之债权外，尚包括不足清偿后之债权，故一九七六年台上字第一三五三号判决，实值赞同。至于"公司法"第一九五条（现行法第二一一条第二项）规定公司资产显有不足抵偿其所负债务时，董事应声请宣告破产，虽未若第三十五条第二项明定董事应对债权人负赔偿责任,但不得据此而认为其非属保护他人之法律。关于不为声请宣告破产之董事,依"公司法"第一九五条规定,应否对债权人负损害赔偿责任,暂不具论,纵依"最高法院"见解,采否定说,亦不得据此径认为其非属保护他人法律之规定。盖一个法律是否属于保护他人之法律,并不以该法律明定对被害人负损害赔偿者为要件,而应斟酌法律规范目的而决定之。依本文见解,"公司法"第一九五条第二项,系属预防损害发生之法律,似无疑义。"最高法院"采否定说,似有商榷余地。

3. 一九七六年台上字第一一七二号判决[道路交通管理处罚条例第三十三条(现行法第二十三条)]

裁判要旨 因故意过失不法侵害他人之权利者,负损害赔偿责任。又违反保护他人之法律,推定其有过失,为第一八四条第一、二项所明定。道路交通管理处罚条例为法律之一种,被上诉人既有违反该条例第三十三条规定,似难谓其无过失,而不负赔偿责任。

判决理由 在本案,上诉人起诉主张,被上诉人将其所有七〇一三六八六七号小客车一辆交与其子张锦洲(第一审共同被告)驾驶,而张锦洲于一九七三年九月二十八日驾驶该车于通霄镇将上诉人之被继承人陈水木撞死。因张锦洲系无照驾驶,而被上诉人竟将车交付无驾驶执照之张锦洲使用,实违反道路交通管理处罚条例第三十二条及第三十三条规定,既违反上开条例,因而肇事,自难解车祸之过失责任,因而诉求被上诉人与张锦洲赔偿其损害之判决。被上诉人与张锦洲成年后,早已分财别居,伊非其法定代理人,又无雇佣关系,亦无共同驾车,自无共同侵权行为可言,应不负赔偿责任云云为辩。

原审将第一审所为有利于上诉人部分之判决予以废弃,改为不利于上诉人之判决,无非以损害赔偿之债以有损害之发生及有责任原因之事实、并二者之间有相当因果关系为成立要件。原告所主张损害赔偿之债,如不合于此项成立要件者,即难谓有损害赔偿请求权之存在。本件上诉人虽以上述原因事实，主张被上诉人应负车祸过失责任，并据提出违反道路交通管理处罚条例节本一件为证，经核阅该条例第三十三条规定，[1] 未领有驾驶执照驾车者，处三百元以上六百元以下罚锾，并禁止其驾驶，而该第三十三条系规定允许无驾驶执照之人驾驶其车辆者，如应归责于汽车所有人，吊扣其汽车牌照三个月。要无涉及汽车所有人应负赔偿之责之文句，肇事人张锦洲虽为被上诉人之子，但早已成年，上诉人亦非依法定代理人之理由请求被上诉人赔偿。被上诉人纵将其所有小轿车交与其子张锦洲驾驶，其责任原因要与损害之发生，二者间并无相当因果关系之可言等情为论据。

因故意或过失不法侵害他人之权利者，负损害赔偿责任。又违反保护他人之法律者，推定其有过失，为第一八四条第一、二项所明定。道路交通管理处罚条例为法律之一种，被上诉人既违反该条例第三十三条规定，似难谓其无过失，而不负损害赔偿责任。上诉论旨，指摘及此，声明废弃原判决，非无理由。

分析检讨　道路交通管理处罚条例第三十三条（现行法第二十三条）规定，汽车驾驶人有下列情形之一者，吊扣其驾驶执照三个月：❶将驾驶执照供他人驾车者；❷允许无驾驶执照之人驾驶其车辆者。"最高法院"认为本条系保护他人之法律，推定出借人具有过失，对驾驶人所生之损害，负损害赔偿责任。此项判决在实务上具有重大意义，殊值重视。

道路交通管理处罚条例立法之目的，系"维护交通秩序，确保交通安全"（该条例第一条），至其是否属于保护他人之法律，仍应就个别规定之内容判断决定之，例如该条例第四十四条第七项规定："在未划有中心线之道路或铁路平交道或不良之道路时，不

---

[1] 道路交通管理处罚条例于一九六八年公布施行，曾于一九七五年七月二十四日再度修正。本案所指之第三十三条，系指修正前之规定，现行法为第二十三条，但删除原规定第二项。

减速慢行者,汽车驾驶人处一百元以上二百元以下罚锾"。其立法目的,旨在保护参与交通者之安全,应属保护他人之法律。反之,如该条例第三十六条规定:"汽车驾驶人,有下列情形之一者,处五十元以上、一百元以下罚锾:❶赤足或穿木屐拖鞋者;❷仅着背心、内裤者;❸营业客车驾驶人未依规定穿着制服者。"其立法目的旨在维护观瞻,非属保护他人之法律,从而汽车驾驶人仅着内裤驾车撞伤行人时,不构成违反保护他人之法律。至就该条例第二十三条(修正前第三十三条)禁止汽车驾驶人允许无驾驶执照之人驾驶其车辆者,其目的应系在于保护参与交通者之安全。"最高法院"认为系属保护他人之法律,似值赞同。

二、受保护之权益

权益之保护系现代侵权行为法之主要任务,侵权行为法之体系及构成要件与权益之保护范围具有密切关系。第一八四条第一项所保护者,系属权利;其第一项后段所保护者,权利以外之法益,亦包括在内。受保护之权益虽有扩张,但其构成要件亦因而较为严格,即被害人非证明加害人系故意以背于善良风俗之方法致其法益受损害者,不得请求损害赔偿。至于第一八四条第二项所保护之客体,亦兼括权利及权利以外之法益,与该条第一项前段相较,虽系扩张,但亦受有限制,即权益所遭受之侵害须为保护他人之法律所欲防止者(Sachlicher Schutzbereich),始得请求损害赔偿。雇主违反工厂法关于工时之规定,致受雇人身体受损害时,身体健康系此项保护他人法律所欲保护之法益,故被害人得依第一八四条第二项规定请求损害赔偿。法人董事未依第三十五条规定声请宣告破产,致债权人遭受损害,及汽车驾驶人违反道路交通管理处罚条例,致他人生命、身体、健康遭受损害者,均属侵害法律所欲保护之权益。

三、损害

所谓损害系指法律所保护之权益因遭受侵害有所减损而言。就

第一八四条第二项言，亦应适用一般原则，于此不详加说明。

四、因果关系

侵权行为之成立，须侵害行为与损害之间具有相当因果关系。此项要件于"违反保护他人法律"之侵权行为，原则上亦有适用余地。董事未依第三十五条规定，向法院声请破产，致法人之债权人受有损害，因果关系明确，无待详论。雇主违反工厂法工时规定，致受雇人身体遭受损害时，相当因果关系亦堪认定。有疑问者，系汽车所有人允许无驾驶执照人驾驶汽车，就所肇致之损害，是否具有相当因果关系。"最高法院"采肯定说，有采不同意见者，[1] 尚有争论。相当因果关系说原属法律上之价值判断，旨在适当限制加害人侵权责任之范围。"最高法院"之认定偏重于被害人之保护，衡诸一般情事，似尚无不当之可言。惟关于因果关系之认定，事属价值判断，就具体案件之认定，见解不同，势所难免。

五、违法性

依通说见解，就第一八四条第一项前段以言，侵害他人之权利者，即系不法，但特定事由，例如紧急避难、无因管理或被害人之承认，得阻却违法。[2] 就第一八四条第二项而言，侵害行为之违法性，在于违反保护他人之法律，上述违法阻却事由亦有适用余地，自不待言。

六、过失与举证责任之倒置

第一八四条第二项具有两项规范意义：一为违反保护他人法律加损害于他人者，应负损害赔偿；二为推定加害人有过失。依举证

---

[1] 参阅吴光陆："不作为之侵权行为——兼述汽车所有人就借用人过失之责任"（判例研究），《中兴法学》第十三期，第三〇三页。

[2] 关于侵权行为违法性之新理论，参阅 Nipperdey, Rechtswidrigkeit, Sozialadäquanz, Fahrlässigkeit, Schuld in Zivilrecht, NJW 1957, 1777; Wiethölter, Der Rechtfertigungsgrund des verkehrsirchtigen Verhaltens, 1960; Larenz, Rechtswidrigkeit und Handlungsbegriff im Zivilrecht, Festschrift für Hans Dölle I (1963), S. 169f.

责任之原则，被害人应对加害人之过失负举证责任。法律之推定过失，实为保护被害人之技术运用，旨在保护被害人之利益。盖既有保护他人法律之存在，则行为人有妥为注意之义务，何况行为人是否违反保护法律侵害他人权益，一般言之，多不易证明也。

第一八四条第二项所称过失，究指何而言，甚有争论。德国通说认为，此所称之过失，系针对保护他人之法律而言，即违反保护他人法律之过失（Der Verstoss als solcher schuldhaft），被害人是否预见违反保护他人之法律会造成损害，在所不问。[1] 德国最高法院一九五五年六月二十二日判决[2]亦采此见解：被告违反道路交通法之规定，在一交叉路口超车，轧死一机车骑士。被告主张车祸之发生，系由于死者突然右转，实难预见。德国最高法院认为此项主张纵属真实，被告亦应负损害赔偿责任："因违反保护他人之法律侵害他人者（德国民法第八二三条第二项），其所要求之行为人故意或过失之要件，与德国民法第八二三条第一项不同。德国民法第八二三条第二项侵权行为之构成要件，系违反保护他人之法律，因此行为人之故意过失系针对违反本身而言，至于行为人对其行为之结果、例如权利或法益之侵害是否预见或于尽适当注意时可得预见，在所不问。惟若此项侵害系属于保护他人法律之构成要件者，如德国刑法第二二三条所规定之伤害身体，则不在此限。假若身体伤害系由于因过失违反应视为保护他人法律之道路交通法所肇致，则于肯定德国民法第八二三条第二项之过失时，关于损害发生得否预见，无须考虑。此为帝国法院（Reichsgericht，RG）以来见解，尚无改变之必要。"

上述德国通说之见解，殊值重视，自不待言。惟依吾人见解，加害人之过失非仅系对法规之违反而言，原则上尚应兼及侵害行为

---

[1] 参阅 Larenz, Schuldrecht II, S. 545.
[2] BGH 22. 6. 1955, LM § 823 BGB Bf Nr. 10；并参阅 BGH 12. 3. 1968, VersR1968, 593, 594.

及结果损害（固有意义侵权行为过失，eigenes deliktisches Verschulden），因此须加害人对权益之侵害及损害之发生，按其情节预见其发生时，始具有过失可言。[1] 惟实际上，此项见解与德国通说，并无重大差别，盖任何人故意过失违反保护他人法规者，实难证明其并未计及侵害之发生也。

惟应注意的是，依保护他人法律之规定内容，有纵无过失亦得违反者，于此情形，侵权行为之成立，仍须以加害人具有过失为要件。又保护他人之法规对过咎之程度设有限制者（例如故意或重大过失），于此情形，侵权行为之成立须以故意或过失为要件，此就第一八四条之立法意旨及法律秩序价值判断之统一性而言，应为当然之解释。

四、结　论

关于第一八四条第二项规定，判例学说上有二个见解：一为过失举证责任倒置说（胡长清、王伯琦、史尚宽），一为独立侵权行为说（戴修瓒、梅仲协、郑玉波）。本文从法制发展史、比较法、现行侵权行为之结构体系及被害人保护之观点，采取后说，并认为第一八四条第二项规定具有二个层次之规范意义，即：❶违反保护他人之法律加损害于他人者，应负损害赔偿责任。❷推定加害人具有过失。依吾人所信，此项理论可使台湾之侵权行为法更为概括，更为灵活，更为开化，更能合理规范现代社会损害赔偿问题。"最高法院"适用第一八四条第二项规定，尚称慎重，案例甚少，或系不欲广泛适用，致改变侵权行为之归责原则（推定过失责任），或系由于对于此项规定之规范意义及构成要件，尚无确实把握。惟

---

[1] 参阅 Fikentscher, Schuldrecht, S. 648; Hans Stoll, Kausalzusammenhang und Normzweck im Deliktsrecht, 1968, S. 21f.

无论如何，由于社会经济变迁，科技发展，危害事故层出不穷（例如公害、产品瑕疵、交通事故、工业灾害），保护他人之法律日益增加，不论吾人对于第一八四条第二项采取何种见解，其于规律社会活动，将逐渐担负重要任务，实可断言。[1]

---

[1] 关于违反保护他人法律与公害（Umweltschäden）之关系，参阅 Larenz Schuldrecht Ⅱ, S, 547f；朱柏松："公害之民事责任论"，台大法律学研究所硕士论文（一九七四年）。

意思表示之诈欺与侵权行为

一、问题之说明

为贯彻私法自治原则，保护当事人意思表示之自由，民法特将干扰意思表示之情事，分为诈欺与胁迫二种类型，于第九十二条设其规定："因被诈欺或被胁迫而为意思表示者，表意人得撤销其意思表示。但诈欺系由第三人所为者，以相对人明知其事实或可得而知者为限，始得撤销之。被诈欺而为之意思表示，其撤销不得以之对抗善意第三人。"又第九十三条规定："前条之撤销，应于发现诈欺或胁迫后一年内为之，但自意思表示后，经过十年不得撤销。"第九十二条将诈欺与胁迫并为规定，立法技术甚称周密，但其结构复杂，易生误会。兹分别分析如下：

（1）因被诈欺而为意思表示者，表意人得撤销其意思表示，但诈欺系由第三人所为者，以相对人明知其事实或可得而知者为限，始得撤销之；被诈欺而为之意思表示，其撤销不得以之对抗善意第三人。

（2）因被胁迫而为意思表示者，表意人得撤销其意思表示。胁迫系由第三人所为者，虽相对人不知其事实或非因过失而不知，亦得撤销之；被胁迫而为之意思表示，其撤销得以之对抗善意第三人。由是可知，法律对于因被胁迫而为意思表示者，保护较为周到。盖于此情形，表意人之意思表示所受之干扰，较为严重，有加强保护之必要也。

因受诈欺而为意思表示者，表意人得依第九十二条规定，撤销其意思表示。然而诈欺之事实，依其情形，尚可具备其他法律要件，发生特定之法律效果。例如出卖人故意不告知物之瑕疵或故意对物之性质为不实之陈述者，应负物之瑕疵担保责任（参阅第三五四条以下规定）。于此情形，买受人虽得依其选择行使权利，惟当其依第九十二条规定撤销其意思表示时，买卖契约视为自始无效（参阅第一一四条），即不得再主张物之瑕疵担保责任。关于此点，尚无疑问，不拟详论。本文所要讨论的是，受诈欺而为意思表示者是否得依侵权行为法之规定，请求损害赔偿？关于此项问题，"最高法院"著有判例、判决，民庭庭推总会亦作有决议，实值研究。

二、"最高法院"之见解

一、判例、判决及决议

（一）一九三九年上字第一二八二号判决（判例）

因被胁迫而为负担债务之意思表示者，即为侵权行为之被害人，该被害人固得于第九十三条所定之期间内，撤销其负担债务之意思表示，使其债务归于消灭，但被害人于其撤销权因经过此项期间而消灭后，仍不妨于第一九七条第一项所定之时效未完成前，本于侵权行为之损害赔偿请求权，请求废止加害人之债权，即在此项时效完成后，依第一九八条之规定，亦得拒绝履行。

（二）一九七四年四月九日民庭庭推总会决议[1]

因受诈欺而订立买卖契约并已交货，未收到价金，此际出卖人能否依被诈欺受害为由，请求损害赔偿？或因侵权行为之损害赔偿

---

[1]《法令月刊》第二十六卷第九期（一九七五年），第二十二页。

请求权消灭时效已完成，而请求返还不当得利？

甲说：因受诈欺而为买卖，并非无效之法律行为，出卖人交付货物而获得有请求给付价金之债权，其财产总额并未减少，无受损害之可言，自不得谓构成侵权行为而请求损害赔偿，或因侵权行为之损害赔偿请求权消灭时效完成而请求返还不当得利。

乙说：按诈欺系属侵权行为，出卖人既因受诈欺而交货，显然受有损害，自得依侵权行为之法则请求损害赔偿，并于此项损害赔偿请求权消灭时效完成后，请求返还不当得利。虽受诈欺而为买卖，非无效之法律行为，出卖人之价金请求权依然存在，然仅系请求权之竞合，出卖人（债权人）可择一行使，不能因价金请求权依然存在，即谓出卖人不得请求损害赔偿或返还不当得利。

应以何说为当？请公决。

决议：因受诈欺而为之买卖，在经依法撤销前，并非无效之法律行为，出卖人交付货物而获有请求给付价金之债权，如其财产总额并未因此减少，即无受损害之可言，即不能主张买受人成立侵权行为而对之请求损害赔偿或依不当得利之法则而对之请求返还所受之利益。

（三）一九七七年台上字第一五五二号判决[1]

本件上诉人主张：被上诉人自一九七五年四月起至同年八月止，前后多次伙同在逃之诉外人陈合兴（化名陈一宏）及刘秀玉，以不能兑现之支票十七张，面额共计新台币五十七万六千五百五十元，向伊骗借同额现款等情，依共同侵权行为规定，求为命赔偿该款及法定利息之判决。被上诉人则以：伊未参与该借款为抗辩。

原审以上诉人主张之事实纵然属实，但因受诈欺而为之金钱消费借贷，在经依法撤销前，并非无效之法律行为；贷与人交付金钱而获有请求返还借款之债权，其财产总额并未因此减少，即无损害

---

[1]《法令月刊》第二十九卷第九期（一九七八年九月），第二十五页。

之可言，仍不得依侵权行为之规定请求损害赔偿。因将第一审所为被上诉人败诉之判决废弃而改判驳回上诉人之诉，于法并无违背。上诉论旨声明废弃原判决，难谓有理由。

二、基本见解及疑义

综据上述，可知关于诈欺（或胁迫）而使他人为意思表示，是否构成侵权行为，"最高法院"原采肯定说（一九三九年上字第一二八二号判决）；最近判决至少在双务契约已改采否定之见解（一九七四年四月九日民庭庭推总会决议、一九七六年台上字第一五五二号判决），其理由为：因诈欺而为买卖或消费借贷，在经依法撤销前，并非无效之法律行为，被害人尚有请求给付价金或返还借款之债权，其财产总额并未减少，无受损害之可言。此项论点似尚有商榷之余地。

三、分析讨论

一、侵权行为之成立

第一八四条第一项规定："因故意或过失不法侵害他人权利者，应负损害赔偿责任。故意以背于善良风俗方法加损害于他人者，亦同。"第二项规定："违反保护他人法律者，推定其有过失。"依本条及第一八七条第一项、第四项规定之解释，可知一般侵权行为之成立，必须具备六个要件：❶加害行为；❷侵害法律所保护之权益；❸致生损害；❹行为之不法；❺行为人有责任能力；❻故意过失。

关于诈欺是否构成侵权行为，据上述历年判决见解分析之，其主要问题有二：一为被侵害之权益；二为损害。以下仅就此二者加以检讨。

（一）诈欺所侵害之权益

诈欺，系故意使人陷于错误而为意思表示之行为，可谓系故意以违背善良风俗之方法侵害他人之权益。又诈欺依其情形并可构成刑法上之诈欺罪（"刑法"第三三九条），而"刑法"第三三九条系属"民法"第一八四条第二项所称之"保护他人之法律"，故诈欺亦侵害法律所保护之权益。

有疑问的是，诈欺是否侵害第一八四条第一项所称之权利，尤其是自由权。关于此点，在德国学说上尚有争论，[1]但台湾学者多采肯定说。胡长清氏曾明确表示："自由权，即吾人之活动不受不当拘束之权利，虽然吾人活动有属于身体者、有属于精神者，民法上所谓自由，是否兼指身体的自由及精神的自由而言，学说上颇有争论。依余所信，应以肯定说为是。精神自由之侵害，例如诈欺及胁迫。"[2]又史尚宽氏亦认为因胁迫而使他人变更意思之决定者，为意思决定自由权之侵害。[3]此外，依诈欺方法使人交付物品者，依其情形，亦可认为系侵害他人之所有权。[4]

（二）损害

侵权行为法之基本目的，在于填补损害。因此虽有加害行为，但不生损害者，亦不构成侵权行为。在因诈欺使人订立买卖契约（或消费借贷）之案例，"最高法院"明白表示，该受诈欺而订立之契约，在未经撤销前仍属有效，被害人尚有请求给付价金（或返还借款）之债权，其财产总额并未减少，无损害之可言。此项判决含有正反二项论点：❶法律行为未经撤销者，被害人有请求对等给付之债权，故无损害。❷法律行为经撤销视为自始无效者，被

---

[1] 参阅 Staudinger/Coing, 11. Aufl. 1957, Anm 44zu § 123.
[2] 胡长清：《民法债编总论》，第一三一页。
[3] 史尚宽：《债法总论》，第一四三页；日本学者加藤一郎亦认为诈欺与胁迫是自由之侵害（《不法行为》增补版，昭50年，第130页）；大判昭和8年6月8日新闻第3573页，大判昭和14年6月8日法学8卷1408页判决亦采此见解。
[4] Staudinger/Coing, § 123.

害人无请求对待给付之债权，故可认为系受有损害。

所谓损害，系指因某种原因事实之发生，法律所保护权益遭受侵害所生之不利益。关于损害之有无，通常多采德国法学家Mommsen所创之差额说（Differenztheorie），即以其人未受损害前（即损害原因事实发生前）之财产与已受损害后之财产两相比较所生之差额，即谓之损害。"最高法院"亦采此见解。此项传统古典之理论，是否妥适，有无修正之必要，在德国正成为热门之研究课题。[1] 纵仍采差额说，上述二项论点，亦有商榷余地：

(1) 表意人受诈欺而为之意思表示，有为单独行为或单务契约者，例如A受B之诈欺，抛弃某画之所有权，或赠与某画。于此情形，"最高法院"最近见解自不能适用。法律行为在经撤销前，虽非无效，但被害人既未因诈欺原因事实，对加害人取得请求对待给付之债权，受有损害，实不容疑。

又受诈欺而为意思表示，订立双务契约者，通常多不利于表意人。例如，受诈欺以低于市价之价额出卖某物，在此情形，表意人（出卖人）受有损害，实无疑义。又受诈欺贷与金钱，未约定利息或约定之利息偏低者，贷与人因而丧失其对金钱之使用收益，亦不能认为无损害。又因诈欺而订立契约以致丧失其他较为有利之订约机会者，亦可认为受有损害。"最高法院"认为加害人取得对待给付请求权，即无损害。纯从形式立论，实难赞同。

(2) "最高法院"认为，意思表示撤销前，被害人所以未受损害，乃因有请求给付价金债权之故。依据此项见解而推论之，意思表示经撤销者，更应作此解释。盖于此情形，被害人亦有请求不当得利之债权或所有物返还请求权也。以意思表示撤销与否，论断被害人是否受有损害，亦属形式推论，欠缺实质依据，似不足采。

综据上述，可知以诈欺使他人为意思表示者，系侵害法律所保

---

[1] 参阅 Larenz, Schuldrecht. 1, 11. Aufl. 1976, S. 384。关于 Differenztheorie 差额说之理论，详见 Zur Lehre von Interesse, 1885.

护之权益,一般言之,多会肇致损害,应构成侵权行为,被害人得依第一八四条规定,请求损害赔偿。

二、侵权行为损害赔偿请求权与撤销权之竞合

受他人诈欺而为意思表示,依其情形,得具备第九十二条规定(撤销权)及第一八四条(侵权行为损害赔偿请求权)之要件。比较言之,二者具有下列之区别:

(1) 性质不同。撤销权是形成权;侵权行为损害赔偿请求权是债权请求权。

(2) 功能不同。撤销权系以保护意思自由为目的;侵权行为之损害赔偿请求权旨在填补权益被侵害所生之损害。[1]

(3) 构成要件不同。撤销权之行使,以有受诈欺而为意思表示为已足;侵权行为损害赔偿请求权之发生,系以权益受侵害及发生损害为要件。

(4) 法律效果不同。受诈欺之意思表示经撤销后,通说认为应依其情形适用不当得利或占有之规定;[2]侵权行为之损害赔偿请求权则在于填补损害,回复原状。[3]

据上所述,可知受诈欺而为意思表示者,依第九十二条所得主张之撤销权与依第一八四条所得主张之侵权行为损害赔偿请求权,其性质、功能、构成要件及法律效果,均有不同,得以并存,发生

---

[1] 王伯琦亦采此见解:"第九十二条之规定,旨在保护表意人意思之自由,至于其是否受有损害,在所不问,故纵使其受诈欺为有利者,亦得撤销之。"《民法总则》,第一六七页(注1)。

[2] 参阅洪逊欣:《民法总则》,一九七六年(修订初版),第五二三页以下。

[3] 第一一四条规定,法律行为经撤销者,视为自始无效。当事人知其得撤销或可得而知者,其法律行为之撤销,准用前条规定。又依第一一三条规定,无效法律行为之当事人于行为当时,知其无效或可得而知者,应负回复原状或损害赔偿之责任。关于诸此规定之规范意义,学者见解,至为分歧,俟后再著专文详为分析检讨。

竞合关系。[1] 申言之，即侵权行为损害赔偿请求权之存在与行使，与受诈欺法律行为之撤销与否，不生关系。因此，被害人于撤销其受诈欺而为之意思表示前，固得依侵权行为法之规定请求损害赔偿，在意思表示经撤销后，亦得主张之。[2]

表意人依第九十二条规定，既得撤销其意思表示，则承认其尚得依侵权行为法规定主张损害赔偿请求权，其主要实益在于其时效期间对被害人较为有利。依第九十三条规定，表意人之撤销权，应于发现诈欺（或胁迫）终止后，一年内为之，但自意思表示经过十年，不得撤销。然依第一九七条第一项规定，因侵权行为所生之损害赔偿请求权，自请求权人知有损害及赔偿义务人时起，二年间不行使而消灭，自有侵权行为时起逾十年者，亦同。撤销期间系属除斥期间，侵权行为损害赔偿请求权系时效期间，得予中断，并有不完成事实。因此于撤销权消灭后尚有主张之机会，对被害人权益之保护，甚为有利。

三、侵权行为损害赔偿范围

诈欺使他人而为意思表示，通常多构成侵权行为，已详如上述。负损害赔偿责任者，除法律另有订定外，应回复他方损害发生前之原状。因回复原状而应给付金钱者，自损害发生时起，加付利息（第二一三条）。应回复原状者，如经债权人定相当期限催告后，逾期不为回复时，债权人得请求以金钱赔偿其损害（第二一四条）。不能回复原状或回复显有重大困难者，应以金钱赔偿其损害（第二一五条）。诸此原则，基于诈欺所生之损害赔偿亦有适用余地。兹以买卖（参阅一九七四年四月九日民庭庭推总会决议）及消费借贷（参阅一九七七台上字第一五五二号判决）二个实务

---

[1] 参阅王伯琦：前揭书，第一六四页、第一六七页；胡长清：《民法总论》，第二七八页；洪逊欣：前揭书，第三八九页（注1）；我妻荣：《新订民法总则》，第307页，亦同此见解。

[2] 参阅 Enneccerus/Nipperdey, Allgemeiner Teil des Bürgerlichen Rechts, Bd. II, 1960, S. 1072.

上具有疑义之案例说明之。

　　基于回复原状之基本原则,受诈欺之意思表示未经撤销者,加害人应同意取消(Aufheben)该意思表示,以回复原状。在消费借贷之情形,加害人应返还其金钱,并自贷与金钱时起,加付利息;在买卖契约之情形,加害人(买受人)应返还其所受领之标的物。又回复原状之基本要义,在于使被害人回复到未受诈欺时所处之状态,因而得请求赔偿者,不是假若无加害行为(诈欺)时其所能获得之利益(积极利益)、例如履行利益,其所得请求赔偿者,仅是因有加害行为所受不利益,亦即是信赖利益,例如订约或准备履行契约所支出之费用、贷款之利息等。[1]

四、侵权行为损害赔偿请求权罹于消灭时效后之不当得利请求权

　　依第一九七条规定:"Ⅰ.因侵权行为所生之损害赔偿请求权,自请求权人知有损害及赔偿义务人时起,二年间不行使而消灭,自有侵权行为时起,逾十年者亦同。Ⅱ.损害赔偿之义务人因侵权行为受利益,致被害人受损害者,于前项时效完成后,仍应依关于不当得利之规定,返还其所受之利益于被害人。"基此规定,一九七四年四月九日民庭庭推总会采以下见解:诈欺系属侵权行为,出卖人既因诈欺而交货,显然受有损害,买卖契约虽非无效,自仍得依侵权行为之法则,请求损害赔偿,并于此项损害赔偿请求权消灭时效完成后,依不当得利规定请求返还。此项论点,引起一项疑义,即当事人间既有买卖契约关系存在,则在其未经撤销前,双方之给付系有法律上之原因,出卖人何以尚得主张不当得利返还请求权?其关键问题,在于"依不当得利规定"一词之意义,而此实为理论上一项极有争论之问题。

　　第一九七条系仿自德国民法第八五二条。关于德国民法第八五

---

〔1〕 关于损害赔偿范围,并请参阅梅仲协:《民法要义》,第八十四页。

二条规定，德国判例学说尚有争论。德国最高法院认为，本条旨在使被害人取得一种独立请求返还因侵权行为而获得之利益。所谓"依不当得利之规定"，系法律效果之准用（Rechtsfolgenverweisung），仅在表示被害人请求返还之内容及范围，应依不当得利之规定而已。[1] 目前德国学者通说倾向于认为德国民法第八五二条第二项仅具阐明之作用（阐明作用说，Klarstellungstheorie），其意义仅在于表明德国民法第八一二条规定成立之不当得利请求权，不因德国民法第八五二条第一项规定（相当于第一九七条第一项）而受影响。[2] 其在台湾，学者亦多采此见解。胡长清氏作有如下详细说明：因侵权行为所生之损害赔偿请求权，如依上述规定罹于时效而消灭，请求权人固不得再以权利遭侵害为理由请求损害赔偿。然如赔偿义务人曾因侵权行为受有利益，则发生损害赔偿请求权与不当得利返还请求权竞合之问题。民法为解决此项问题，特于第一九七条第二项规定："损害赔偿之义务人因侵权行为受有利益，致被害人受损害者，于前项时效完成后仍应依不当得利之规定，返还其所受之利益于被害人。"依据请求权竞合之法理，如有一请求权已因达到目的而消灭，其他请求固应失其存在，然若一请求权因达到目的以外之原因而消灭，则于其他请求权之存在，仍属无碍。法律是认请求权竞合之实益即在于此，本项之设，不外一种解释之规定。[3]

据上所述，依吾人见解，第一九七条第二项是一项阐释性之规定，仅在于表示因侵权行为所生之损害赔偿请求权，虽罹于时效而消灭，被害人不当得利请求权仍不受影响。因此被害人是否能够向加害人请求返还其所受之利益，应视不当得利之构成要件是否具备而定，而其最主要者，系损益变动须无法律上之原因。在受诈欺而

---

[1] RG JW34, 512.
[2] Larenz, Schuldrecht Ⅱ, S. 606; Seifert, NJW 72, 1793.
[3] 胡长清：《民法债编总论》，第一九三页、第一九四页。

为买卖之情形,被害人交货或付款,受领者取得其利益,在法律行为经撤销前,实具有法律上之原因,并不构成不当得利。一九七四年四月九日民庭庭推总会决议之见解,似认为于此情形,被害人依第一九七条第二项规定,仍有不当得利请求权,似有商榷余地。

四、结 论

关于诈欺是否构成侵权行为,"最高法院"最近见解认为:在受诈欺而为之买卖(或金钱消费借贷),在经依法撤销前,并非无效之法律行为,出卖人(或贷与人)因交货(或交付金钱)而获有请求支付价金(或返还借款)之债权,其财产总额并未因此减少,即无损害之可言,仍不得依侵权行为法规定,请求损害赔偿(一九七四年四月九日民庭庭推总会决议,一九七七年台上字第一五五号判决)。依此判决反面解释之,"最高法院"倾向于认为法律行为经撤销而为无效时,因无请求对待给付之债权,故受有损害。此项判决之理由构成,纯从形式上立论,正反两点见解均不足采取。依本文见解,受诈欺而为意思表示,是否受有损害,应就具体情形而决定,不宜纯从形式论断。受诈欺而为意思表示,通常多不利于表意人,例如受诈欺以低于市价出卖某物或贷与金钱而未有利息之约定(或约定之利息过低时)者,纵有请求价金支付(或返还价款)之债权,表意人实受有损害,应得依侵权行为法规定,请求损害赔偿。诚如史尚宽氏所云,诈欺有为侵权行为而生损害赔偿责任者(第一八四条);有犯罪行为而应受刑事裁判者("刑法"第三三九条),然与第九十二条所规定依诈欺而为意思表示之救济效力如何,为另一问题。三者相辅相成,始可预防、压制诈欺,而保护受诈欺之人,即不必相排斥,亦不必相伴也。[1] 准此以言,

---

[1] 史尚宽:《民法总论》,一九七〇年,第三十八页。

"最高法院"之基本见解及理由构成，似有再加检讨之必要。[1]

---

[1] 参阅吴明轩："'司法院'解释及'最高法院'判例决议之整理",《法学丛刊》第八十八期，一九七七年十二月，第十四页。关于意思表示之诈欺是否构成侵权行为，"最高法院"原采否定说，其见解显有疑问，已详前述。在本文撰写期间，"最高法院"已改变其见解，摘录如下，用供参考：（1）一九七八年台上字第四三四号判决："第九十二条第一项规定，受诈欺人固得撤销其意思表示，但究否同时构成第一八四条第一项之侵权行为，应视情形而定，如符合侵权行为之成立要件，被害人并得据以请求损害赔偿，两者可以同时并存，并不互相排斥。"（2）一九七八年第十三次民庭庭推总会决定："一九七四年第二次民庭庭推总会决议（二），旨在阐明侵权行为以实际受有损害为其成立要件。非谓类此事件，在经依法撤销前，当事人纵已受有损害，亦不得依侵权行为法则请求损害赔偿。"

盗赃之牙保、故买与共同侵权行为

一、问题之说明与"最高法院"之见解

一、问题之说明

日常生活中之简单事例经常是司法实务上之疑难问题。盗赃之牙保或故买，即其著例。乙窃盗甲所有之动产（书或无记名证券），经丙牙保让售于丁（知情或不知情），此项关系为便于观察，图示如下：

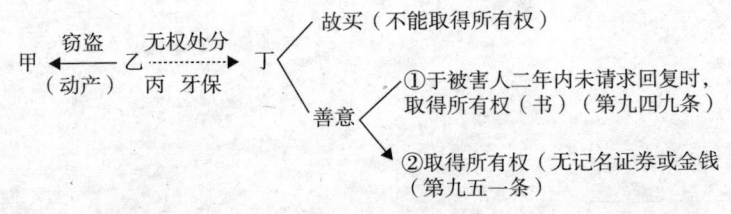

```
                           故买（不能取得所有权）
       窃盗      无权处分  ┌
   甲 ←────  乙 ┈┈┈┈┈  丁 ┤        ①于被害人二年内未请求回复时，
  （动产）      丙 牙保    │善意┌     取得所有权（书）（第九四九条）
                           └   └
                                  ②取得所有权（无记名证券或金钱）
                                   （第九五一条）
```

在此案例，依刑法规定，乙犯窃盗罪（第三二〇条第一项），丙犯牙保赃物罪（第三四九条第二项），丁若知其行为构成故买赃物罪（第三四九条第二项），法律关系尚称明确，无待详论。

在民事关系上，被害人（甲）对窃盗者，除得依侵权行为法之规定请求损害赔偿外，视其情形，亦有不当得利或无因管理之请

求权。关于此点，尚无争论。[1] 有疑问者，系被害人对故买或牙保赃物之人所得主张之权利。对此问题，"最高法院"最近数次著有判决，先后变更其见解，并曾为此特别召开民刑庭总会，加以检讨，可见问题解决之不易，实有研究之价值。

二、"最高法院"之判决

（1）在一九七三年台上字第八九三号判决一案，"最高法院"认为赃物犯之行为并不构成侵权行为，其判决理由略谓："赃物犯固为被害人回复其所有物之重大障碍，然究系他人犯罪完成，侵害被害人财产法益后之犯罪行为，被害人所受财产损害，应非赃物犯罪直接所生之结果，难谓其有相当之因果关系。而第九四九条规定回复其物之请求权，与"刑事诉讼法"第四八七条回复损害请求权，大异其趣。本件被上诉人既依附带民事诉讼程序行使其回复损害请求权，而非独立依第九四九条、第九五六条规定而为请求，则原审基于附带民事诉讼命上诉人返还盗赃，如不能返还时，按市价折付现金，即有不合。"

（2）一九七四年五月二十八日召开之民刑庭总会，曾就此问题加以检讨。所提出之议题为：盗赃之故买人（或收受、搬运、寄藏或为牙保之人）与窃盗、抢夺、强盗等实施盗赃之人，应否成立共同侵权行为？对此问题，有甲、乙两说。

甲说：赃物之故买（或收受、搬运、寄藏或为牙保）已在被害人因窃盗、抢夺、强盗等侵权行为受有损害之后，盗赃之故买人（或收受、搬运、寄藏或为牙保之人）对被害人系成立另一侵权行为。又盗赃之故买人、收受人或寄藏人依第九四九条之规定，被害人本得向之请求回复其物，如因其应负责之事由不能回复时，依第九五六条之规定，亦应负损害赔偿责任。是盗赃之故买人（或收受、搬运、寄藏或为牙保之人）与实施盗赃之人，不构成共同侵

---

[1] 参阅史尚宽：《物权法论》，第五二九页；王伯琦：《民法债编总论》，第五十三页；郑玉波：《民法物权》，第四〇〇页。

权行为。

乙说：赃物之故买（或收受、搬运、寄藏或为牙保），系对盗品所有权之继续侵害，妨害盗品之回复与实施盗赃之人有意思之联络且有行为之关联，可成立共同侵权行为。又被害人基于占有关系之第九四九条及九五六条之请求权，与依侵权行为之损害赔偿请求权，仅系请求权之竞合，不能谓仅有回复请求权，而不能有侵权行为之损害赔偿请求权。

决议：采甲说。[1]

（3）一九七五年台上字第一三八四号判决，采取前述民刑庭总会决议，认为："查盗赃之牙保，系在他人犯罪完成后所为之行为，性质上无从与该他人共同侵害被害人之权利，故牙保之人与实施盗赃之人，固不构成共同侵权行为。惟盗赃之牙保既足使被害人难于追回原物，因而发生损害，仍难谓非对于被害人为另一侵权行为，倘被害人因而受有损害，尚非不得依一般侵权行为之法则，请求牙保之人赔偿其损害。本件上诉人主张伊因被上诉人牙保出卖之红铜（赃物），因而与托运人和解赔偿三十万元。原审亦认定被上诉人牙保出卖该红铜属实，自应就上诉人是否因被上诉人牙保出卖该赃物而受有损害，及其损害额若干为审认，以为准驳之依据，乃原审未注意及此，遽以上揭理由为上诉人败诉之判决，自难谓非违误。上诉论旨，指摘原判决失当，声明废弃，非无理由。"

（4）一九七五年台上字第一三九五号判决，继续维持新的见解，认为："故收赃物势必妨害被害人回复请求权之实现，应负赔偿责任"，并以第一八四条规定作为依据。

三、三个基本见解

综据前述判例、判决及民刑庭总会决议，"最高法院"之基本见解，可归纳为三点：

---

[1]《法令月刊》第二十六卷第九期（一九七五年九月），第二十三页。

(1) 被害人得依第九四九条规定,向故买人请求回复其物,如因其应负责之事由不能回复时,依第九五六条规定,应负赔偿责任。

(2) 赃物之牙保或故买(或收受),系妨害被害人回复请求权之实现,依第一八四条规定,构成侵权行为。

(3) 赃物犯与窃盗者并不构成共同侵权行为,盖盗赃之牙保或故买系在他人犯罪完成后所为之行为,性质上无从与该他人共同侵害被害人之权利。

此三项见解构成三个基本法律问题,其论点具有相当依据,固不待言。本文拟从不同观点试加评论,用供参考。

二、被害人对赃物故买人在物权法上之请求权

一、盗赃物之善意取得

民法为保护交易之安全,设有动产善意取得制度。综合第八〇一条、第八八六条及第九四八条规定观之,所谓动产善意取得者系谓以动产所有权或其他物权之移转或设定为目的,而善意受让该动产之占有者,纵其让与人无移转所有权或设定其他物权之权利,受让人仍取得其所有权或其他物权。善意取得之效力因标的物而不同,标的物系盗赃或遗失物者,其被害人或遗失人自被盗或遗失之时起二年内,得向占有人请求回复其物(第九四九条),但盗赃或遗失物系由拍卖或公共市场或贩卖与其物同种之物之商人以善意买得者,非偿还其支出之价金,不得回复其物(第九五〇条)。又盗赃或遗失物如系金钱或无记名证券,不得向其善意占有人请求返还(第九五一条)。

关于动产善意取得,现行民法视标的物究为盗赃(或遗失物)与否,异其效力。主要理由当系以为盗赃或遗失物之脱离所有人之占有,致被无权处分,并非基于其意思,故有特别保护之必要。此

种规定虽亦有相当之依据，但未能贯彻保护交易安全之原则，似非妥适。依吾人见解，动产能否善意取得，不宜就标的物设其区别，应依交易过程之性质而定。申言之，凡由拍卖或公共市场或由商人以善意取得者，不论其为盗赃（或遗失物）与否，均能取得其所有权；反之，非依上述交易过程而取得者，纵其非属盗赃或遗失物，亦不能取得其所有权。惟有如此，始能兼顾所有权与交易安全二种利益，惟此属立法政策之考虑，与本文主题无关，不拟详述。[1]

二、第九四九条规定之适用范围

应特别提出讨论者，系一九七三年台上字第八九三号判决及一九七四年五月二十八日民刑庭总会决议，明确认为被害人（物之所有人），得依第九四九条之规定向赃物之故买人请求回复其物，如因其应负责之事由不能回复时，依第九五六条之规定亦应负损害赔偿责任。

"最高法院"此项见解系确立于一九六一年台上字第一一九四号判决（判例）。其判例要旨谓："盗赃之故买人依第九四九条之规定，被害人本得向之请求回复其物，如因其应负责之事由不能回复时，依第九五六条第一项之规定，亦不得谓无损害赔偿之责任。"

"最高法院"采取此项论点，似有误会。第九四九条就其规范目的及体系而言，系以受让人之善意为前提要件，是为动产善意取得之例外规定，[2] 受让占有之人若属恶意（赃物之故买人），应

---

[1] 参阅梅仲协：《民法要义》，第四五七页；姚瑞光：《民法物权论》，第九十九页。
[2] 参阅梅仲协：前揭书，第二八八页；曹杰：《物权法论》，第三四〇页；郑玉波：前揭书，第三九五页；姚瑞光：前揭书，第四〇六页；舟桥淳一：《物权法》，"法律学全集"18，昭和四十三年初版十六刷，第二四九页以下。一九三三年上字第一八九四号判例："现行法律关于典买窃盗赃之规定，为即时取得原则之例外，于善意典受租主擅行出典之物者，不能准用。"

无适用该条规定之余地。[1] 在此情形，被害人（所有人）得依第七六七条规定，向故买人主张所有物返还请求权，其时效期间为十五年（关于不动产物权请求权之时效期间，请参阅大法官会议释字第一〇七号解释）。依"最高法院"之见解而适用第九四九条规定，被害人（所有人）在二年期间经过后，即丧失其所有权，其不足保护所有人之利益，甚为明显。一九六一年台上字第一一九四号判决（判例），似有错误，实有检讨变更之必要。

三、牙保或故买赃物所侵害之权利

一、回复请求权

"最高法院"在最近之判决，肯定牙保、故买（或收受）赃物应构成侵权行为。一九七四年五月二十八日民刑庭总会决议仅称："盗赃之故买人（或收受、搬运、寄藏或为牙保之人），系成立另一侵权行为"，并未详述其法律上之依据。一九七五年台上字第一三八四号判决认为："惟盗赃之牙保既足使被害人难于追回原物，因而发生损害，仍难谓非对于被害人为另一侵权行为……"，亦未确实说明被侵害之法益。直至一九七五年台上字第一三九五号判决始明白确定："故买赃物，势必妨害被害人之回复请求权之实现，应负赔偿责任"。综观上述判决，牙保、故买（或收受）赃物所以成立侵权行为者，仍是因为"妨害被害人之回复请求权之实现"。

所有人对无权占有或侵夺其所有物者，有所有物返还请求权（第七六七条）；占有人，其占有被侵夺者，有占有物返还请求权（第九六二条）。然则"最高法院"所称之"被害人之回复请求

---

[1] 史尚宽：前揭书，第五一九页。

权",究系指何而言？依吾人之见解,所谓"被害人之回复请求权",就其文义而言,似系指第九四九条之被害人得对盗赃或遗失物占有人请求回复其物之情形而言。"最高法院"若别有所指,至盼在以后判决中,能解释明确说明,以避免引起不必要之揣测或误会。

假若"最高法院"所称之"被害人之回复请求权",系指第九四九条所规定之回复请求权而言,则以此作为故买、牙保赃物之侵权客体,即有商榷余地。如前所述,第九四九条之规定,于受让占有者系属"恶意"时（故买之人）原无适用余地,应不发生故买人（或其他赃物犯）侵害该条所规定回复请求权之问题。[1]

二、所有物返还请求权

论者或有以为,"最高法院"所谓之回复请求权意义不确定,作为赃物犯之所侵害之客体,固有疑问,惟被害人对于故买人原得主张所有物返还请求权,然则,是否得认为故买（或牙保）系妨害被害人之所有物返还请求权之实现,成立侵权行为？

依第一八四条规定:"因故意或过失不法侵害他人权利者,应负损害赔偿责任"本条所称之权利,系指物权、无体财产权、准物权、身份权及人格权等而言。债权是否亦属之,尚有争论。[2] 权利之概念有日益扩大之趋势,占有亦被视为权利,营业权[3]及附条件买卖买受人之期待权亦包括在内。[4] 但依本文之见解,所有物返还请求权,似不得认为属于第一八四条第一项所称之权利,不能成为侵权行为之客体,理由有二:

---

[1] 关于被害人依第九四九条得主张之回复请求权之问题,尤其是回复请求权之性质,其与所有物返还请求权与占有回复请求权之关系,俟后再予详论。请参阅史尚宽:前揭书,第五一八页以下；姚瑞光:《民法物权论》,第四〇七页。

[2] 参阅庄春山:"侵害他人债权之研究",台大法律学研究所硕士论文（一九七六度）。

[3] 参阅史尚宽:《债法总论》,第一三四页；廖义男:"从经济法之观点论企业之法律问题",《台大法学论丛》第四卷第二期（一九七五年四月）,第一四一页。

[4] 参阅拙著:《民法学说与判例研究》第一册。

（1）就所有物返还请求权之性质言，所有物返还请求权，旨在回复物权圆满支配状态，故又称为物上请求权。关于此种请求权之性质，学者见解不一。有谓为物权之作用，而非独立之权利；有谓为独立之请求权；有谓为纯粹之债权。通说系采第二说。惟无论采取何说，所有物返还请求权均不得脱离所有权而独立存在。对所有人言，所有物返还请求权仅是一种辅助之手段，不具有独立之价值，似不得单独作为交易之标的或侵权行为之客体。[1]

（2）就法律逻辑而言，依学说与判例向来之见解，所有物返还请求权仅得向物之现在占有人主张之。[2] 被害人对窃盗者有两个请求权：一为基于所有权被侵害之损害赔偿请求权；另一为所有物返还请求权。惟一旦窃盗者将盗赃让予恶意第三人时，被害人仅得对现在占有标的物之故买人请求返还其物。被害人之所有物返还请求权本身既未消灭，效力亦未减损，仅是请求之对象不同而已。如认为所有物返还请求权得成为侵权行为之客体，则被害人对故买人得主张二种请求权，一为所有物返还请求权；另一为妨害"所有物返还请求权"之实现而生之侵权行为损害赔偿请求权。对于同一请求对象，此二种请求权之并存，在法律逻辑上是否圆通，诚有研究余地。盖若认为被害人对故买人有所有物返还请求权，则似不能同时认为故买人有妨害该请求权实现之情事也。

---

[1] 经查有关侵权行为法之著作，多未将回复请求权视为第一八四条第一项所称之权利。王伯琦：《民法债编总论》，第七十二页；郑玉波：《民法债编总论》，第一四六页以下。但请参阅史尚宽：《债法总论》，第一三九页。关于日本法，请参阅加藤一郎编集：《债权》（10），"注释民法"（19），昭和46年初版7刷，第63页以下；关于德国法，请参阅 Kötz, Deliktsrecht, 1976, S. 41f.

[2] 一九四〇年上字第一〇六一号判决："请求返还所有物之诉，应以现在占有该物之人为被告，如非现在占有该物之人，纵令所有人之占有系因其人之行为而丧失，所有人亦仅于此行为具备侵权行为之要件，得向其请求赔偿，不得本于物上请求权，对之请求返还所有物。"并请参阅一九六〇年台上字第二四一三号判例。不同意见参阅姚瑞光：前揭书，第五十三页。

三、被害人之所有权

综据前述,吾人认为在侵权行为法上,赃物之牙保或故买所侵害者,不是第九四九条之回复请求权,也不是所有物返还请求权。其所侵害者,实系被害人之所有权,换言之,即侵害所有人对其所有物占有、使用及收益之权能。一九七四年五月二十八日民刑庭总会之乙说(少数说)认为赃物之故买(或收受、搬运、寄藏或为牙保)系对所有权之继续侵害,实堪赞同。

四、窃盗、牙保与故买赃物之成立共同侵权行为

一、牙保与故买之人应构成共同侵权行为

赃物之牙保或故买系侵害被害人之所有权,前已详论。二者是否构成共同侵权行为?关于此点,"最高法院"虽未明确表示,但似有采取肯定说之倾向。按关于狭义共同侵权行为(第一八五条第一项前段)之构成要件,有人认为须有意思之联络(主观说),有人认为损害之发生由于共同行为者即为已足(客观说),学者间尚有争论,实务见解亦不一致。[1] 惟牙保与故买之人不但有侵害他人权利之意思联络,并且有侵害之共同行为,无论采取何说,均应构成共同侵权行为,似无疑问。

二、牙保、故买之人与窃盗者亦应构成共同侵权行为

关于赃物牙保或故买之人是否与窃盗者构成共同侵权行为,

---

[1] 参阅"第一次'司法院'变更判例会议之决议",第十五页:"民事上之共同侵权行为(狭义的共同侵权行为,即共同加害行为,下同)与刑事上之共同正犯,其构成要件并不完全相同。共同侵权行为人间不以有意思联络为必要,数人因过失不法侵害他人之权利,苟各行为人过失行为均为其所生损害之共同原因,即所谓行为关连共同,亦足成立共同侵权行为。一九六六年台上字第一七九八号判例应予变更。至一九一六年上字第一〇一二号及一九三一年上字第一九六〇号判例则指各行为人既无意思联络,而其行为亦无关连共同者而言,自当另论。"

"最高法院"一向采取否定见解。此项论点似尚有研究余地。

兹为论证之方便,先就受托人对寄托物之无权处分加以说明。设有乙受托保管甲之动产(书或无记名证券),其后伪称该物为自己所有,经知情丙之媒介,让售与丁。在此情形,无论丁是否取得所有权,无权处分人(乙)之行为均属侵害被害人(甲)之权利。被害人丧失其所有权者,得就因此所受之损害请求赔偿;受让人纵未取得所有权,原所有人对标的物使用收益等权能亦受损害,无权处分人就所生之损害,亦应负赔偿责任。此为学说、判例之一般见解。[1] 至于牙保(丙)及故买人(丁)是否与无权处分人(乙)构成共同侵权行为,判例学说虽多未直接论及,但该数人之间既有意思之联络,复有行为之共同,应采肯定说,亦无疑问。

"最高法院"所以认为盗赃之牙保(或故买人)不与窃盗者构成共同侵权行为,系以"盗赃之牙保系在他人犯罪完成后所为之行为,性质上无从与他人共同侵害被害人之权利"。就窃盗行为之部分而言,牙保或故买之人不与窃盗者构成共同侵权行为,系属当然。此见解应可赞同。关于对标的物无权处分之部分,在刑法理论上,由于窃盗者系既成犯,不另外构成罪名,自有其依据;但在民法理论上,无权处分乃系对被害人所有权之继续侵害,此在善意第三人取得标的物所有权之场合,最为显著。牙保或故买盗赃之人对于此部分之侵害行为既有意思之联络及行为之共同,依吾人之所

---

[1] 史尚宽:《债法总论》,第一三〇页;郑玉波:《民法债编总论》,第一五〇页;一九三四年上字第二五一〇号判决(判例):"无权利人就权利标的物为处分时,如其行为合于侵权行为成立要件,虽其处分已经有权利人之承认而生效力,亦不得谓有权利人之承认,当然含有免除处分人赔偿义务之意思表示。"

信，应与窃盗者构成共同侵权行为，就所生之损害负连带赔偿责任。[1] 又例如，甲掳乙，意图勒索不遂，邀丙协力将乙杀害，则丙就甲掳人勒赎之部分，虽不与乙构成共同侵权行为，但就杀害部分则应构成共同侵权行为，负连带赔偿责任。盗赃之故买（或牙保）与此法理相同，应采同一之解释，似无疑义。

五、结　论

某甲所有之动产被乙所盗，经丙牙保，由丁故买之，其在民事上之责任，依本文研究，可归纳为三项：

（1）依"最高法院"之见解，被害人（所有人）得向赃物故买人依第九四九条规定，请求回复其物。本文认为第九四九条依其规范目的及体系，系以善意受让人为规律对象，是为动产善意取得之例外规定，对于故买人应无适用余地，故在二年期间经过后，被害人仍得依第七六七条规定，向故买人主张所有物返还请求权。一九六一年台上字第一一四九号判决（判例），似有错误，应予修正。

（2）依"最高法院"之见解，被害人得以"妨害回复请求权之实现"为理由，依第一八四条规定向故买（或牙保）赃物之人请求损害赔偿。本文认为，所谓之回复请求权，究系指何而言，不

---

[1] 本文所采之基本论点与一九七四年五月二十八日民刑庭总会决议少数说相同，在比较法上亦有依据。日本刑法设有赃物罪（日本刑法第256条），日本民法第719条关于共同侵权行为之规定，与"现行民法"第一八五条之文义并无不同。日本最高裁判所在昭和33年3月26日判决一案：有乙偷窃甲之木材，卖与某制材工厂之职员丙，厂主丁承认该处分行为。日本最高裁判所认为乙、丙、丁构成共同侵权行为。又日本的司法实务一向亦认为牙保与窃盗者亦构成共同侵权行为（大刑判明34·3·29刑录7·3·72，大刑判大3·5·7刑录20·290，大刑判大8·12·9刑录25·1252）。详细资料请参阅加藤一郎编集：《债权》（10），注释民法（9），第326页、第327页。

易确定。若系指第九四九条被害人得对盗赃占有人请求回复其物之情形而言，则由于该条对于故买赃物之人根本无适用余地，不得以之作为赃物犯侵权行为之依据。又所有物返还请求权仅是救济手段，不具独立价值，不得与所有权脱离，单独成为侵权行为之客体。故买（牙保人）赃物之人，所侵害者应系被害人之所有权。

（3）依"最高法院"之见解，牙保或故买赃物之人，在性质上不与窃盗者构成共同侵权行为。本文认为，就窃盗部分不构成共同侵权行为，系属当然，但无权处分标的物，系对所有权之继续侵害，关于此项行为，当事人间既有意思之联络及行为之共同，似应依第一八五条规定构成共同侵权行为，就被害人所受之损害连带负赔偿责任。

雇主未为受雇人办理加入劳工
保险之民事责任

一、概　说

在台湾，保护劳工、增进劳工福利之规定甚多，在实务上则以"劳工保险条例"最为重要。

加入劳工保险之劳工（被保险人）分为二类。第一类为强制的被保险人。依劳工保险条例第八条规定，"年满十四岁以上，六十岁以下之左列劳工，应全部加入劳工保险为被保险人：一、被雇于雇用劳工十人以上公营、民营工厂、矿场、盐场、农场、牧场、林场、茶场之产业工人及交通、公用事业工人；二、职业工人；三、专业渔捞劳动者；四、"政府机关"、公立学校之技工、司机、工友；五、受雇于雇用十人以上公司、行号之员工。前项所称劳工，包括有工会会员资格之职员。"第二类为任意的被保险人，是否加入劳工保险有其自由。劳工保险条例第八条中各业之外国职工，得依本条例参加劳工保险（该条例第九条）；私立学校，新闻、文化、公益、合作事业，人民团体，百货业商店，专用员工，及本条例以外之其他各业员工，愿意加入保险者，亦得参照本条例办理之（该条例第十条）。

劳工保险系属于综合性的人身保险，其保险事故计有：生育、伤害、疾病、残废、老年及死亡等六种。关于失业保险之实施，尚在研拟筹划中（参阅劳工保险条例第八十五条）。被保险人或其受益人,于保险事故发生后,得依条例之规定,请领保险给付。劳工保险条例自一九五八年施行以来,卓著绩效,就一九七七年度而言,参加劳工保险者,共有一百六十余万人,而给付总金额累计高达八十亿元,对于促进社会安全,实有重大贡献。

然而,应特别注意的是尚有众多劳工迄今犹未加入劳工保险,其中有依法应加入而未加入者,亦有依法得予加入,并且愿意加入,但雇主拒予办理者[1]。在前种情形,依该条例第八十三条之规定,对于雇主得处以二百元以上、三千元以下之罚锾。又依该条例施行细则第二十四条规定:"本条例第八条第一项第四款、第五款之雇主未依本条例第十一条、第十二条之规定为劳工办理加入保险手续及其他有关劳工保险业务上必要之事务时,除依本条例第八十三条规定处理外,劳工因此所受之损失,由该雇主或团体比照本条例规定之给付标准负赔偿之责"[2] 此项规定对于保护劳工权益,甚属有利,但尚有二项缺点:一为负责之主体,仅限于该条例第一项第四款及第五款之雇主,范围过狭;二为任意被保险人愿意加入劳工保险,而雇主拒予办理者,本条无适用余地。

在此情形,发生一项问题,即受雇人因雇主未为其办理加入劳工保险,致于保险事故发生时,其本人或特定范围之亲属(参阅该条例第七十三条以下规定),无法依该条例请领保险给付,受有损害时,得否依民法一般原则,向雇主请求损害赔偿?最近,"最高法院"著有判决,认为雇主(公司)应依第二十八条规定,负侵权责任,殊值重视。本文拟对此具有重要社会意义之判决,试加评释,并另从劳动契约上附随义务之观点,建立雇主契约责任之理

---

[1] 据一九七五年度《工矿检查年报》(第十六页),在受检工厂一四、二九五厂,其中全部劳工参加劳工保险者,三、一九〇厂,占百分之二十二点三二;部分劳工参加劳工保险者,二、三九一厂,占百分之十六点七三;工人未参加劳工保险者,八、七三四厂,占百分之六十一点一零。
[2] 本条规定,具有实质重要性,似不宜在劳工保险条例施行细则中设其规定,应考虑移至劳工保险条例本身,始称妥当。

论基础。

二、侵权行为

一、一九七五年台上字第二二六三号判决

（一）事实

被上诉人为吉市制纸股份有限公司（简称吉市公司）之董监事，上诉人之被继承人黄维乾自一九六六年二月起任职为该公司之外务员后，被上诉人迄不按规定为黄维乾办理加入劳工保险手续，致黄维乾于一九七一年十二月二十一日在外执行职务时，被杀伤死亡，上诉人不能依劳工保险条例受领丧葬费及遗族津贴共新台币六万八千元等情，依第二十八条规定，求为命被上诉人连带赔偿该款及法定利息之判决。被上诉人则以：伊虽为吉市公司之董监事，但无不法侵害上诉人之权利云云，资为抗辩。

（二）原审判决

原审以第二十八条所谓法人之董事或职员，因执行职务而加于他人之损害应负赔偿责任者，指董事、职员之积极行为而言，不包括消极行为在内，从而被上诉人不为黄维乾办理加入劳工保险手续既为消极行为，上诉人即不得据以求偿，况黄维乾系因被他人杀害而死，与执行职务无关，上诉人不得请求保险给付。因将第一审所为上诉人败诉判决予以维持。

（三）"最高法院"判决理由

查第二十八条所谓"因执行职务所加于他人之损害"，并不以因积极执行职务行为而生之损害为限，如依法律规定，董监事负执行该职务之义务而怠于执行时所加于他人之损害，亦包括在内。又公司之职员，合于劳工保险条例第八条规定时，该公司应为之负责

办理加入劳工保险手续,如有违背,应受罚锾处分(劳工保险条例第十二条、第八十三条)。从而被上诉人如有义务为黄维乾办理加入劳工保险手续而怠于办理,致生损害于上诉人时,依上说明,尚难谓不应负责。又黄维乾被他人杀死,何以与执行职务无关,原审未予说明(如因职业竞争为同行忌妒杀死时,即难谓与职务无关),亦属判决不备理由。

二、分析检讨

第二十八条规定:"法人对于其董事或职员因执行职务所加于他人之损害,与该行为人连带负赔偿责任。"依通说,本条系规定法人之侵权能力,因此法人或其机关侵权责任之成立,尚必须具备侵权行为之基本要件。依第一八四条第一项规定:"因故意或过失不法侵害他人权利者,应负损害赔偿责任,故意以悖于善良风俗之方法加损害于他人者,亦同。"同条第二项规定:"违反保护他人之法律者,推定其有过失。"就本案而言,其所涉及之基本问题有二:其一,法人之董监事未为受雇人办理加入劳工保险,致其于保险事故发生时,不能依法请领保险给付者,是否系"因执行职务"而加损害于他人?其二,受害人(劳工或其特定范围之亲属)何种权益遭受侵害,第一八四条所规定之基本要件是否具备?

(一)董监事之职务行为

原审法院与"最高法院"判决最主要之争点,在于第二十八条所谓"因执行职务所加于他人之损害"是否亦包括消极行为在内。关于此点,"最高法院"采取肯定说,实堪赞同。盖侵权行为包括作为与不作为,依法律或契约对于被害人负有作为义务而不作为者,其不作为亦可成立侵权行为。在本案,吉市公司依劳工保险条例第八条规定,应为受雇人办理加入劳工保险,负有作为义务,实无疑义。

(二)被侵害之权益

法人侵权责任之成立,系以董事或职员执行职务之行为构成侵权行为，为其前提要件，因此应以第一八四条之规定，为判断基础，而其关键问题，在于被侵害权益之类型。

雇主未为受雇人办理加入劳工保险，受雇人于保险事故发生时，即不能请领保险给付。例如，劳工保险之被保险人遭遇意外伤害，因负伤不能工作，以致未能取得报酬，正在治疗中者，自负伤不能工作之第四日起，原得请求发给普通伤害给付（参阅劳工保险条例第四十三条），但由于雇主未为其办理劳工保险，致无法得到普通伤害补助费（该条例第四十五条）。在此情形，一般受雇人并无特定权利遭受侵害，仅系一般财产利益应增加而未增加，因而不能依第一八四条第一项前段请求损害赔偿。又第一八四条第一项后段虽以保护权利以外之法益为主要目的，但以行为人系以故意背于善良风俗加损害于他人为要件，雇主未为受雇人办理加入劳工保险，一般言之，尚难即作如此认定。

应特别检讨者，系第一八四条第二项规定之要件是否具备。关于第一八四条第二项规定之规范功能，学者见解尚不一致。王伯琦教授认为第一八四条第二项仅系举证责任之倒置，为保护被害人立法技术之运用而已[1]换言之，加害人之行为依第一八四条第一项规定，成立侵权责任，并同时违反保护他人之法律者，得依该条第二项规定，推定其有过失。反之，加害行为依第一八四条第一项行为不构成侵权行为者，即无第二项之适用，从而被侵权之法益，纵为被违反之"保护他人之法律"所保护，亦不构成侵权行为。

本文认为第一八四条第二项非仅为举证责任之规定，同时也是侵权行为之独立构成基本要件。换言之，凡违反保护他人之法律而侵害他人者，不论其所侵害之客体，系权利或一般法益，均构成侵权行为，此亦为多数学者之见解[2]在侵权行为法之体系上，第

---

[1] 王伯琦：《民法债编总论》，第七十五页。
[2] 梅仲协：《民法要义》，第一四一页；戴修瓒：《民法债编总论》，第一五三页；郑玉波：《民法债编总论》，第一五四页。

一八四条第二项，具有二项功能：一为其保护之客体，包括权利及一般法益；一为推定行为人有过失。兹举例以明之。甲占有乙物，被丙侵夺，甲之占有，仅为事实上之管领力，非属权利，故丙之侵害甲之占有，不能依第一八四条第一项前段成立侵权行为，惟民法设有保护占有之规定，故丙之行为系违反保护他人之法律，应依第一八四条第二项规定构成侵权行为，其过失并由法律推定。[1] 要言之，台湾侵权行为法系从被侵害权益保护必要性之观点，建立侵权责任体系结构，其目的在于适当平衡加害人行为之自由、被害人之利益及社会安全。此为台湾侵权行为法之基本特色。俟后再著专文，详为论述。

在本案，依王伯琦教授对第一八四条第二项之解释，雇主未为其受雇人办理加入劳工保险时，因非系侵害权利，能否构成侵权行为，不无疑问。依本文之见解，则应视"劳工保险条例"关于劳工加入保险之规定，是否属于保护他人之法律而定。

关于何谓保护他人之法律，学者多采取广义解释，认为公私法皆包括在内，其主要者有刑事法规（例如关于窃盗罪、诽谤罪、诈欺罪、妨害秘密罪）、警察法规（例如关于违警罚法）、民事法规（例如关于保护占有之规定）。[2] 至于劳工保险条例是否为第一八四条第二项所称之保护他人之法律，学说上似未讨论，惟"最高法院"著有判决，认为工厂法系属于保护他人之法律。[3] 依本文见解，基于劳工保险条例保护劳工之基本目的，应认为其系

---

[1] 梅仲协：前揭书，第一四一页；史尚宽：前揭书，第一三一页；郑玉波：前揭书，第一五四页。

[2] 梅仲协：前揭书，第一四一页；史尚宽：前揭书，第一五五页；郑玉波：前揭书，第一五四页。

[3] 一九六七年台上字第五四〇号民事判决："童工不得从事有危险性之工作，每日工作时间不得超过八小时，不得于午后八时至翌晨六时之时间内工作，此为'工厂法'第七条第七款、第十一条、第十二条分别明文规定者。上诉人违反上述'工厂法'规定，令被上诉人于夜间八时三十分加班，故被上诉人被机器压断拇指，依第一八四条第二项规定，推定上诉人有过失。"

属于"保护他人之法律",而劳工及其受益人,即为受其保护范围之人。在本案,"最高法院"是否采此见解,固不得而知。依吾人所信,惟有采此见解,本案判决始有正当之法律依据。[1]

三、契约责任

一、概说

民事责任除侵权责任外,尚有契约责任,二者构造形态不同,无论在成立之要件、举证责任、赔偿范围、抵消及时效方面,均有差异。[2] 对于被害人,一般言之,以主张债务不履行,较为有利,尤其是在成立要件、举证责任方面。就成立要件言,在侵权行为,雇用人得证明选任受雇人及监督其职务之执行已尽相当之注意或纵尽相当之注意,而仍不免发生损害,以免其责任(第一八八条第二项);反之,在契约责任,依第二二四条规定,债务人就其代理人或使用人,关于债之履行有故意或过失时,应与自己之故意或过失同视。再就举证责任言,依一般举证原则,侵权行为之被害人应证明行为人之过失;反之,在契约责任,被害人仅须证明债务之不履行,乃受有损害,即为已足。劳工与雇主具有契约关系,为劳动契约之当事人,此二项主张契约责任之优点,对受雇人之保护,较为有利。因为关于雇主未为受雇人办理加入劳工保险,是否构成契约责任,不仅是理论上有趣之问题,在实务上亦极为重要,殊值研究。

二、劳动契约之法律性质

所谓劳动契约(或称工作契约),依劳动契约法第一条之规

---

[1] 雇主为法人者,应适用第二十八条及第一八八条规定;若雇主非为法人者,则其应依第一八四条及第一八八条规定,负侵权责任。

[2] 参阅拙著:《民法学说与判例研究》第一册。

定，系指当事人之一方，对于他方在从属关系提供其职业上之劳动力，而他方给付报酬之契约。[1] 就其法律性质而言，劳动契约系属一种法律行为、债权契约、双务契约、雇佣契约。此外，劳动契约尚具有二个基本性质：其一，劳动契约系一种继续性之契约关系（Dauerschuldverhältnis），在其存续期间，债务内容继续不断的实现，因此在当事人间发生一种特别依赖关系。其二，劳动契约特别强调人格性，劳动关系不仅是以"劳力"与"报酬"之交换为核心而建立之财产关系，同时也具有人格上之特性；劳力不是商品，劳动者人格之尊严及合理之生存条件，应受尊重与保护。此二项劳动契约之基本特色，对于决定当事人间之权利义务，至为重要，并构成劳动契约上附随义务之理论基础。

三、劳动契约上之附随义务

（一）一般理论

在契约关系，当事人间负有给付义务（Leistungspflicht）。给付义务系契约关系上最基本义务，决定契约之类型。例如当事人约定一方于一定或不定之期限内为他方服劳务，而他方支付报酬者，是为雇佣契约；若一方之提供劳务，系以完成一定工作为目的，而他方俟工作完成后支付报酬者，是为承揽契约；若当事人约定，一方委托他方处理事务，他方允为处理者，是为委任契约。给付义务须自始确定或可得确定，否则契约即属无效，债务人不履行给付义务时，债权人得请求履行或损害赔偿。然而应注意的是，契约关系系一种有机体（Organismus），在其发展过程中（Prozess），依具体情况，尚产生照顾、通知、保护、协力、忠实、保守秘密等义务。[2] 此等义务群，在德国称为 Nebenpflicht 或 Weitere Verhaltenspflicht,[3]

---

[1] 劳动契约法于一九三六年十二月二十五日公布，迄未施行。
[2] 参阅 Esser/Schmidt, Schuldrecht, Allgemeiner Teil, Teilband 1, 5. Aufl. 1976, S. 29f.；Larenz, Schuldrecht I, 11 Aufl. 1976, S. 93f.，116.
[3] Esser, aaO. S. 39f; Larenz, aaO. 7ff.

在台湾，学说上有称为从义务，有称为附随义务。[1] 第二十九条规定之诚实信用原则，系契约关系上附随义务之依据。盖契约关系，系一种依赖关系，既如上述，当事人基于诚信原则，负有特定作为或不作为之义务，积极地使债权能够圆满实现，消极地避免使当事人人身或财产法益不因债之履行而遭受损害也。契约当事人之一方违反契约上之附随义务，致他方受有损害时，应负债务不履行（不完全给付、加害给付）之损害赔偿责任。[2]

(二) 受雇人之附随义务

劳动契约系属一种继续性、具有强烈信赖性之特别结合关系，因而也产生了众多附随义务。在受雇人方面，其主要者有通知义务（例如发现有人潜入工厂实验室盗窃文件者，应即报告雇主），注意义务（例如于精密之机器，应特别小心保管）、保守秘密之义务（例如不泄露雇主业务上之机密）、不从事营业竞争之义务（例如药厂之技师不得私自经营同一事业）。诸此义务在学说上概括称为受雇人之忠实义务（Treupflicht）。[3] 受雇人忠实义务之范围及程度，依劳动关系之性质及种类而定，例如矿业与工业劳动者为最薄，事务员稍厚，而家庭雇用人最厚。[4]

(三) 雇用人之附随义务

受雇人处于从属地位，被纳入企业组织之内，服从雇主之指挥监督而提供劳务，因此雇主对其负特定之保护照顾义务（Fürsorgepflicht）。[5] 其主要者有：注意工地安全卫生，以保障受雇

---

[1] 参阅蔡章麟："论诚实信用原则"，《社会科学论丛》（一九五〇年）第一辑，第十五页；梅仲协：前揭书，第二二四页。

[2] 参阅 Stürner, Der Anspruch auf Erfüllung von Treue – und Sorgfaltspflichten, JZ1975, 384.

[3] Hueck/Nipperdey, Lehrbuch des Arbeitsrechts, Erster Band, 1963, S. 237ff.；史尚宽：《劳动法原论》，世界书局，一九三四年，第二十三页，三民书局。

[4] 史尚宽：《劳动法原论》，第二十三页。

[5] Hueck/Nipperdey, S. 390f.

人身心之健康；对于受雇人携带至工地之物品，应注意保管，以免遭受损害；对于离职工人，应给予证明书；对于受雇人应给予适当之休假；受雇人对于劳务提供本身具有特别利益者，例如优伶之参加演出，雇主亦负有使用义务（Beschäftigungspflicht）。[1] 应特别强调的是，为受雇人办理加入劳工保险，亦属雇主之附随义务。

四、雇主为受雇人办理加入劳工保险之义务

依劳工保险条例第十二条规定，雇主有为该条例第八条所定范围之劳工，办理加入劳工保险之义务。雇主违反此项义务者，应依该条例第八十三条规定，受罚锾处分。劳工保险条例属行政法，雇主所负之义务，对主管机关言，系属公法义务，惟保护劳工之立法，亦具有私法上之效力。[2] 此可分二方面言之。首先，保护劳工立法，依其性质得为第一八四条第二项所称"保护他人之法律"，雇主违反之者，对于被害人应负侵权责任。关于此点，前已详述。其次，保护劳工立法，亦得形成劳动关系之内容。基于劳动关系之本质及诚实信用原则，为受雇人办理加入劳工保险，系雇主在劳动契约上所应负之附随义务。[3] 又受雇人虽非强制被保险人，但愿意加入劳工保险时，雇主亦有办理之义务，其因可归责于雇主之事由未予办理，致受雇人或其他得依劳工保险条例请求保险给付之受益人，受有损害时，雇主应负债务不履行之赔偿责任。关于损害赔偿之范围，原则上应包括保险事故发生时所得请求之保险给付，但似应扣除受雇人依法所应负担之保险费。至若有应由受雇人负责之事由，致雇主未能为其办理加入劳工保险者，应适用与有过失之规定，减免雇主之赔偿金额（参阅第二一七条），自不待言。

---

[1] 史尚宽：《劳动法原论》，第四十五页。

[2] Nipperdey, Die privatrechtliche Bedeutung des Arbeitschutzrechts, in: Die RGPraxis im deutschen Rechtsleben, Bd. 4, 1929, S. 203.

[3] Zöllner, Arbeitsrecht, 1977, S. 205.

四、结　论

　　雇主未为受雇人办理加入劳工保险，损害劳工权益至巨，如何加以救济，至属重要。一九七五年台上字第二二六三号判决，认为应适用第二十八条规定，使雇主（公司）与董监事连带负损害赔偿责任。本文基本上亦赞同此项见解，惟特别指出劳工保险条例系属第一八四条第二项所称"保护他人之法律"，并强调此为雇主侵权责任之法律依据。又本文另从劳动契约之本质，探讨契约上附随义务之理论，认为在劳动契约上雇主有为受雇人办理加入劳工保险之义务，并于债务不履行时，对受雇人所受之损害应负赔偿责任。此项雇用人契约责任之建立，对于劳工损害赔偿请求之主张，当有助益。

　　最后，应附带说明者，劳动契约法虽早于一九三六年十二月二十五日公布，但迄未施行，查其内容，不适合时代之需要者，尚属不少，似有重新研拟之必要。现行民法关于雇佣契约，仅设八条规定（第四八二条至第四八九条），堪称简陋，不脱个人自由主义色彩。工厂法本身缺漏甚多，适用范围又仅限于使用发动机器之工厂（该法第一条）。处此情势，为加强保护劳工权益，吾人应致力阐明劳动关系上附随义务之概念，探讨其内容，建立完整理论体系，并在实务上适当地加以解释适用，深信对于充实劳动契约之内容，促进劳动契约之社会化，必有重大之贡献。本文所以特别强调，雇主有为受雇人办理加入劳工保险之契约上附随义务，其目的亦在于此。

慰 抚 金

一、序 说

损害赔偿是民法上最重要之制度。损害可分为二类：一为财产上损害；一为非财产上损害。在现代物质文明社会，财产上损害及其赔偿，向为各国法制之重心及学术研究之对象。[1] 至于非财产上损害，近数十年因个人人格自觉，逐渐受到重视，惟因其具有特殊性格，许多基本问题，尚无明确解答。举其大要者而言，例如何谓非财产上损害？被害人就其所受之非财产上损害，在何种情形，得请求赔偿相当之金额（慰抚金）？慰抚金之法律性质若何，具有何种功能？慰抚金如何量定，始称相当？何种情事应予斟酌？慰抚金赔偿数额概况如何，是否合理？关于诸此问题，学者之论述，尚不多见，因是特整理"最高法院"历年判决，参酌外国学说，试作较详尽之讨论，以为研究此问题者之参考。[2]

---

[1] 参阅 Mertens, Der Begriff des Vermögensschadens im Bürgerlichen Recht, 1976；Keuk, Vermögensschaden und Interesse, 1972. 关于损害赔偿之基本重要专论，参阅何孝元：《损害赔偿之研究》；曾世雄：《损害赔偿法原理》。

[2] 参阅拙著："人格权之保护与非财产损害赔偿"，《民法学说与判例研究》第一册；施启扬："关于侵害人格权时非财产上之损害赔偿制度之修正意见"，《法学丛刊》第八十三期（一九七六年九月），第三十一页；林荣耀："通奸事件的非财产上损害赔偿"，《军法专刊》第十二卷第八期（一九七六年八月），第十二页；孙森焱："论非财产上损害之赔偿"，《法令月刊》第二十九卷第四期（一九七八年四月），第六页；张木贤："精神慰藉金之商榷"，《司讯》第三五八期。

二、非财产上损害与慰抚金之意义

一、非财产上损害之意义

损害者,简单言之,系指权利或法益遭受侵害所生之损失[1]。如前所述,损害可分为财产上损害和非财产上损害二类。此项分类,极为重要,因为在现行法上,关于非财产上损害,以法律有特别规定者为限,始得请求相当金额之赔偿(慰抚金)。因此,何谓非财产上损害,宜先行究明。

所谓财产上损害,系指损害具有财产上之价值,可以金钱加以计算者而言。财产上损害之发生,多由于个别财产法益(物、无体财产权)之毁损灭失,或其使用收益被剥夺;但亦有由于债务不履行,人格或身份法益遭受侵害而生之一般财产之减少,例如债务人未能如期交货,致债权人工厂生产停顿,遭受损失;甲拐诱未成年子女乙离家出走,父母为寻找子女所支出之费用,均属财产上之损害。

关于非财产上损害之意义,"最高法院"曾数著判决,加以阐释。一九五三年台上字第八六四号判决谓:"非财产上之损害,原非如财产损害之有价格可以计算,究竟如何始认为相当,自得由法院斟酌情形,定其数额。"又一九五六年台上字第六五六号判决谓:"被殴成伤是否因而受有精神上之痛苦,原难仅以伤势重轻为惟一之准据,如有其他损害亦并应斟酌及之。"又一九五九年台上字第一九八二号判决谓:"非财产上损害之慰藉金,固非如财产损失之有价额可以计算,但仍应以被害人所受之苦痛为准据。"又一九六一年台上字第一一一四号判决(判例)谓:"受精神之损害得请求赔偿,法律

---

[1] 关于损害之概念(Schadensbergriff),最近甚有争论。请参阅 Mertens, aaO.; Keuk aaO.; 曾世雄:前揭书,第二十七页以下。对此问题,俟后再著专文详论。

皆有特别规定,如第十八条、第十九条、第一九四条、第一九五条、第九七九条、第九九九条等是。"

综据上述判决,可知在实务上似倾向认为非财产上损害系等于精神上之痛苦,而其基本特色乃在于没有价额可以计算。此项见解,原则上可值赞同。所应提出补充说明的是,非财产上损害,虽以精神痛苦为主要,忧虑、绝望、怨愤、失意、悲伤、缺乏生趣,均为其表现形态,但尚应包括肉体上之痛苦在内。名誉遭受侵害者,被害人多仅生精神上之痛苦,但身体被侵害者,依其情形,亦会产生肉体之痛苦。精神与肉体,均系不具有财产上价值,其所受之痛苦,应同属非财产上损害。[1]

又再须说明者,法人名誉遭受侵害时,是否得主张受有非财产上损害,请求慰抚金?对此问题,"最高法院"著有判决,采取否定说。按在一九七三年台上字第二八〇六号判决一案,被上诉人百福奶品股份有限公司(以下简称百福公司)于一九七二年十二月十八日在台北市《大华晚报》刊登广告(即启事)谓:"本公司门市部前销售之百乐冰淇淋并附带兼销百乐蛋糕,因供应不能配合本公司需要,常受各客户指责批评。"因足以毁损上诉人(百乐公司)之名誉及营业信用,业经刑事判处百福公司经理吕政雄妨害名誉罪刑确定在案。上诉人请求命为被上诉人等在各该晚报第四版刊登道歉启事两天回复其名誉,并给付新台币五十万元慰藉精神名誉损害之判决。原审法院(高等法院)除判令百福公司于原登载广告之《大华晚报》、《民族晚报》及《自立晚报》刊登如原判主文附表所示之启事以回复上诉人之名誉外,关于上诉人请求被上诉人连带给付五十万元精神慰藉金一节,则"以公司系依法组织之法人,仅其社会价

---

[1] 此为德、奥、瑞等国之通说,参阅 Lieberwirth, Das Schmerzensgeld, 3. Aufl., 1965, S. 20; Koziol, Österreichische Haftpflichtrecht, Bd. I, Allgeneiner Teil, 1973, S. 173f.; Oftinger, Schweizerisches Haftpflichtrecht I, 1969, S. 254f. 关于日本法,请参阅加藤一郎:《不法行为法》(增补版),"法律学全集" 22 - Ⅱ,昭和52年,第228页以下。

值与自然人相同而已。其名誉遭受损害，无精神痛苦之可言，登报道歉已足回复其名誉，自无第一九五条第一项规定，请求精神慰藉金之余地，上诉人请求被上诉人连带给付五十万元，俾慰藉精神上之损害，难谓有据"，因而驳回上诉人之请求。"最高法院"认为此项判决，于法并无不合。此项见解，原则上可堪赞同。

二、慰抚金之意义

关于非财产上损害，被害人得依法律规定，请求赔偿相当之金额，德国民法上称之为 Billige Entschädigung in Geld（相当金钱赔偿，德国民法第八四七条），在判例学说上多称为 Schmerzensgeld（痛苦金）。在瑞士法上称 Genugtung（慰抚）或 Genugtung in Gestalt der Geldleistung（金钱给付之慰抚）（参阅瑞士民法第二十八条、瑞士债务法第四十七条）。在日本判例学说上则称为慰谢料。

其在台湾，非财产上损害之金钱赔偿之规定系兼采瑞德二国立法例，有时称为慰抚金（参阅第十八条第二项），有时称为"请求赔偿相当之金额"（参阅第一九四条、第一九五条、第九七九条、第九九九条、第一〇五六条）。在法院实务上向称"慰藉费（金）"，又在妨害风化案件，报章杂志则多称为遮羞费。就同一事物，共有四种概念用语，甚见分歧。

"慰抚金"系法律用语，文义显明，最值采取。"请求赔偿相当金额"未足表示非财产上损害金钱赔偿之特色，是其缺点。慰藉费（金）一词虽渊源有自，但终非法律用语。至于遮羞费，原指妇女遭人污辱，羞见世人，特以金钱遮之，其义私而鄙，殊不宜采，盖应感羞耻者，系加害人而非被害人也。惟纵采此解释，认为遮羞费者系加害人行为卑鄙，支付金钱以遮己羞，然既非法律用语，适用范围狭小，诚不若慰抚金之典雅也。

综据前述，关于非财产上损害及慰抚金之意义可归纳为三点：

（1）任何权益遭受侵害，无论其为财产权或非财产权，依其情形，可发生财产上损害及非财产上损害。非财产权（人格权、身份权）与非财产损害，意义不同。侵害财产权（例如传家名画）者，依其情形，亦得发生非财产上损害（被害人精神痛苦）；侵害非财产权（例如名誉）者，依其情形，亦得发生财产上损害（收入减少）。

（2）所谓非财产上损害，抽象言之，系指权益受侵害，致被害人在非财产上价值遭受损失而言；就其具体内容而言，是为精神或肉体痛苦，其基本特色，在于不可以金钱价额予以计算。

（3）慰抚金者，指系就权益被侵害所生非财产上损害（即精神或肉体痛苦），所支付之相当数额之金钱，旨在填补被害人所受之损害及慰抚其痛苦。

三、请求慰抚金之法律依据

一、法律规定

（一）现行规定

关于财产上损害，负赔偿义务者，除法律另有规定或契约另有订定外，应回复他方损害发生前之原状（第二一三条），不能回复原状，或回复原状有困难时，应以金钱赔偿之。至于非财产上损害，负损害赔偿责任者，依法亦应回复他方损害发生前之原状，例如侵害他人名誉权者，应登报陈明事实，并表示道歉。然一般言之，精神或肉体之痛苦多不能回复原状，或回复原状显有重大困难。在此情形应否以金钱赔偿，实为立法政策上重大困难之问题。各国（地区）法律多设有限制。德国民法第二五三条规定："非财产上损害，以法律有规定者为限，得请求赔偿相当金额"，又瑞士民法第二十八条亦明定："关于非财产损害赔偿，仅于法律设有规定时，始得请求"。台湾现行民法未设相当条文，仅于第十八条第二项规定："人格权受侵害时，以法律有特别规定者为限，得请求慰抚金"，但判例学说均据此而推论，一致语为"关于非财产上损害，除法律有规定者外，不得请求慰抚金"。[1]

所谓法律特别规定，被害人得请求慰抚金者，计有五种情形：其一，不法侵害特别人格权。依第一九五条规定，不法侵害他人之身体、健康、名誉或自由者，被害人虽非财产上之损害，亦得请求赔偿相当之金额。其二，致人于死。依第一九四条规定，不法侵害他人致死者，被害人之父、母、子女及配偶，虽非财产上之损害，亦得请求赔偿相当之金额。其三，违反婚约。依第九七九条规定，婚约当事人之一方，无第九七六条之理由而违反婚约者，他方因此所受之非财产上损害，亦得请求赔偿相当之金额，但以受害人无过失者为限。其四，结婚无效或被撤销。依第九九九条规定，当事人之一方因结婚无效或被撤销而受有非财产上之损害者，得向有过失之他方请求赔偿相当之金额，但以受害人无过失者为限。其五，判决离婚。依第一〇五六条规定，夫妻之一方因判决离婚而受有非财产上损害者，得向有过失之他方，请求赔偿相当之金额，但以受害人无过失者为限。

（二）立法理由

关于非财产上损害之金钱赔偿（慰抚金），台湾系采列举主义，须法律有特别规定，始可请求，已如上述。此项限制之立法理由，可归纳三点说明之：

（1）非财产损害，事涉被害人主观感情，是否发生，其范围如何，客观上难以判断。故仅择其重要类型加以规定，否则被害人动辄请求金钱赔偿，加害人诚有不堪负担之虞。

（2）非财产损害，对于个人而言，其利害关系不若财产上损害严重，纵不予金钱赔偿，亦被认为尚无大碍。

---

[1] 胡长清：《民法债编总论》，第二五八页；郑玉波：《民法债编总论》，第二〇二页；曾世雄：前揭书，第四十五页；一九六一年台上字第一一一四号判决（判例）谓："受精神之损害得请求赔偿，法律皆有特别规定，如第十八、十九、一九四、一九五、九七九、九九九条等是。"

(3) 广泛承诺慰抚金，难免会贬低人格价值，使其趋于商业化。此为德国民法不承认名誉权受侵害时得请求金钱赔偿之主要理由。[1]

二、判例法上之发展

（一）判决概况

关于非财产损害，非有法律特别规定，不得请求慰抚金，就立法当时之法学思潮及社会状况观之，固有相当理由，但由于工艺进步，社会变迁，侵害人格利益事件，层出不穷，日益严重。在此情势下，如何适当解释适用法律，加强对人格利益之保护，实为法院所面临之重要任务。综观数十年来"最高法院"判决，可分为二类：一为就特定案例否定被害人之慰抚金请求权，一为扩张现行法上得请求慰抚金之案例。兹分别说明之。

1. 否定之判决

依第一○八四条规定，父母对于未成年之子女，有保护及教养之权利，学说上称之为父母对未成年子女之监督权。此项权利受侵害时，就其财产上之损害，被害人得请求赔偿，虽无疑义，但关于非财产上之损害，得否请求赔偿相当之金额，甚有争论。对此问题，"最高法院"一向采取否定说，兹举数则判决如下：

一九六一年台上字第一一一四号判决（判例）："查精神之损害，得请求赔偿者，法律皆有特别规定，如第十八条、第十九条、第一九四条、第一九五条、第九七九条、第九九九条等是。未成年之女被人诱奸，其父母除能证明因此受有实质损害，可依第二一六条请求赔偿外，其以监督权被侵害为词请求给付慰抚金，于法究非有据。此为最近之见解。"

一九六四年台上字第五四○号判决："以受精神上之损害（即非财产上之损害）为原因请求赔偿者，限于法律有特别规定者始得为

---

[1] 笔者于一九六六年在德国慕尼黑大学选修 Wolfgang Kunkel 教授（举世闻名之罗马法学者）之债法时，曾听 Kunkel 教授谓，名誉受侵害时，依德国人传统节操，应拔剑而斗；请求金钱赔偿，乃自取其辱也。

之,未成年之女被诱奸,致失贞操,该被害之女子,固得依第一九五条第一项之规定,对加害人请求赔偿非财产上之损害,但其母请求赔偿,则于法无据。"

一九六八年台上字第三五八〇号判决:"意图奸淫和诱未满二十岁之女子脱离家庭,系侵害有监督权人之监督权,而监督权既非身体、名誉或自由等人格权可比,自亦无适用第一九五条第一项规定,请求非财产上之损害之余地,此外复无其他法条可为监督权受侵害得请求赔偿非财产上损害之依据。"

一九六九年台上字第五一二号判决:"被上诉人引诱未成年人脱离家庭,为父母之上诉人所被侵害者,仅其监督权,第一九五条规定被害人得请求非财产上之损害赔偿相当金额者,以身体健康、名誉或自由受不法侵害者为限,父母对子女之监督权被侵害,既不在其列,上诉人请求赔偿慰抚金,即乏依据。"

2. 肯定之判决

(1) 姓名权。第十九条规定:"姓名权受侵害时,得请求法院除去其侵害,并得请求损害赔偿。"就该条文义与第十八条比较观之,姓名权被侵害时,被害人似无慰抚金请求权,学者多采此见解。惟一九六一年台上字第一一一四号判决(判例)谓:"查精神之损害,得请求赔偿者,法律皆有特别规定,如第十八条、第十九条、第一九四条、第一九五条、第九七九条、第九九九条等是",系采肯定说,似甚显然。

(2) 诈骗离婚。一九四〇年上字第七四〇号判决(判例)谓:"上诉人明知被上诉人之所在,竟主使被上诉人之夫甲以生死不明已逾三年为原因,诉请离婚,并用公示送达之方法,使被上诉人无法防御因而取得离婚之判决,致被上诉人受有精神上之损害,对于被上诉人自应负赔偿责任。"

(3) 容留有夫之妇与人通奸。一九六三年台上字第二二五号判决谓:"本件上诉人系在花莲市开设满春园妓女户,曾于一九六〇年五月十五日留被上诉人等之妻陈吴玉娇、陈林秀美,陈林雪月与人奸淫，翌日即经被上诉人等赶至，由'管区派出所'派警员前往带回，并经刑事法院判处上诉人对于军人之妻意图营利，容留良家妇女与他人奸淫罪刑确定在案，均为不争之事实，被上诉人本于第八一四条之规定，而为上诉人应赔偿相当金额之请求。上诉人虽以其不知陈吴玉娇等系有配偶之军眷，及被上诉人等亦非被害人为抗辩。第按容留有夫之妇与人奸淫，依社会一般观念，既不得谓非有以违背善良风俗之方法加损害于人之故意，而被上诉人等均为现役军人，则其因此受有非财产上之损害，自非不得依据第一八四条第一项，请求赔偿。"

（4）干扰婚姻关系。配偶与人通奸，他方配偶就其所受非财产上损害，得否请求慰抚金，"最高法院"著有甚多判决，向采取肯定说，兹举代表性之判决二则如下：

一九五二年台上字第二七八号判决（判例）："民法亲属编施行前之所谓夫权，已为现行法所不采，故与有夫之妇通奸者，除应负刑事责任外，固无所谓侵害他人之夫权。惟社会一般观念，如明知为有夫之妇而与之通奸，不得谓非有以违背善良风俗之方法，加损害于他人之故意，倘其夫确因此受有财产上或非财产上之损害，依第一八四条第一项后段，自仍得请求赔偿。"

一九七一年台上字第四九八号判决："按婚姻关系以夫妻之共同生活为其目的，配偶应互相协力保持其共同生活圆满安全及幸福，而夫妻互守诚实，系为确保其共同生活圆满安全及幸福之必要条件，故应解为配偶因婚姻契约互负诚实之义务（即贞操义务），如果配偶之一方为不诚实之行动，破坏共同生活之平和安全及幸福者，则为违背因婚姻契约之义务，而侵害他人之权利，易言之，妇固对夫有守贞之义务，即夫对妇亦然，上诉人上开行为，既已违背婚姻义务，侵害被上诉人之权利，其为权利被侵害之救济，依第一八四条第一项后段规定，仍得请求相当之慰抚金。"

（二）分析检讨

1. 价值判断

综据前述判决,"最高法院"致力于创设新的请求慰抚金之案例,就加强保护人格利益及非财产价值观点言,应值赞同。然应提出讨论者,系其一方面认为"奸淫他人未成年子女者,被害人之父母就其所受之精神痛苦,不得请求慰抚金";另一方面认为"与他人配偶通奸者,被害之他方配偶就其所受精神痛苦,得请求慰抚金"。二者区别标准何在,未曾说明。依吾人所信,较为合理之解释是,夫妻关系密切,具有较强之人格利益,有特为保护之必要。反之,父母与子女的关系虽亦密切,但尚未到使父母就所受精神痛苦得请求慰抚金之程度。

2. 判决理由构成

判决一方面认为,精神受痛苦之得请求慰抚金,以法律有特别规定者为限(第十九条、第一九四条、第一九五条、第九七九条、第九九九条);另一方面又认为与有配偶之人通奸或留宿有夫之妇与人通奸,不能谓非有以违背善良风俗之方法加损害于他人之故意,被害人因此所受之非财产上损害,自非不得依第一八四条第一项(后段),请求赔偿。此前后二项判决理由,显有矛盾,盖"最高法院"本身及学者通说均不认为,第一八四条第一项后段属于得请求慰抚金之法律特别规定也。依"最高法院"之见解而推论之,则凡以故意违背善良风俗方法加损害于他人者,被害人就一切非财产上损害,均得请求慰抚金矣,固不限于干扰婚姻关系之案例而已。所以适用第一八四条第一项后段,查其原意,无非在使干扰婚姻及留宿妇女与人通奸等特殊事例之非财产上损害金钱赔偿有法律上之依据而已,不料却因此创设了一项基本原则,根本改变了"现行损害赔偿法之基本体制";目的与方法,显失平衡,殊不足采。依本文见解,促进法律进步之方法,或是扩张解释现行法规定(例如认为干扰他人婚姻者,系侵害名誉),或是类推适用现行规定。除非"最高法院"意图根本性地改变请求慰抚金之法律基础,否则第一八四条第一项后段之适用，在方法论上，显有商榷余地。[1]

四、慰抚金之法律性质与功能

关于非财产上损害，依法律规定，在特定情形，被害人得请求相当金额之赔偿（慰抚金）；为加强保护人格利益及非财产价值，"最高法院"逐渐创设得请求慰抚金之类型，前已详论。兹应再作进一步探讨者，系慰抚金之法律性质及功能。

关于慰抚金之本质，一般民法教科书多未详论，实务上则有若干判决，可供参考。例如一九一九年私上字第七十七号判决谓："慰藉费固为广义赔偿之性质，究与赔偿物质有形之损害不同，赔偿物质有形之损害，例如医药费、扶养费皆是。而慰藉费则系以精神上所受无形之苦痛为准据。若仅就被害人或其家属精神上所受无形之苦痛判给慰藉费，自应审核各种情形，例如被害人之地位、家况及其与该家属之关系，并加害人或其承继人之地位资力均应加以斟酌。"[2] 又一九五八年台上字第一四一六号民事判决谓："赔偿慰藉金固为广义赔偿之性质，然究与赔偿有形之损害不同，故赔偿慰藉金非如赔偿有形损害之有价额可以计算，因此究竟如何始认为相当，自得由法院斟酌各种情形，定其数额。"由上述二则判决可知，关于慰抚金，实务上有二点基本认识：一为非财产上损害之慰抚金与财产上损害之金钱赔偿，性质不同。二为慰抚金数额之计算，有特殊之标准及应斟酌之因素。

"最高法院"仅指出，慰抚金"固为广义赔偿之性质，然究与赔偿有形之损害不同"，尚未能充分说明慰抚金之法律性质及功能。依

---

[1] 参阅拙著："干扰婚姻关系与非财产上损害赔偿"，《中兴法学》第十三期（一九七六年五月），第一页。
[2] 参阅胡长清：前揭书，第一八七页（注3）。

本文见解，慰抚金系一种特殊损害赔偿，兼具二种功能：一为填补损害，一为慰抚被害人因法益遭受侵害所受之痛苦。

一、填补损害

慰抚金，系于非财产上损害，不能回复原状或回复原状显有困难时，对被害人所支付之金钱。论其本质亦属损害赔偿，与财产上损害之金钱赔偿并无不同，从而亦具有损害赔偿所具有之基本机能。

在现行法上，损害赔偿义务之发生，原则上系以过失为责任要件，虽含有对过失行为加以非难之意思，惟不得据此而认为损害赔偿系对于"不法行为本身之制裁"。一则因为民事损害赔偿责任，有不以过失为要件者；二则因为在现行法上，损害赔偿之范围，并不斟酌加害人过失之轻重。[1] 对于不法行为之制裁系刑法之基本任务，民事损害赔偿之基本功能，则在于填补损害。

依上所述，慰抚金之基本功能在于填补损害，因此民法上损害赔偿之基本原则"无损害，无赔偿"自有适用之余地。一九六〇年台上字第四八九号判决亦采此见解，略谓："民法亲属编施行后，夫权制度已不存在，明知有夫之妇而与之通奸，对其夫应负赔偿责任，系以家室和谐因此破坏、使其夫在精神上不免感受痛苦之故。若夫已纳妾，与其之感情本不融洽，则家室和谐并非因其妻与人通奸而破坏，其夫既无所谓受非财产上之损害，自无请求赔偿可言。"此见解应值赞同。

在实务上，常有被害人因遭受侵害而失其知觉者。在此情形，是否亦得请求精神或肉体痛苦之慰抚金，不无疑问。在瑞士 Luzern 高等法院判决一案，原告系一具有通常智能之孩童。于某次意外事故中，脑部伤害严重，机能丧失，法院认为，就瑞士债务法第四十七条所规定之慰抚金而言，被害人对其被侵害具有知觉（Bewusstsein der Beeinträchtigung）并非必要。[2] 此项判决深具启示

---

[1] 参阅 Larenz, Schuldrecht I, 11 Aufl. 1976, S. 344f.
[2] Schweigezische JZ 69, 297.

性，殊具参考价值。

二、被害人之慰抚

非财产损害之金钱赔偿，除具有填补损害基本功能外，是否尚有其他功能？又此项功能与填补损害之功能又具有何种关系？此项问题，在瑞、德二国讨论热烈。台湾关于非财产损害制度，系兼采瑞、德二国立法例，彼邦判例学说自有征引参考之价值。

(一) 瑞士法

一九〇七年瑞士民法制定时，虽希望广泛承认非财产损害金钱赔偿请求权，以加强人格权之保护，但却顾虑到二方面不同之意见：一是报纸深恐报导自由受到限制，增加累讼；二是德国学者警告，以金钱赔偿精神上损害，将使人格价值商业化。因此，立法者特于瑞士民法第二十八条规定，仅于法律特定之情形，始得请求慰抚金：❶姓名权受侵害；❷违反婚约；❸离婚；❹确认生父之诉有理由。此外，依瑞士债务法第四十七条规定："对于致死或伤害，法院得斟酌特殊事情，许给被害人或死者之遗族，以相当金额之赔偿。"然而最重要者，是瑞士债务法第四十九条第二项规定：人格关系受侵害时，其侵害情节及加害人过失重大者，被害人得请求慰抚金。

为理解瑞士法上关于非财产上损害赔偿制度，必须辨明 Schadensersatz 及 Genugtung 此二项基本概念。Schadensersatz 系专指财产上损害赔偿；Genugtung 是指对非财产上损害赔偿，其方式有回复原状 Naturalleistung（例如公布法院判决），及支付金钱（Leistung einer Geldsumme als Genugtung）。

一九〇七年瑞士民法及一九一一年修正之瑞士债务法首次采用 Genugtung。此项概念系基于瑞士法学家 Burckhard 氏之建议，[1] 并受 Jhering 及 Degenkolb 二位德国学者之影响。Jhering 氏及 Degenkolb

---

[1] ZRS 22 (1903) 469 ff.

氏均认为 Genugtung 是一种独立责任原则，介于损害赔偿与刑罚之间。[1] Degenkolb 特别强调非财产上损害不能以金钱计算，认为其所以赋予被害人以金钱利益者，旨在恢复被干扰精神之平衡。Burckhard 氏接受此种思想，并进一步阐明瑞士民法上 Genugtung 之特色及其与刑罚（Strafe）之不同。在刑罚，被害人之满足（Satisfikation），系次要之反射作用，但在非财产损害，Genugtung（慰藉，慰抚）则系法律所欲直接实现之目的，"相当金额"仅是达成此项目的之手段而已；在刑罚，其目的使加害人遭受创伤，Genugtung 则在医疗被害人之创伤。依此见解，赔偿（Reparation）与慰藉被害人受侵害之法律感情二种功能，系并存其间。在此种思想背景下，关于 Genugtung 之法律性质，瑞士学者意见不同。有强调填补赔偿之功能者，有强调其慰抚作用者，尚无定论。其无重大争论者，系 Genugtung 并不具有刑罚之性质，然则应注意的是，瑞士苏黎士大学侵权行为法权威学者 Oftinger 教授特别表示，Genugtung 确实含有惩罚之因素，不容低估，此与民法之基本思想或虽有不符，并有不合时宜之感，但势所难免，难以排除。[2]

（二）德国法

德国民法第二五三条规定："非财产上损害，以有法律特别规定者为限，始得请求赔偿相当金额。"[3] 法律之特别规定，以德国民法第八四七条最为重要："I. 侵害身体或健康，或侵夺自由之情形，被害人对非财产上之损害，亦得请求赔偿相当之金额。此项请求权不得让与或继承，但已依契约承认或起诉者，不在此限。II. 对妇女

---

[1] JherJb 18 (1880) S. 1. 52f. 77f.；Degenkolb AcP 76. 1,23f.《耶林年报》（Jherings Jahrbücher der Dogmatik des bürgerlichen Rechts，简称 JherJb）及《民法文献》（Archiv für zivilistische Praxis，简称 AcP）系德国著名之法律杂志。台大法律学研究所藏存全集，弥足珍贵，可供参考。

[2] Oftinger, S. 257, N. 12.

[3] 关于德国民法第二五三条之理论及立法政策基础，参阅 Kaufmann, Dogmatische und Rechtspolitische Grundlagen des § 253 BGB, AcP 162, 421.

犯违背伦理之重罪或轻罪，或因诈术、胁迫，或滥用从属关系，使其应允为婚姻外之同居者，该妇女亦有同一之请求权。"为加强保护人格法益（尤其是名誉权），第二次世界大战以后，德国最高法院（Bundesgerichtshof 简称 BGH）特创设一般人格权（Allgemeines Persönlichkeitsrecht），并认为侵害一般人格权，其情形严重者，被害人就非财产上损害亦得请求赔偿相当金钱。[1]

关于非财产上损害之金钱赔偿（Schmerzensgeld，痛苦金）之法律性质，在德国亦甚有争论。一九五五年六月一日德国最高法院（BGH）大民庭会议（Grosse Senate für Zivilsache）曾为此作成决议（Beschluss）（BGHZ 18, 149），其决议要旨为："民法第八四七条规定之 Schmerzensgeld（痛苦金）请求权，不是通常之损害赔偿，而是特殊之请求权，具有双重功能，对被害人所受非财产上损害提供适当之补偿，但同时由加害人就其所生之损害对被害人予以慰藉。"此为德国最高法院对慰抚金之法律性质所采取之基本立场。

对于上述最高法院之见解，德国学者多表赞成。Deutsch 教授在其一九七六年新著 Haftungsrecht（《责任法》）一书，曾特别强调 Genugtung 之独立性，认为其所以给予被害人金钱者，非在于填补损害，而是在于行为后之预防；论其本质，实远于损害（Schadensfern），近于制裁（Sanktionsnah）。[2] 惟应注意的是，德国权威民法学者 Larenz 教授对最高法院之见解，甚有批评。Larenz 教授认为：相当金额之赔偿，严格言之，不是真正之损害赔偿，因为在应赔偿之金钱与无形损害之间欠缺一个金钱价值。惟受害人可以藉着获得金钱创造某种愉快或安慰，论其实质，亦属一种补偿。惟此种损害赔偿另具有 Genugtung（慰藉、满足）之作用，即被害人可由金钱之

---

[1] 关于德国法上一般人格权理论及其发展趋势，参阅 Stoll, Empfiehlt Sich Eine Neuregelung der Verpflichtung zum Geldsatz für immateriellen Schaden? Gutachten für den 45. Deutschen Juristentag, 1964.

[2] Deutsch, Haftungsrecht, Erster Bd. Allgemeine Lehren, 1976, S. 473; 并请参阅 Esser, Schuldrecht, Allgemeiner Teil, Teilband 2, 5. Aufl. 1975, S. 117.

支付而得知，加害人应对其所肇致之损害负责，因而获得满足，但此与制裁不法之刑罚思想有异；德国民法之损害赔偿制度之出发点，不是对加害人之非难，而是损害之填补，因此所谓之 Genugtungsfunktion（慰抚满足功能）仅可视为系对被害人受侵害之感情或法律感情（Rechtsgefühl）之一种补偿，应包括在填补目的之内。基此认识，Larenz 教授认为德国最高法院将填补功能（Ausgleichfunktion）及慰藉功能（Genugtungsfunktion）并列，似乎误认二者是互相对立，从而使慰抚金之性质，近于刑罚，尚有商榷余地。[1]

（三）台湾现行民法上之解释

基于以上瑞士法上 Genugtung 及德国法上 Schmerzensgeld 之论述，可得以下基本共识，[2] 并可作为现行民法上慰抚金法律性质之理论基础：非财产损害，不能完全客观地以金钱赔偿；金钱赔偿，除尽其可能填补损害外，尚具有慰抚之机能。换言之，即以金钱之支付，抚慰被害人因非财产价值被侵害所生之苦痛、失望、怨愤与不满。德国法学家 von Tuhr 氏曾谓："金钱给付可使被害人满足，被害人知悉从加害人取去金钱，其内心之怨懑将获平衡，其报复之感情将可因此而得到慰藉。对现代人言，纵其已受基督教及文明之洗礼，报复之感情尚未完全消逝。"[3] 确实含有真义。然而，诚如 Larenz 教授所指出，慰藉之对象系被害人，制裁加害人乃其反射作用，非属慰抚之功能，制裁不法，非慰抚之本质也。至于填补功能与慰藉功能之关系，有认为慰抚功能仍属于填补之功能，不能独立存在，有认为慰抚金兼填补与慰抚双重功能。依吾人所信，此项争论，似尚无实质意义，盖在决定慰抚金之数额时，填补损害与慰抚被侵害之法律感情，均应一并斟酌也。

---

[1] Larenz, Schuldrecht I, S. 380. 参阅 Wiese, Der Ersatz des immateriellen Schadens, 1964, S. 55f.
[2] 关于日本法上之理论，参阅加藤一郎：《不法行为》，第 328 页。
[3] v. Tuhr, Allgemeiner Teil des Schweizerischen Obligationsrechts I, 1924, S. 106.

五、慰抚金之算定

一、算定慰抚金所应斟酌之因素

损害,得回复原状者,应回复原状。其不能回复原状者,在财产上之损害,应以金钱赔偿之,其计算尚不生重大困难,例如物被毁损时,应赔偿其物因毁损所减少之价额。在侵害生命权时,加害人应赔偿之殡葬费,其范围固应依当地之习惯,其数额固应以实际支出额为准,但亦应依死者之身份,丧家之环境,在习惯上认为相当者为限。扶养费之计算,霍夫曼计算法,简便又切合实际,实务上采之。又不法侵害他人之身体或健康者,对于被害人因此丧失或减少劳动能力或增加生活需要之赔偿,亦有客观上之认定标准。[1]

关于非财产损害,被害人得请求赔偿相当之金额。"相当"是一个不确定之法律概念,须在具体案件,考虑相关因素算定之。

(一)实务上之见解

1. 判决

一九五三年台上字第八六四号判决:"按不法侵害他人致死者,被害人之配偶虽非财产上之损害,亦得请求赔偿相当之金额,固为第一九四条所明定。惟所谓非财产上之损害,原非如财产损害之有价值可以计算,究竟如何始认为相当,自得由法院斟酌情形定其数额。"

一九五八年台上字第一二二一号判决:"名誉被侵害,关于非财产上之损害,加害人虽亦负赔偿责任,但以相当金额为限,第一九五条第一项定有明文。所谓相当,自应以实际加害情形与其名誉影

---

[1] 胡长清:前揭书,第一八五页以下;史尚宽:《债法总论》,第二〇四页;郑玉波:前揭书,第一九八页。

响是否重大,及被害者身份地位与加害人经济状况等关系定之。"

一九五九年台上字第七九八号判决:"慰抚金系以精神上所受无形痛苦为准,非如财产上损失之有价额可以计算,究应如何始认为相当,自应审酌被害人及加害人之地位、家况,并被害人所受痛苦之程度,与家族之关系暨其他一切情事,定其数额。"

一九六二年台上字第二二二三号判决(判例):"慰藉金之赔偿须以人格权遭遇侵害,使精神受有痛苦为必要,其核给标准固与财产上之损害之计算不同,然非不可斟酌双方资力与加害程度,及其他各种情形核定相当之数额。"

一九七七年台上字第二七五九号判决:"不法侵害他人致死者,被害人之子女得请求赔偿相当金额之慰藉金,又胎儿以将来非死产者为限关于其个人利益之保护视为既已出生,第一九四条、第七条定有明文,如何为相当,应酌量一切情形定之,但不得以子女为胎儿或年幼少知为不予赔偿或减低赔偿之依据。"

2. 基本见解

综据上述判决,可知关于非财产损害金钱赔偿之算定,"最高法院"之基本立场,可归纳为二点:其一,慰抚金,应由法院斟酌一切情事,以定其金额;其二,应斟酌之主要情事有:加害人及被害人之地位、家况,被害人所受痛苦之程度,家族之关系等。

(二)分析检讨

1. 慰抚金之功能与慰抚金之算定

非财产损害,不能依金钱估定,而慰抚金,除填补损害外,尚具有慰藉之功能,因此慰抚金应斟酌一切情事而算定。"最高法院"采此见解,实属正确,自值赞同。惟应提起注意的是,情事之斟酌及慰抚金额之算定,务须兼顾填补与慰藉之双重功能。

2. 应斟酌之情事

关于算定慰抚金所应斟酌之情事,"最高法院"历年判决所列举者,均值赞同,其未列入而应特别提出讨论者,系加害人过失轻重。故意过失是民法上侵权行为之构成要件,不法侵害他人权利而具有故意过失,应负损害赔偿责任,其无故意过失者不构成侵权行为。因此故意过失仅在于决定侵权责任是否成立,原则上不同时用来决定损害赔偿之范围(但请参阅第二一八条规定)。在财产上损害,采此原则,确有所据。至于非财产损害慰抚金之量定,加害人的故意过失(包括行为之动机及加害之方法)似有斟酌之必要。盖被害人苦痛、怨愤之慰藉与加害人故意过失之轻重(Grad des Verschuldens)具有密切之关系。在以预谋残酷手段毁人容貌之情形,被害人怨愤深,苦痛难忘,其因一时疏懈肇致伤害者,被害人容有宽恕之心,被害人感受有异,慰藉程度亦应有所不同也。

3. 情事之斟酌

于算定慰抚金时,依"最高法院"判决,所应斟酌之因素,计有双方资力、地位、加害程度、家族关系;依本文见解,尚有加害人故意过失之轻重。此类因素之斟酌可归为二类:一为应提高慰抚金,例如加害情形严重,加害人出于故意,加害人经济情况良好,而被害人生计困难者;二为应降低慰抚金者,例如加害情形尚不严重,加害人出于过失,加害人经济情况不佳,而被害人经济情况良好者。若二类情况交错,例如损害尚称严重,加害人出于过失,加害人经济情况不佳,而受害人情况良好者,即依其情形,给予一般通常慰抚金。

其次应再说明者,慰抚金之算定,应斟酌一切情事,尤其是前所列举各项因素综合判断之。[1] 但斟酌之际,尚不能完全不注意各项因素之"份量"。依吾人所信,应优先考虑者,有加害结果(包括被侵害之权益及损害程度),加害人故意过失轻重及双方当事人之资力。至于身份、地位、年龄、职业等则为次要考虑之因素。[2]

二、损害赔偿一般原则之适用

慰抚金依其本质,系属损害赔偿,因此关于慰抚金之请求,亦

---

[1] 参阅一九五三年台上字第八六四号判决。
[2] 参阅 Lieberwirth, S. 54f.

应受损害赔偿一般原则之规律。第二一七条规定:"损害之发生或扩大,被害人与有过失者,法院得减轻赔偿金额,或免除之。重大之损害原因为债务人所不及知,而被害人不预促其注意或怠于避免或减少损害者为与有过失。"除法律有特别规定外(参阅第九七九条、第九九九条及第一○五六条),此项过失相抵原则对慰抚金请求权,亦有适用余地。

依第一九四条规定,不法侵害他人致死者,被害人之父母子女及配偶,虽非财产上之损害,亦得请求赔偿相当之金额。在此特殊间接损害赔偿之案例,就与有过失言,有二个情形应予区别:一为间接受害人(死者之配偶等)本身对损害之发生或扩大与有过失;二为直接受害人(死者)与有过失。在前种情形,例如夫于车祸受重伤,因妻怠于延医治疗而死亡,于此种情形,应直接适用第二一七条规定,自不待言。至若车祸之发生,死者自身与有过失时,过失相抵原则是否亦应适用,殊待研究。对此问题,德国民法第八四六条设有准用过失相抵之明文。瑞、日二国法律虽乏规定,惟判例学说均肯定之[1]。英美法原则上亦采同样观点。台湾学者多未论及此项问题,惟梅仲协教授认为:"直接被害人于损害之发生或扩大与有过失时,是否亦适用第二七○条,颇滋疑义,就公平之原则言,应认为亦可适用。"[2] 此说极为正确,盖间接被害人之请求权,自理论言,虽系为固有之权利,但其权利既系基于侵害行为整个要件(Gesamttatbestand der schädigenden Handlung)而发生,实不能不负担直接被害人之过失也[3]。

---

〔1〕德国民法第八四六条规定:"在第八四四条及第八四五条之情形,第三人所受损害之发生,被害人亦与有过咎者,关于第三人之请求权,适用第二五四条之规定。"关于本条之解释适用,参阅 Soergel/Zeuner, Bem. §846; Esser, Schuldrecht II, 3. Aufl. 1969, S. 568; Larenz, Schuldrecht II, S. 601; Oser, Kommentar Zum Schweizerische, II. Aufl. Zivilrecht, V. Bd. 1934, S. 321.
〔2〕梅仲协:《民法要义》,第一九四页。
〔3〕拙著:"间接受害人之损害赔偿请求权及与有过失原则之适用",《民法学说与判例研究》第一册。

三、慰抚金额之算定与第三审上诉

当事人"徒对原法院依自由心证,取舍证据及判断事实之职权行使,任意指责",虽殊难谓有理由,惟关于算定慰抚金所应斟酌观点之正确适用,系属于法律问题,因此当事人认为第二审适用不当者,应得上诉第三审法院(Revisionsfähigkeit)。"最高法院"所审查者,不是原审法院所算定慰抚金之多寡,而是事实法院对一切应斟酌之情事是否已完全适当考虑,而在其权衡之间是否违反推理逻辑及被承认之经验法则。一九五九年台上字第一九八二号判决略谓:"惟查被上诉人请求上诉人连带赔偿非财产上损害之慰抚金,固非如财产损失之价额可以计算,但应以被害人精神上所受之痛苦为准据。惟就被害人所受无形之苦痛判给慰藉金,自应审酌各种情形,例如被害人之地位、家况及加害人之地位、资力,均应加以斟酌,乃原审于此并未注意究明,遽认被上诉人诉请上诉人连带赔偿慰藉金一万元(新台币,下同)为正当,而为不利于上诉人之判决,自属无可维持。上诉论旨,指摘此部分之原判决求予废弃,非无理由。"此见解实值赞同。[1]

六、慰抚金之数额

一、实务概况

关于非财产上损害,慰抚金之赔偿,须斟酌一切情事算定之。至于赔偿金额,目前尚无正式统计资料,学术调查研究亦付阙如,诚属憾事。为此特查阅业已刊行之"最高法院"判决,试作初步抽样分析(遗漏自所难免,请惠予提供资料,至所感盼)。

(1) 伪造他人商品专用商标纸或包装纸,侵害商品信誉权(名誉权),赔偿金额为新台币二千元 (一九五三年台上字第一三二四号判决)。

---

[1] 参阅 Wussow, Das Unfallhaftpflichtrecht, 12. Aufl. 1975, S. 681.

(2) 与有夫之妇通奸，赔偿金额新台币二千元（一九五四年台上字第九〇一号判决）。

(3) 驾车肇祸，使被害人受伤后成为跛行状态，赔偿金额新台币五千元（一九五四年台上字第九一六号判决）。

(4) 殴伤人身，赔偿金额新台币三百元（一九五五年台上字第七二六号判决）。

(5) 车祸使现任装甲兵少校副营长受伤成残，无升任之望，赔偿金额五千元（一九五七年台上字第一二三二号判决）。

(6) 引诱未满十六岁之人卖淫，因而患毒疮，毁人名誉贞操，赔偿金额新台币六千一百八十二元（一九五八年台上字第二一四号判决）。

(7) 驾车肇祸，致人于死，赔偿金额新台币一万五千元（一九五八年台上字第一四一六号判决）。

(8) 共同毁伤人体，赔偿金额新台币一千元（一九五九年台上字第一七一二号判决）。

(9) 驾车伤害人体，赔偿金额新台币一万元（一九五九年台上字第一九八二号判决）。

(10) 驾车肇祸，致人于死，赔偿金额新台币六千元（一九六二年台上字第三六七一号判决）。

(11) 容留有夫之妇与人通奸，赔偿金额新台币五千元（一九六三年台上字第二二五号判决）。

(12) 驾车肇祸，致人于死，赔偿其夫，新台币一万元，子女每人各新台币四千元（一九六三年台上字第二六二号判决）。

(13) 烧锅沸油翻倒，致人（小孩）于死，请求权人与有过失，赔偿金额新台币八千元（一九七〇年台上字第一六二三号判决）。

(14) 与有夫之妇通奸，赔偿金额新台币二万元（一九七一年台上字第八十六号判决）。

(15) 与有妇之夫通奸，赔偿金额新台币七千元（一九七一年台上字第四九八号判决）。

（16）以将来结婚为饵，骗使已成年未结婚之女子与之通奸甚至同居，赔偿金额新台币五万元（一九七三年台上字第七七四号判决）。

（17）汽水瓶误装毒质碱液，伤害饮用者之身体健康，赔偿金额新台币一万元（一九七四年台上字第八〇六号判决）。[1]

为便于观察，兹将上述实务上酌定之慰抚金数额，表列如下：

年度	判决（"最高法院"台上字）	被侵害法益	慰抚金额（新台币元）	备注
一九五三	一三二四	商品信誉	二千	
一九五四	九〇一	与有夫之妇通奸	二千	
一九五四	九一六	车祸侵害身体健康	五千	
一九五五	七二六	殴伤人体	三百	
一九五七	一二三二	车祸、过失致人受伤成残	五千	
一九五八	二一四	奸淫未满十六岁女子	六千一百八十二	包括若干数额之医药费等
一九五八	一四一六	车祸、致人于死	一万五千	
一九五九	一七二	共同毁伤身体	一千	
一九五九	一九八二	车祸、伤害身体	一千	
一九六二	三六七一	车祸、致人于死	六千	
一九六三	二二五	容留有夫之妇与人通奸	五千	
一九六三	二六二	车祸、致人于死	一万（夫）四千（每一子女）	请求权人与有过失
一九七〇	一六二三	致人（小孩）于死	八千	
一九七一	四九八	与有妇之夫通奸	七千	
一九七一	八六	与有夫之妇通奸	二万	
一九七三	七七四	以将来结婚为饵，使已成年未结婚之女子通奸、同居	五万	
一九七四	八〇六	商品瑕疵、侵害消费者身体健康	一万	
一九七七	二七五九	车祸、致人于死	（死者之配偶十万及子女）	请求权人与有过失

---

[1] 本判决未正式公布，参阅林荣耀："食品企业之民事责任"，《法学丛刊》第八十六期（一九七六年九月），第七十一页。

二、分析检讨

（一）慰抚金额偏低

慰抚金之算定，系由法院斟酌一切情事，自由裁量。就个别具体案件言，是否相当，自难论断，惟综合观之，慰抚金额虽亦随货币价值而调整，但基本上仍属偏低，似不容疑。[1]（关于侵害生命、身体、健康、名誉等所生财产上损害之赔偿金额亦属偏低），不免使人有人格精神价值"无价"之叹。有认为此与司法人员待遇偏低有关，此或属幽默之词。主要原因当系由于法院及社会一般人士对非财产上价值尚未重视，对慰抚金制度之功能，未尽了解之故。为加强对非财产价值之保护，适当合理提高慰抚金数额，确有必要。[2]

（二）慰抚金之给付方式

依第一九三条规定："不法侵害他人身体或健康者，对于被害人因此丧失或减少劳动能力或增加生活上之需要时，应负损害赔偿责任。前项损害赔偿，法院得因当事人之声请，定为支付定期金，但须命加害人提出担保。"依第一九二条第二项规定：不法侵害他人致死者，被害人对于第三人负有法定扶养义务者，加害人对于该第三人，亦应负损害赔偿责任。"关于此项损害赔偿，当事人能否声请法院，定为支付定期金，现行民法尚无明文规定，梅仲协教授认为："扶养之法律关系，具有永续之性质，自以指定支付定期金为宜。故若当事人为定期金支付之声请时，法院应比照第一九三条第二项之规定，予以相当金额之指定。"[3]

关于慰抚金之支付方式，现行法亦未设规定，在目前实务上似均采一次给付方式。若当事人为定期之声请时，法院得否准用第一九三条第二项之规定，予以相当之指定？德、瑞民法均未设明文，但

---

[1] 瑞士学者 Oftinger 教授亦认为瑞士实务上之慰抚金，亦属偏低。参阅 Oftinger, S. 268.
[2] 参阅刘得宽："'最高法院'判决三则研究"，《政大法律评论》第十三期，第一五五页；林荣耀："食品之企业之民事责任"，《法学丛刊》第八十六期，第七十五页。
[3] 梅仲协：前揭书，第一四九页。

实务采肯定说，认为必要时，法院亦得指定定期金之支付。[1] 我们似亦可采同样解释，以保护被害人利益。

三、慰抚金算定之客观化

财产上损害之金钱赔偿在某种程度下，有客观标准可资估计。非财产上损害之慰抚金，是否"相当"，则须斟酌一切情事而算定，法官个人主观价值判断介入其间，势难防止，因而不免发生金额算定不平衡之现象。[2] 为克服此项缺点。在德国有学者建议应考虑慰抚金表格化（Schmerzensgeldstabelle），依一定标准，决定慰抚金之数额。[3] 在日本关于交通事故之人身损害，学者亦盛倡慰抚金（慰谢料）之定额化，东京、大阪、名古屋等地之地方法院在实务上亦试图建立慰抚金定额化制度。[4] 慰抚金之表格化或定额化，除具有使慰抚金客观化之作用外，尚可减少争论，对于诉讼外和解，甚有助益，自不待言。然而，如上所述，慰抚金之基本机能在于填补损害及慰抚被害人精神或肉体之痛苦，须就个别案件，斟酌一切情事，始能实现慰抚金制度之目的。因而固定不变之定额化制度，似不足采取，惟若各法院能够适时公布其判决，判决理由并能详述算定慰抚金所斟酌之一切情事时，则必能逐渐形成类型，在某种程度上，对于促进慰抚金算定之客观化，当有重大助益。

七、慰抚金请求权之让与或继承

一、立法理由及检讨

关于非财产上损害，被害人在法律特定情形，虽得请求赔偿相

---

[1] Wussow, S. 680; Oftinger, S. 274.
[2] 参阅 Donaldson, Zum Problem der sicheren Bemessung des Schmerzensgeldes, AcP 166, 462; Gelhaar, Die Bemessung des Schmerzensgeldes, BB 66, 1317.
[3] Wussow, S. 684; Henke, Die Schmerzensgeldtabelle, 1969.
[4] 有泉亨监修：《损害赔偿の范围と额の算定》，"现代损害赔偿法讲座"（7），昭和50年，第262页。

当金额（慰抚金），惟此项请求权，不得让与或继承，但已依契约承认或已起诺者，不在此限（参阅第一九五条第二项、第九七九条、第九九九条第三项、第一〇五六条第二项）。学说上称之为专属权，尤其是权利行使上之专属权，即权利之行使与否，专由权利人予以决定，在未决定前，虽不得让与或继承，但一经决定行使，则与普通财产权无异，具有移转性。[1]

现行民法关于慰抚金请求权不具移转性之基本原则，系采自德国立法例（参阅德国民法第八四七条），而德国民法之所以采此原则，其立法理由书作有详细说明，特迻译如下以供参考：

"关于痛苦金请求权（Schmerzensgeldanspruch）之继承性，在普通法（Gemeinrecht）上，甚有争论，此与痛苦金请求权之本质究为刑罚或赔偿，具有密切关系。采取赔偿说（Entschädigungstheorie）之学者，认为此项请求权不能继承，因为纵使痛苦金不能视为系对被害人所受羞辱（Kränkung）之慰藉（Genugtung），至少也是对某种损害之赔偿，而此种损害之不能继承，与羞辱并无不同。被害人所忍受之痛苦，随其死亡而俱逝；财产上损害尚继续存在于继承人，二者殊有差异。此项问题在普鲁士法上甚有争论。依萨克逊民法第一四〇条规定，此项请求权于被害人起诉或依契约确认时，始得继承。德累斯顿草案第一〇一〇条亦采此原则，所不同者，系规定请求权非于起诉时，而是于判决确定时，始移转于继承人。

---

[1] 第一九四条规定："不法侵害他人致死者，被害人之父、母、子女及配偶，虽非财产上之损害，亦得请求损害赔偿。"关于此项请求权之移转性虽未设明文规定，但不得采反面解释，认为法律既未设禁止让与或继承之特则，解释上自有移转性，盖诚如胡长清氏所言："同一非财产上损害赔偿请求权，决无一许让与，一不许让与之理，于此场合，自应依类推法则，适用第一九五条第二项之规定。"（胡长清：前揭书，第一九二页，注2。）

倘未设一项特别规定，则痛苦金请求权将无限制地移转于继承人。然而，被害人常由于其本身未感觉受有损害，或由于个人事由，而不行使此项请求权。在此情形，若仍允其继承人主张之，违背事理，殊非妥适。因此，被害人自身不行使其权利者，继承人自无主张之余地。其次为避免争论，此项请求权须已依契约承认或系属于法院时，始移转于继承人。

据上所述，痛苦金请求权之继承应受限制。同理，其让与性亦应受限制，在债权之让与非基于债权人意思之情形，尤应如此。"[1]

关于非财产上损害金钱赔偿之不移转性（尤其是继承），最近，德国学者曾作有批评性之检讨。Shäfer 氏认为，不移转性原则是过去时代之产物，于德国民法立法当时，导致痛苦金请求权之事故，尚属不多，而且多发生在邻居、友谊社交来往范围之内，其情形与在狩猎或儿童嬉戏之间发生损害事故，并无不同，当事人彼此多系熟识，[2] 因而被害人多不请求精神上损害金钱赔偿；目前，意外事故剧增，情况丕变，难以相提并论。再者，立法者当时亦未能预见今日责任保险之普遍推行。[3] Deutsch 教授认为："立法者在采取非财产损害金钱赔偿制度之后，或许已无余力，除去此项请求权在专属人格上之限制。"[4]

基于上述对现行德国民法规定之检讨，德国学者 Lieberwirth 认为应尽量对"依契约承诺"及"系属法院"采取广义解释，扩大

---

[1] Mugdan, Gesammte Materialen zum bürgerlicher Gesetzbuch, Bd. II, 1898, S. 448.（台大法律学研究所珍藏资料）
[2] Staudinger/Schäfer, ll. Aufl. 847 N 98.
[3] Deutsch, S. 477.
[4] Deutsch, S. 477: "Wahrscheinlich hat der Gesetzgeber nach der allgemeinen Einführung der immateriellen Geldenschädigung nicht mehr die Energie gehabt, den Anspruch seiner höchstpersönlichen Beschränkung zu entkleiden".

增加痛苦金请求权让与或继承之机会。[1] Deutsch 更进一步认为，关于痛苦金请求权之移转性，应视痛苦金之功能而定，即慰抚金之给与，纯为慰藉（Genugtung）之目的者，原则上不得让与或继承，请求权行使与否，应由被害人自己决定之；至若慰抚金之给与，系为填补损害（Ausgleich）之目的，或兼具慰抚与填补损害双重功能者，则原则上应使其具有移转性。[2] Deutsch 教授表示："鉴于德国民法第八四七条第一项第二段之广泛文义，此项原则尚难贯彻，惟应将其适用范围，依其目的性，限制于纯属慰抚功能之请求权。此种限制系基于事物当然之理（Natur der Sache）。"[3] Deutsch 教授之论点甚有创意，实足重视，但在台湾现行法上似难采取，盖慰抚金所具有之填补损害与慰抚痛苦二种机能，交错并存，如何加以分离，诚有疑问也。

二、慰抚金请求权专属性之解除

慰抚金请求权不得让与或继承，但已依契约承认或已起诉者，不在此限。换言之，契约承认或起诉解除了慰抚金请求权之专属性（Entpersönlichung）。

慰抚金请求权已依契约承认时，表示被害人已有行使权利之意思。承认具有宣示之性质，无须具备一定方式，得依默示为之。

慰抚金专属性之解除，在实务上，以起诉较为重要。起诉应以诉表明下列各款提出于法院为之：❶当事人及法定代理人；❷诉讼标的；❸应受判决事项之声明（"民事诉讼法"第二四四条）。在实务上最感困难者，系被害人身受重伤，已失知觉，死亡与起诉之间，形成特殊微妙关系。为解除此项困难，维护被害人及继承人利益，吾人认为，应在"时"与"人"二方面适当解释起诉之概念。就"时"而言，所谓起诉系指向法院提出诉讼而言，是否送达于

---

[1] Lieberwirth, S. 102.
[2] Deutsch, S. 477.
[3] Deutsch, S. 477.

被告，在所不问；就"人"而言，依德国通说，被害人失其知觉者，其由他人代为起诉，而经继承人承认，或继承人代为起诉者，亦可发生起诉之效力，[1] 可供参考。

八、结　论

慰抚金，系对非财产上损害（精神或肉体痛苦）而支付之相当金额。由于非财产上损害是否发生及其范围如何欠缺客观判断标准，现行制度规定对于慰抚金请求权乃采限制主义，须有法律特别规定，始得主张。惟"最高法院"为加强保护人格利益，亦逐渐创设得请求慰抚金之案例，其判决理由构成在法学方法论虽有商榷余地，但法律发展趋向，实属正确，应值赞同。

慰抚金除填补损害外，尚兼具慰藉痛苦之功能，因此于算定赔偿金额时，应综合斟酌一切情事，务期贯彻慰抚金制度之功能。关于应斟酌之情事，"最高法院"特别强调被害人及加害人之地位、家况，并被害人所受痛苦之程度与家族之关系。此外，加害人过失轻重亦属一项重要衡量因素，不容忽视。

关于实务上所算定之慰抚金数额，目前似尚无统计资料。依本文所作初步研究，发现赔偿金额普遍偏低（最高者为新台币十万元，系属例外，参阅一九七七年台上字第二七五九号判决）。为加强增进保护人格权及非财产价值，赔偿金额实有提高之必要。又至盼各法院能适时公布其判决，判决理由并能详述算定慰抚金所斟酌之一切情事，能逐渐形成类型，促进慰抚金赔偿之客观化。

---

[1] BGH NJW67, 2304. 此项问题，在德国甚有争论，是实务上之重大问题。参阅 Pecher, AcP 171, 53f.; Deutsch, S. 478; Wussow, S. 682. 台湾地区实务上见解如何，不得确知。

干扰婚姻关系与非财产上损害赔偿

一、概　说

甲与乙之配偶丙通奸（干扰婚姻关系），乙精神遭受痛苦时，就此种损害，在现行法上，是否得向甲请求赔偿相当之金额（慰抚金）？

关于此项问题，"最高法院"著有判决，其见解变化曲折，似可称之为最富戏剧性之案例。所谓戏剧性，系指下列四项事实而言：❶实务上案例甚多；❷"最高法院"曾为此举行三次民刑庭总会；❸"最高法院"虽四度变更其见解，迄尚未能提出具有说服力之判决理由；❹"最高法院"一向采取肯定说，最近有学者认为尚有商榷余地。[1]

干扰婚姻关系，论其事实，原甚简单。在实务上所以如此难以处理，现行民法未设明文规定固为主要原因，此外，尚涉及到法律解释适用之基本态度。由是观之，"干扰婚姻与非财产上损害赔偿"，可谓系一个法律学方法论上之问题（Ehestörung als methodisches Problem），深具启示性，具有二个意义：其一，必须藉用法学

---

[1] 林荣耀："通奸事件的非财产损害之赔偿"，《军法专刊》第二十卷第八期（一九七六年八月），第十二页；孙森焱："论非财产上损害之赔偿"，《法令月刊》第二十九卷第四期（一九七八年四月），第六页。

方法论上之分析，始能认识问题之本质，辨明困难之所在及探讨解决之途径；其二，此项案例可以作为反省检讨"最高法院"解释适用法律之基本态度。[1]

二、需解决之问题

"干扰婚姻关系与非财产上损害赔偿"在实务上所以产生重大问题，主要系由于现行法对非财产上损害赔偿所设之特别规定。因此，在讨论之前，须先对此略加说明。

按不法侵害他人权益时，无论被侵害客体是人格权、身份权或财产权，依其情形，得产生二种损害：一为财产上损害；另一为非财产上损害。例如，甲毁损乙传家古董，古董价值减少，是为财产上损害；乙精神遭受痛苦，是为非财产上之损害。又例如，丙毁丁容时，侵害丁之身体权，丁为整容所支出之费用，是为财产上损害，其肉体及精神上之痛苦，是为非财产上之损害。

关于财产上损害，负损害赔偿责任者，除法律另有规定或契约另有订定外，应回复他方损害发生前之原状（第二一三条）。不能回复原状，或回复原状有重大困难时，应以金钱赔偿其损害（第二一五条，并请参阅第二一四条）。例如在上举二例，甲应以金钱赔偿乙物减少之价额（参阅第一九六条），丙应赔偿丁所支出之整容费用。

关于非财产上损害，负损害赔偿责任者，依法亦应回复他方损害发生前之原状。一般言之，非财产上损害多不能回复或回复原状显有重大困难，在此情形，应否以金钱赔偿？对此问题，各国法律

---

[1] 参阅拙著："人格权之保护与非财产损害赔偿"、"干扰婚姻关系之侵权责任"，《民法学说与判例研究》第一册，其对本文讨论之问题已有详细之论述，本文偏重法学方法论上之说明。

多设有限制。德国民法第二五三条规定："非财产上损害，以法律有规定者为限，得请求赔偿相当之金额。"瑞士民法第二十八条第二项规定："关于非财产上损害赔偿（慰抚金），仅于法律设有规定时，始得请求。"台湾地区虽未设相当规定，仅于第十八条规定，人格权受侵害时，以法律有特别规定者为限，得请求慰抚金，但判例学说一致认为，关于非财产损害，除有特别规定，不得请求金钱赔偿。[1] 所谓特别规定，计有五种情形：❶不法侵害特别人格权。依第一九五条规定，不法侵害他人之身体、健康、名誉或自由者，被害人虽非财产上之损害，亦得请求赔偿相当之金额。❷致人于死。依第一九四条规定，不法侵害他人致死者，被害人之父、母、子、女及配偶，虽非财产上之损害，亦得请求赔偿相当之金额。❸违反婚约。依第九七九条规定，婚约当事人之一方，无第九七六条之理由而违反婚约者，此所受之非财产上损害，亦得请求赔偿相当之金额，但以受害人无过失者为限。❹结婚无效或被撤销。依第九九九条规定，当事人之一方因结婚无效或被撤销而受有非财产上之损害者，被害人得向有过失之他方请求赔偿相当之金额，但以受害人无过失者为限。❺判决离婚。依第一○五条规定，夫妻之一方，因判决离婚而受有非财产上损害者，得向有过失之他方请求赔偿相当之金额，但以受害人无过失者为限。

为便于观察，兹将上述损害赔偿之基本制度，图示如下：

---

[1] 一九六一年台上字第一一一四号判决（判例）谓："受精神之损害得请求赔偿者，法律皆有特别规定，如第十八条、第十九条、第一九四条、第一九五条、第九七九条、第九九九条等是。未成年子女被人诱奸，其父母除能证明因此受有实质损害，可依第二六○条请求外，其以监督权被侵害为词，请求给付慰抚金，于法究非有据。"参阅梅仲协：《民法要义》，第四十二页、第一六三页；王伯琦：《民法总则》，第五十八页；史尚宽：《民法总论》，第一一○页；郑玉波：《民法债编总论》，第二○二页。

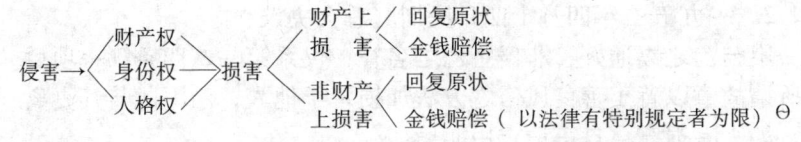

```
                    ┌ 财产上  ┌ 回复原状
         ┌ 财产权    │ 损 害  └ 金钱赔偿
侵害 → ─┤ 身份权 → 损害 ┤
         └ 人格权    │ 非财产 ┌ 回复原状
                    └ 上损害 └ 金钱赔偿（以法律有特别规定者为限）⊖
```

      1. 侵害身体、健康、名誉、自由（第一九五条）
      2. 致人于死（第一九四条）
      3. 违反婚约（第九七九条）
      4. 结婚无效或被撤销（第九九九条）
      5. 判决离婚（第一〇五六条）

据上所述，关于非财产上损害，除有特别规定者外，被害人不得请求金钱赔偿。于兹所要讨论者，系在现行制度下，甲与乙之配偶丙通奸，乙就其所受精神痛苦（非财产上损害），得否向甲请求相当金额之赔偿。

三、"最高法院"之见解

一、判决概述

关于干扰婚姻之非财产上损害赔偿，"最高法院"著有甚多判决，谨依时间先后，选择十则具有代表性之判决，摘录如下，作为分析检讨之资料。

  1. 一九五二年台上字第二七八号判决（判例）

民法亲属编施行前之所谓夫权，已为现行法所不采，故与有夫之妇通奸者，除应负刑事责任外，固无所谓侵害他人之夫权。惟社会一般观念，如明知为有夫之妇而与之通奸，不得谓非有以违背善良风俗之方法，加损害于他人之故意，倘其夫确因此受有财产上或非财产上之损害，依第一八四条第一项后段，自仍得请求赔偿。

2. 一九五二年四月十四日民刑庭总会决议

甲与乙之妻通奸，非侵害乙之名誉，仅系第一八四条第一项后段所谓故意以背于善良风俗之方法加损害于他人，乙因此与其妻离婚，如受有损害，自得请求甲赔偿。

3. 一九五五年六月七日民刑庭总会决议

妻与人通奸，并无损害夫之名誉权。

4. 一九六三年台上字第二〇六号判决

名誉权为人格权之一种，而夫妻之人格各别，妻与人通奸，不能谓其相奸人系侵害夫之名誉。

5. 一九六三年台上字第三二三二号判决

夫妻之关系虽甚密切，而人格则各别独立，妻与人通奸时，虽应受刑事之处分，但夫之名誉或自由固不能因此而认为被侵害，故夫因妻与人通奸，除有具体之损害，得依第一八四条第一项后段请求赔偿外，尚不得以侵害名誉或自由为理由，遽行请求赔偿。

6. 一九六五年台上字第二八八三号判决[1]

人之家室有不受侵害之自由，明知有夫之妇而与之通奸，并不构成侵害夫之亲属权或名誉权，但是否侵害其自由权，非无审究之余地。

7. 一九六六年三月二十八日民刑庭总会决议

甲与乙之妻通奸，究系侵害夫之何种权利？乙能否请求精神慰藉金？一九五二年台上字第二七八号判例，于此情形，认夫对于非财产上之损害，亦得请求赔偿，但仅说明系适用第一八四条第一项后段，而未及于第一九五条；一九六五年台上字第二八八三号判决，认为人之家室有不受侵害之自由，明知有夫之妇而与之通奸，并不构成侵害夫之亲属权或名誉权，但是否侵害其自由权，非无审究之余地。决议：仍维持以往一九五二年四月十四日民刑庭总会之

---

[1] 本判决似尚未正式公布，录自一九六六年三月二十八日民刑庭总会决议。

议决案。

8. 一九六九年台上字第一三四七号判决

夫妻之关系，虽甚密切，但人格则各别独立。妻与人通奸，其夫个人之人格权或名誉，固不能因此而认为被侵害，但不问强奸或通奸，均属故意以违背善良风俗之方法加害于人，且足以破坏其夫妻共同生活之圆满安全及幸福，使其精神上感受痛苦，第一九五条第一项所列侵害之客体，系例示规定。此外夫妻共同生活之圆满安全及幸福，亦为应受法律保护之法益之一。上诉人与被上诉人之妻通奸，实有侵害被上诉人夫妻生活之圆满安全及幸福，致其精神受有痛苦，虽非财产上之损害，仍得请求上诉人赔偿相当之金额。

9. 一九七一年台上字第八十六号判决

按侵权行为系指违法以及不当加损害于他人之行为，至于所侵害者，系何权利，则非所问。又夫妻互负诚实之义务，夫妻之任何一方与人通奸，其法律上之效果，均属相同，要不因社会观念不同而有差别。

10. 一九七一年台上字第四九八号判决

按婚姻系以夫妻之共同生活为其目的，配偶应互相协力保持其共同生活之圆满为及幸福，而夫妻互守诚实，系为确保其共同生活之圆满安全及幸福之必要条件，故应解为配偶因婚姻契约而互负诚实之义务（即贞操义务），如果配偶之一方为不诚实之行为，破坏共同生活之平和安定及幸福者，则为违背婚姻契约之义务，而侵害他人之权利；易言之，妇固对夫有守贞之义务，即夫对妇亦然。上诉人上开行为，既已违背婚姻义务，侵害被上诉人之权利，其为权利被侵害之救济，依第一八四条第一项后段规定，仍得请求相当之慰抚金。

二、基本见解

综据上述关于干扰婚姻判决，其基本见解，可归纳为三点：

1. 基本立场

被害人就其所受之非财产上损害，得请求相当金额之赔偿。

2. 被侵害之权益

关于被侵害之权益，"最高法院"见解经常变更，颇不稳定，依其次序先后，可归纳二类：其一，所否定者：夫权；名誉权。其二，所肯定者：一般法益；自由权；夫妻共同生活圆满、安全及幸福之权利（最近见解）。

3. 适用之法律

关于干扰他人婚姻关系所侵害之法益，"最高法院"之见解虽然迭有变更，但就适用之法条而言，原则上始终固执未变，一直以第一八四条第一项后段为依据。

四、学说上之反对意见

"干扰他人婚姻"，被害人就所受之非财产上损害，得请求相当金额之赔偿，系"最高法院"数十年来所采之见解，前已详述。最近有学者采反对说，认为该观点有商榷之余地。至其理由，计有三点。[1] ❶法律未设规定；❷所侵害者，系被害人之身份权，不符合法律所设得请求非财产损害金钱赔偿之类型；❸被害人之保护，已甚周到，赋予慰抚金之请求权，尚无必要。关于此点，林荣耀先生有深入精辟之说明，可资参考："配偶之一方与他方通奸，是一应受非难之行为，该配偶及相奸人在刑事上，应负通奸及相奸罪责（"刑法"第二三九条）…。而被害之配偶在民事上，可以据以请求法院判决离婚，并得向对方请求财产上及非财产上损害赔偿（第一〇五六条第一项、第二项），被害配偶并得向通奸配偶及相奸人依侵权行为之一般规定（第一八四条第一项前段），请求财产上之损害赔偿。凡此均为法律所明定，用以维护婚姻生活之圆满、

---

[1] 林荣耀：前揭文，第六页；孙森焱：前揭文，第七页（尤其是第九页）。

安全及幸福。法律之保护，相当周密，似乎没有在法律之外，另予非财产上损害赔偿之理……。"[1]

五、法学方法论上之检讨

一、促进法律进步

依前所述，学者有认为，干扰他人婚姻关系者对被害人所受非财产上损害，不负金钱赔偿责任。其所提出三点理由，具有相当说服力，固不待言，[2]但严格言之，似亦有检讨余地。

在实务上，若要否认某种权利，经常提出之理由（Begründung），系"法律未设规定"，在法学方法论上，此可称为反面推论（Umkehrschluss）。然而，应该注意的是，此项论证，若无其他实质观点支持，容易流为概念法学之论辩。关于某特定事项，法律未设规定时，在方法上，可采反面推论，亦可扩张解释或类推适用其他规定，予以补充。这不是逻辑问题，而是法律价值判断问题。[3] 法律之沉默，不是问题之结束，而是问题之提出，也是法律思维及创造活动之开始。

干扰他人婚姻关系，被害人在法律上有多种救济方法，固属无误。刑事责任之存在并不排除民事责任之适用，事属当然，无庸详论。其次，被害人在民事上救济方法均受有限制，被害人不愿离婚时，无从向其配偶请求非财产上损害赔偿。依反对说之见解，被害人于离婚后亦无向与其配偶相奸之人请求赔偿之余地。通奸事件，造成财产上损害者，事例甚少，若否认被害人之非财产上损害赔偿

---

[1] 林荣耀：前揭文，第十五页。
[2] 西德最高法院，否认婚姻关系是夫妻间之权利义务，不是一种绝对权，第三人无侵害之可能。BGHZ 23, 215. 但学说均反对之。参阅 Boehmer, AcP 155, 181; fam RZ 55, 7; 57, 196; Fabricius, AcP 160, 316; von Hippel, NJW 65, 664 ff。
[3] Larenz, Methodenlehre der Rechtswissenschaft, 3. Aufl. 1975, S. 376.

请求权，则干扰他人婚姻关系者，几可不负任何民事责任矣，其不足保护被害人利益及维护社会伦理，似甚显然。[1]

基于婚姻关系，当事人间负有贞操、互守诚信及维持圆满之权利与义务。此种权利，称为身份权，亲属权，或配偶权，均无不可。惟应注意的是，婚姻者，系男女双方以终身共同生活为目的而组成之特别结合关系，夫妻当事人之一方对于婚姻关系之圆满，寓有人格利益。因此，干扰他人婚姻关系者，不但侵害被害人之身份权或亲属权，而且也侵害了被害人之人格利益，实无疑问。[2]

夫妻之一方对于婚姻关系之圆满，具有人格利益，已如上述。人格，系民法所要保护之基本价值，因此特别明白规定，侵害特定人格利益者，就所生非财产上损害，负赔偿相当金额义务。准此而言，在干扰他人婚姻关系案例，承认被害人慰抚金之请求权，实系民法保护人格利益之延长，具有促进法律进步之作用。"最高法院"数十年来采取肯定说，其见解是否具有习惯法上之效力，固难确言，但其不违背民众之法律感情，应无庸疑。因此本文认为吾人所应致力者，系适当解释适用法律，将"干扰他人婚姻关系"之案例，纳入法律体系之内，一方面使其能够有适当之法律依据；另一方面使法律能够依循正确之途径而发展、进步。

二、方法论上之途径

关于干扰他人婚姻关系之非财产上损害赔偿，现行法未设明文

---

[1] 戴炎辉在其所著《亲属法》第一八九页谓："夫或妻之行为，不但构成离婚原因事实，同时又构成侵权行为时，可基于侵权行为而请求损害赔偿。例如虐待或杀害之意图，系对人生命权、身体权、人格权之侵害；而重婚、通奸或恶意之遗弃等，乃违反贞操义务、同居义务或扶养义务，实侵害其配偶之为配偶之权利，自可本于侵权行为而请求赔偿。"

[2] 在瑞士通说认为，干扰他人婚姻关系（Ehestörung）系侵害人格法益。Esser, Zuricher Kommentar, 27 zu Art. 28 und 12 zu Art 159。实务上亦采此见解。在德国学说上亦多将婚姻关系归属于人格权，参阅Coing, JZ 1952, 689; Hubmann, Das Personlichkeitrecht, 1953, S. 214。关于日本法上之问题，请参阅加藤一郎：《不法行为》（增补版），"法律学全集"22 - Ⅱ，昭和52年，第130页。

规定，为使被害人得请求金钱赔偿，在法学方法论上，有四个途径，可资采行：

（1）在解释上认为干扰他人婚姻关系所侵害之法益，系属于法律明定得请求慰抚金之类型，尤其是第一九五条所规定之特别人格权（身体、健康、自由、名誉）。

（2）类推适用现行民法明定得请求慰抚金之类型。

（3）认为现行民法明定得请求慰抚金之类型系例示规定，因而法院得创造新的类型。

（4）认为现行民法明定得请求慰抚金之类型虽属强制规定，但违反"宪法"无效，因而法院不受其拘束，得创设新的类型。

从法学方法论之观点言，原则上应依上述次序适用法律，换言之，可以依解释方法达成目的者，即不必采类推适用；凡能以类推适用达成目的者，即不必否定现行法上基本原则。惟有如此，始能维持法律适用之安定性。

关于非财产上损害赔偿，不仅是实务上重要问题，也是法院面临之难题。在此方面，德国法院创造法律之方法具有参考价值。

关于非财产上损害，依德国民法第二五三条规定，"以法律有特别规定为限，得请求以金钱赔偿"。所谓特别规定主要系指德国民法第八四七条之规定："在侵害身体或健康，或侵夺自由之情形，被害人对非财产上之损害，亦得请求赔偿相当之金额。"名誉权并未包括在内，而且德国民法关于人格权之保护，未设一般规定。在第二次大战以前，虽有学者加以批评，但通说以为实体法之规定，应予尊重，不宜轻易变更。第二次大战之后，情势丕变，学者一致强调应加强人格权之保护，究其原因，计有三项：其一，战后人口集中，交通便捷，大众传播普遍而深入。新的工艺器材，例如窃听器、远距离照相机及录音机之发明，人格随时有遭受侵害之虞，其情形之严重，诚非德国民法制定时所能预见。其二，纳粹专政，滥用国家权力，侵害个人自由，唤起个人对人格之自觉以及社会对个人人格之重视。其三，波恩基本法（宪法）规定，人之尊严不得侵犯；尊重并保护人之尊严，系所有国家权力（机关）之义务；在不侵害他人权利及违反宪法秩序或公序良俗规定范围内，任何人均有自由发展其人格之权利。

在这种时代思潮之下，德国法院为加强人格权之保护，著有甚多判决。兹选择二则在方法论上较有启示性之判决，加以说明：

（1）骑士案件（Herrenreiter Urteil）。有某骑士因其照片被滥用为增强性能力药物之广告，乃以名誉遭受损害为理由，请求非财产损害赔偿。德国最高法院依据波恩基本法第一条、第二条规定之价值判断，类推适用德国民法第八四七条关于侵害自由权之规定，判给被害人一万马克，作为精神上之损害赔偿。[1]

（2）人参案件（Ginsen Urteil）。有某大学国际法及教会法教授B，曾经在一篇学术性文章中被误称为欧洲研究韩国人参之权威。某制造含有人参增强性能力药物之药厂，在其广告中引述B教授的学术权威。B教授认为此项广告影响其在学术上之地位，受有损害。德国最高法院在本案不再类推适用德国民法第八四七条规定，而是直接引用波恩基本法第一条、第二条规定，认为药厂侵害B教授之一般人格权，应负损害赔偿责任。关于非财产损害之金钱赔偿，则提出二项标准：一为其他方式之补偿不适当或不充分；二为侵害人须有重大过失或客观上对被害人有较大的人格侵害。[2]

德国最高法院以波恩基本法第一条、第二条规定为依据，建立一般人格权的观念，扩大非财产损害金钱赔偿的范围，虽然受到普遍的赞扬，但在法学方法论上，却遭受到严厉的批评。学者有认为德国最高法院超越了法院创造法律的权限；有认为如此自由解释法律，对法律的安定性，殊有影响；有认为波恩基本法第一条、第二条系公法的规定，不具有私法的性质，不能直接创设人民的权利义务关系。反对者虽众，其中且不乏权威教授，但人格权保护之加

---

[1] BGHZ 26, 349.
[2] BGHZ 35, 363.

强，既为社会所需要，并为一般人民法律意识所支持，因此并未丝毫影响德国最高法院以判决活动强化保护人格权之决心。

三、"最高法院"判决之检讨

"最高法院"在其历年判决中肯定"干扰他人婚姻关系"者，被害人就非财产上损害，亦得请求赔偿相当金额。此项基本见解，虽值赞同，惟其判决理由，在法学方法论上，均有研究余地。

"最高法院"曾二度采取殊为有趣之见解：

（1）在解释上认为"干扰他人婚姻关系"，系侵害被害人之"家室不受干扰之自由"；换言之，系认为所侵害之法益，系属于法律明定得请求慰抚金之类型。此项判决，法学方法论上，堪称正确。有疑问者，系第一九五条所称之自由，宜否如此广义解释。

（2）认为"第一九五条第一项所列被侵害之客体，系例示规定，夫妻共同生活之圆满安全及幸福，亦为应受法律保护法益之一"。此项判决，在方法论上虽能解决"干扰他人婚姻"非财产上损害赔偿之问题，但含有二点疑问：首先，根本推翻"最高法院"及学说所提出之基本原则，即关于非财产上损害，除法律有特别规定者外，不得请求金钱赔偿；其次，"最高法院"并未能提出一般原则，所谓"应受法律保护法益之一"，内容空泛，不足为法律适用之标准。

然而，最值重视者，系"最高法院"虽然再三变更其对被侵害法益之见解，始终均适用第一八四条第一项后段规定。关于此点，产生二点重大疑问：

（1）"最高法院"既已承认婚姻关系具有权利之性质，但其仍适用第一八四条第一项后段（故意以背善良风俗之方法侵害他人）而不适用第一八四条第一项前段（故意过失不法侵害他人权利）者，是否出于疏忽，抑或寓有深意？岂"最高法院"认为"夫妻共同生活圆满、安全及幸福之权利"尚非属第一八四条第一项所称之权利？至盼能在其后判决澄清此项疑问。

（2）第一八四条第一项后段规定，故意以背于善良风俗方法加损害于他人者，负损害赔偿责任，不论第一八四条所称损害是否兼指财产损害而言。依通说见解，第一八四条第一项后段不得作为请求非财产上损害金钱赔偿之法律依据，因此在"干扰婚姻关系"案件，"最高法院"适用第一八四条第一项后段，实可谓"于法无据"。或有认为其旨在创造一种得请求"非财产损害金钱赔偿"之概括规定，即"故意以背于善良风俗之方法，加损害于他人者，被害人虽非财产上之损害，亦得请求赔偿相当金额。"此为法制之重大改变，"最高法院"似无此意；纵有此意，是否妥适，亦殊有商榷余地。

四、本文之见解

干扰他人婚姻关系者，被害人就非财产上损害，得请求金钱赔偿，系"最高法院"数十年之基本见解，自方法论而言，在法律适用上首先应该尝试者，系将其归摄（Subsumieren）在现行法上得请求慰抚金规定之下（尤其是第一九五条）。基于此种方法论上之认识，本文认为婚姻关系具有人格利益，故干扰他人婚姻关系者，除侵害被害人之亲属权（或配偶权）外，尚侵害被害人之人格；被害人感到悲愤、羞辱、沮丧，受人非议耻笑，其情形严重者，就现行法规定而言，与名誉遭受侵害最为接近，故在解释上，可认为系名誉权遭受侵害，被害人得依第一九五条第一项规定，就非财产上损害，请求相当金额之赔偿。

"最高法院"在甚多判决，曾一再强调："夫妻之关系虽甚密切，而人格则各别独立，妻与人通奸时，虽应受刑事处分，但夫之名誉或自由固不能因此而认为被侵害。"据此判决理由，似倾向于认为，若承认与他人之配偶（妻）通奸，系侵害他方配偶（夫）之人格权或名誉时，不免损害配偶之独立人格。此项见解，固有相当依据，但就现行法制观之，应无顾虑之必要。配偶一方之人格利益，并非存在于他方配偶之身上，以他方配偶为客体。配偶之人格利益，系存在于婚姻关系之上，与夫妻独立人格实无抵触，与男女平等原则，亦无违背也。

六、结　论

　　干扰他人婚姻关系者，被害人就非财产上损害，得否请求金钱赔偿，"最高法院"采取肯定说，具有促进法律之作用，应值赞同。有疑义者，系在方法论上如何达成此项目的。"最高法院"之判决，有认为干扰婚姻关系，系侵害一般法益，有认为系侵害自由权，有认为第一九五条仅系例示规定，最近则认为侵害夫妻圆满生活之权利。其见解迭有变更，但数十年始终以第一八四条第一项后段为被害人请求慰抚金之法律基础，此在方法论上，殊难赞同。盖依此见解而推论之，则凡以故意违背善良风俗方法加损害于他人者，被害人就任何非财产上损害均得请求慰抚金矣，固不仅限于干扰婚姻关系之案例而已也。"最高法院"所以适用第一八四条第一项后段，查其原意，无非在使干扰他人婚姻所生之非财产上损害之金钱赔偿，有法律上之依据而已，不料因此却在无意间，创设了一项基本原则，根本改变现行损害赔偿法之基本体制、目的与方法，显失平衡，在方法论上言，可谓系一项极非妥适之判决。

　　法律之解释适用，基本上是一种认识行为（Erkenntnisakt），其结果能够客观地予以检查复验，是为一种科学性之活动，因此应受法律思维方法之规律与指导。[1] 惟有如此，始能对法律适用结果之妥当性、合理性及安定性提供最低之保证。法学方法论之强

---

[1] 关于法律解释适用，台湾论著甚少。最近黄茂荣在《台大法学论丛》（第五卷第二期、第六卷第一期）发表"法律解释学之基本问题"，介绍分析德国学说理论，甚值参考。

调、方法论警觉性之提高，实是"最高法院"所应重视之基本问题。[1]

---

[1] "最高法院"判决理由失诸简略，大学法律系学生，亦有微辞，并有严厉之指责，可见"最高法院"判决理由之构成，已有深切检讨之余地。政大法律学系学生王光照在评论一九七六年台上字第一一七二号判决时，曾谓："'最高法院'判决理由虽常是短短几句，亦时有四两拨千斤之势，但在本案，个人认为'最高法院'并未善尽其职责，发现争执之点，并就争执之点，提出令人折服之理由，使人有判决理由未备之憾。祈望'最高法院'诸公能不惜笔墨，就案件争执之点，做深入之分析，提出完备之理由，而非泛泛的三言两语，则诉讼当事人幸甚！"（《政大法律通讯》第十六期，一九七八年五月，第四十七页）。

地上权之时效取得

一、问题之说明

立法者为精简条文,避免重复,经常使用"准用"之立法技术,就某项问题不自径设规定,而间接借用其他条文。第三四七条规定,"本节规定于买卖契约以外之有偿契约准用之",即其著例。德国民法第一草案,准用性条文甚多,法条经济有余,概观性则嫌不足,甚受学者批评。现行德国民法稍减之。在台湾地区,准用性条文之数量较德国民法更少,堪称适度。

关于准用规定之解释适用,以第七七二条规定"前四条之规定,于所有权以外财产权之取得,准用之"最有争论,[1] 在实务上,则以地上权之时效取得,最为重要。依第七六九条规定:"以所有之意思,二十年间和平继续占有他人未登记之不动产者,得请求登记为所有人。"又依第七七〇条规定:"以所有之意思,十年间和平继续占有他人未登记之不动产,而其占有之始为善意,并无过失者,得请求登记为所有人。"关于地上权之时效取得,准用此二条规定,即发生这样的疑义:依时效取得地上权者,是否亦以他人未登记之土地为限?在他人已登记之土地,能否依时效取得地上权,请求登记为地上权人?最近,关于地上权时效取得颇有争议,

---

[1] 史尚宽:《物权法论》,第七十六页。

"最高法院"亦著有判例,可谓系实务上一项重要问题。

二、"最高法院"之见解

一、判决

1. 一九七一年台上字第一三一七号判决(判例)

一九七一年台上字第一三一七号判决谓:"地上权为他项权利,其登记必须于办理土地所有权同时或以后为之,如土地未经办理所有权登记,即无从为地上权之登记。故依据第七七二条准用取得时效之规定,声请为地上权之登记时,并不以未登记之土地为要件。"

2. 一九七一年台上字第四一九五号判决(判例)

一九七一年台上字第四一九五号判决谓:"未登记之土地,无法声请为取得地上权之登记,故依第七七二条准用第七六九条及第七七〇条主张依时效而取得地上权时,显然不以占有他人未登记之土地为必要,苟以行使地上权之意思,二十年间和平继续公然在他人地上有建筑物或其工作物或竹木者,无论该他人土地已否登记,均得请求登记为地上权,此为当然之解释。"

3. 一九七六年台上字第一一七〇号判决

该判决明确肯定历年来判决之见解,特录其判决理由全文如次,用供参考:

本件被上诉人主张:坐落嘉义市东门段三十一号建零点零零八七公顷土地,为祭祀公业陈武所有,原由萧甬缠管理,萧甬缠死后,被人窃占建盖简陋房屋,现由上诉人使用。迨一九七三年八月二十日伊继任管理人后,屡请上诉人拆屋交地,均置之不理等情,求为命上诉人拆屋还地之判决。

上诉人则以系争地上房屋,系诉外人吕徒所建,吕徒以善意和平继续占有土地已达三十年以上,自得请求登记为地上权人,嗣伊向吕徒买受系争房屋，自亦承受其权利，况被上诉人亦非系争土地之合法管理人等语，资为抗辩。原审以被上诉人系于一九七三年八月二日经派下的改选程序登记为公业管理人，有土地登记总簿誊本足凭，则其代表派下全体对现占有人之上诉人诉请拆屋还地，为原告当事人之适格，即无欠缺。且主张因时效而取得地上权者，依第七七二条准用第七六九条及第七七〇条之规定，应以设定地上权之意思，二十年间和平继续公然占有他人未登记之不动产为要件，系争土地于一九四七年十一月办理土地总登记时，即登记为祭祀公业陈武所有既非他人未登记之不动产，即令吕徒系以设定地上权之意思，占有系争土地二十年以上，亦不能声请登记为地上权人。上诉人主张其继受吕徒之该项权利尚非有据，因将第一审所为不利于上诉人之判决，予以维持。

按未登记之土地，无法声请为取得地上权之登记，故依第七七二条准用第七六九条及第七七〇条主张依时效而取得地上权时，显然不以占有他人未登记之土地为必要，苟以行使地上权之意思，二十年间和平继续公然在他人地上有建筑物或其工作物或竹木者，无论该他人土地已否登记，均得请求登记为地上权人。此为本院最近之见解。究竟上诉人之前手吕徒是否以行使地上权之意思和平继续公然占有被上诉人之土地建筑房屋？以及其占有是否已达二十年？是乃本件症结所在，原审均未调查认定，徒凭上诉理由为上诉人败诉之判断基础，难谓允洽。上诉论旨，声明废弃原判决，非无理由。

二、二项基本见解

综据上述可知关于地上权之时效取得，"最高法院"系采取二项基本见解：一为在未登记之土地，无法声请为地上权之登记；一为主张依时效而取得地上权者，不论他人已否登记，均得请求为地上权之登记。又并认为前者为后者之依据，后者为前者推论之结果，并特别强调此为当然解释。此项论点，似有研究之余地。

三、方法论上之分析与检讨

一、逻辑推理

关于不动产物权之时效取得,于取得时效完成后,尚须登记,始可取得其权利。民法施行前占有他人未登记之不动产者,于时效完成后,自施行之日起,得请求登记为所有人,如登记机关尚未成立,于得请求登记之日,视为所有人(参阅"民法物权编施行法"第七条、第八条)。依土地登记规则第七条规定,未经登记所有权之土地,不得为他项权利之登记。地上权系属定限物权,故于未登记之土地,无法声请为地上权之登记,"最高法院"此项见解实堪赞同。

有疑问者,系"最高法院"根据"未登记之土地即无从声请为取得地上权之登记",进而推论"故依时效取得地上权显然不以占有他人未登记之土地为必要"。就逻辑推论而言,由上段命题似尚不足得到后段结论,盖依"未登记之土地即无从声请为取得地上权之登记"之前提,所得推论而出之结论应该是:"须于土地所有权登记之同时或其后始得声请为地上权之登记。"又"最高法院"所谓"不论他人土地已否登记,均得请求登记为地上权人,此为当然解释",亦属难解。盖就其内容而言,与"最高法院"所持之基本命题,实有矛盾也。

二、价值判断

"最高法院"之判决,显然增加取得地上权之机会。换言之,以行使地上权之意思,二十年间和平继续在他人已登记之土地上,建有房屋(其他工作物或竹木)者,亦可取得地上权;土地之所有人不得行使所有物返还请求权,请求拆屋还地。就此而言,"最高法院"之判决具有促进土地利用之社会功能,实无疑义。学者对现行法关于不动产所有权之时效取得，以未登记者为限，曾有批评。梅仲协教授谓："第七六九条及第七七〇条，认不动产所有权之得依时效而获取者，以他人未经登记者为限。余以为此种限制，未免过苛。诚如现行法之规定，则不动产一经登记之后，倘所有人任其荒芜不治，除援用土地法，予以相当之制裁外（第一七三条以下），第三人虽以和平公然继续占有之方法，且以所有意思，在相当之时期，充分予以利用，而仍不能取得所有权者，则何以奖励勤劳，而谋经济之发展。且征诸立法例，日本民法，关于不动产所有权取得时效之标的，并无已登记未登记之分（参照日本民法第一六二条第二项）。瑞士民法原则上虽以未登记之不动产为限，但对于登记簿册上所有人记载不明，或所有人已死亡，或经宣告失踪者，其已登记之不动产，亦为取得时效之标的。第七六九条及第七七〇条，关于取得时效标的物之限制，应有修正之必要。"[1]

于此所要检讨者，系自法律解释适用之观点言，于第七六九条及第七七〇条规定准用于地上权或其他不动产物权时效取得之际，是否可以排除标的物之限制，修正立法政策上之"错误"？关于此点，本人认为应采取否定说，理由有二：其一，现行法规定所有权之时效取得，以未登记之不动产为限，立法目的旨在贯彻土地登记之绝对效力，[2] 实具有相当依据，纵有不妥，亦属立法政策问题。其二，价值判断之平衡性（Wertungsmässigkeit），系法律体系及法律秩序之基本要求，应予尊重。[3] 不动产所有权之时效取得，既以未登记不动产为限，则地上权之时效取得，亦应受此限制，否则将发生法律判断不平衡之现象。设甲有 A、B 两块土地，均已登记。乙以所有之意思占有 A 块土地；以取得地上权之意思，占有 B 块土地。依现行法规定，乙不能依时效取得 A 块土地之所有权，

---

[1] 梅仲协：《民法要义》，第三八六页（注3）。
[2] 郑玉波：《民法物权》，第一七一页；姚瑞光：《民法物权论》，第六十四页。
[3] Larenz, Methodenlehre der Rechtswissenschaft, 3. Aufl. 1975, S. 366f.

但依"最高法院"判决却得依时效规定在 B 块土地上取得地上权。同一登记事实，一方面能阻止所有权之时效取得，但在他方面，却不足阻止地上权之时效取得，是否妥适，诚有疑问。

四、结　论

关于地上权之时效取得，"最高法院"纯从形式逻辑论断，所谓之当然解释，尚有斟酌余地。依吾人见解，准用规定之适用，在法学方法论上，必须探究准用事项及被准用规定之目的、功能及性质，以决定其准用范围。此非为单纯逻辑推理，而是利益衡量及价值判断问题。[1] 由"他人未登记之土地，无从声请为地上权之登记"之前提，在逻辑上似不能推演到"不论他人之土地已否登记，均得声请为地上权之登记"之结论。在已登记之土地上，依法原不能依时效取得所有权，但依"最高法院"见解，却能依时效取得地上权，法律价值判断，显失平衡。诚然，地上权之时效取得，若仍以他人未登记之土地为限，不免发生如何声请地上权登记之问题；关于此点，似可在土地登记规则，增设规定，求其解决。惟不宜轻易为程序问题，变更实体规定。设若"最高法院"认为不动产物权之时效取得以未登记之不动产为限，显非妥适，确有变更之必要，使在他人已登记之土地上亦能依时效取得地上权，则应详述其理由，惟无论如何，不宜用模糊之概念，不清楚之逻辑推理，来掩饰对法律实体规定重大变更之价值判断。

---

[1] Larenz, S. 243.

动产担保交易法上登记期间
与动产抵押权之存续

一、问题之说明

一九六三年九月五日公布、一九六五年六月十日施行之动产担保交易法,创设了动产抵押、附条件买卖(保留所有权)及信托占有三种不以占有标的物为成立要件之动产担保制度,这是物权制度的重大发展。按物权法之立法原则系采物权法定主义:物权除民法或其他法律有特别规定外,不得创设(第七五七条)。现已规定之物权,除所有权外,计有七种,其中供担保债权之用即所谓担保物权者,有抵押权、质权、留置权三种。留置权因法律之规定而发生,系属法定物权,故担保物权基于当事人意思而成立者,在不动产方面有抵押权,而在动产方面则仅有质权。民法上之质权系以移转标的物之占有为成立要件,质权人不得使出质人代为占有,质权人如丧失质物之占有而不能请求返还、或将质物返还于出质人者,其质权即归消灭(参阅第八八五条、第八九七条及第八九八条)。此项制度使质权人掌握标的物,一方面可以避免债务人有毁损标的物之行为,以保全其价值;他方面对债务人产生促其清偿之心理上压迫,对于债权的保障,功效至宏。惟因其必须移转占有,债务人对于担保物使用收益之权能,尽被剥夺。此在农业社会,以书画或饰物之类物品提供担保之情形,固无大碍;但在今日工业商业社会，势必窒碍难行，盖机器或原料均为生产材，工厂赖以从事生产，将之交付债权人占有，作为担保，以寻觅资金，殆属不可能之事。因此，于质权外另设不移转占有之动产担保制度，确有必要。"动产担保交易法"显著地扩充了动产之担保及用益功能。[1]

动产抵押、附条件买卖及信托占有均不以移转标的物之占有为要件，欠缺公示性。为克服此项问题，动产担保交易法采取了书面成立－登记对抗主义，于其第五条规定："动产担保交易，应以书面订立契约，但非经登记，不得对抗第三人。"

关于登记，动产担保交易法设有"有效期间"之制度。该法第九条规定："动产担保交易之登记，其有效期间从契约之约定。契约无约定者，自登记之日起有效期间为一年。期满前三十日内，债权人得申请延长期间，其效力自原登记期间之次日开始。前项延长期限登记，其有效期间不得超过一年。登记机关应比照本法第七条、第八条之规定办理，并通知债务人。"

契约所约定之登记期间，并无限制，当事人自得斟酌。契约未约定者，登记之法定有效期间为一年，但债权人得声请延长，至于延长次数，动产担保交易法未设规定，理论上应无限制，惟每次延长，应按本法有关延长之规定办理，自不待言。

质权及留置权均以移转标的物之占有，为其成立要件，自不发生登记问题。不动产物权依法律行为而取得、设定、丧失及变更，非经登记，不生效力。依土地登记规则第八十五条规定："声请为抵押权设定之登记时，声请书内应记明债权数额，其登记原因定有清偿时期、利息，并其起息及付息期，或于债权附有条件或其他特约者，亦同。"就不动产抵押权之设定，并无登记有效期间之规定。关于船舶抵押权之设定，依"海商法"第三十一条规定，应

---

[1] 关于动产担保交易法，请参阅黄静嘉：《动产担保交易法》，一九六四年（修订再版）；林咏荣：《动产担保交易法新诠》，一九七二年，修订再版；孟祥路：《动产担保交易法实用浅释》，一九七六年。

以书面为之，非经登记不得对抗第三人（同法第三十四条）。又依"船舶登记法"第四十四条规定："因抵押权之设定而申请登记者，申请书内应记明债权数额，其订有清偿时期及利息或附带条件或其他特约者，均应一并记明。"此条亦未设"有效登记期间"之规定。

据上所述，可知"动产担保交易法"第九条所设"登记期间"，系一项特殊制度，因而在实务上最滋疑义。其主要之争点，在于登记有效期间届满后，动产抵押权是否随之而消灭。"最高法院"对此问题，著有判决，实值研究。

二、"最高法院"之见解

一、判决

（一）一九六八年台上字第三三九八号判决

上诉人与沈某间订立契约，系自一九六七年一月十一日起算，为期六个月，而动产担保交易登记申请书，亦载明契约订立有效期间系自一九六七年元月十一日起至一九六七年七月十日止，是该动产抵押契约之登记，应于同年七月十日期满时自然失效。此在"动产担保交易法"第九条定有明文。上诉人并未于抵押期间内行使其权利，期满后又未申请延长有效期限，其请求交付抵押物，即非有据。

（二）一九七〇年台上字第三〇〇一号判决

查"动产担保交易法"第九条第一项规定："动产担保交易之登记，其有效期间从契约之约定。契约无约定者，自登记之日起有效期间为一年，期满前三十日内，债权人得声请延长期限，其效力自原登记期满之次日开始。"而被上诉人与裕泰运输股份有限公司（董事长徐标龙）于一九六六年十一月十一日所订动产抵押契约有效期间为自订约日起至一九六八年一月二十五日止(见第一审证物袋存契约),被上诉人提出本件之诉则在一九六九年八月十五日(见起诉状收案戳),已在其有效期之后,除业已声请延长期限外,被上诉人是否得以其动产抵押权对抗上诉人,即不无研求之余地。"

(三)一九七一年台上字第三二〇六号判决

本件被上诉人在第一审起诉,系依"动产担保交易法"第十七条第一项请求上诉人交付抵押物汽车一辆,如不能交付时,请求赔偿新台币四万四千六百五十元(见诉状及第一审判决)。至原审业经陈明系请求赔偿损害(见原审卷第四十一页),则上诉人应否交付汽车已无庸审究,合先说明。次查"动产担保交易法"第九条系规定动产担保交易登记之有效期间,而非时效期间,不生起诉而中断时效之问题。故在登记有效期间外,被上诉人之动产抵押权即无对抗善意第三人之效力。依第一审判决及卷附动产抵押申请书记载,登记有效期间至一九六八年一月二十四日(应为二十五日),而执行法院系于一九六八年二月十五日始往上诉人处查封车辆,被上诉人既未证明上诉人系恶意取得,则上诉人自得依法对抗被上诉人,亦即上诉人无交付该车与被上诉人之义务。从而上诉人将其依当铺法令取得所有权之汽车于一九六九年三月出卖与诉外人邓连俊,殊无侵害被上诉人权利之可言,自不负损害赔偿之责任……。"

二、基本见解

依前所述,关于"动产担保交易法"第九条规定之登记有效期间,就吾人查稽之所及,"最高法院"共著有三则判决,可归纳为二种对立之见解:一为一九六八年台上字第三三九八号及一九七〇年台上字第三〇〇一号判决,所采之见解,认为登记有效期间届满时,动产抵押权即归消灭(抵押权消灭说);一为一九七一年台上字第三二〇六号判决所采之见解,认为登记有效期间,并非时效期间，不生起诉而中断时效之问题，故在登记有效期间外，动产抵押权即无对抗善意第三人之效力（对抗效力消灭说）。

"最高法院"此二种对立之见解，关系抵押当事人利益至巨。依前说，登记有效期间经过后，抵押权人不得主张动产抵押权尚系存在，从而亦丧失了其对标的物优先受偿之权利，对恶意第三人亦无对抗余地。依后说，登记有效期间经过后，抵押权人仍得就抵押标的物优先受偿，仅不能对抗善意第三人而已。二种见解所生之效果，差异如斯之巨，在现行法上，何者为妥，实不能不详为究明。

三、分析检讨

一、登记期间非为时效期间

在一九七一年台上字第三二〇六号判决一案，有当事人主张"动产担保交易法"第九条规定之登记期间，系时效期间，因起诉而中断。"最高法院"认为当事人此项主张，不值采取。此见解实值赞同，仅提出二点理由补充说明之：

其一，消灭时效者，请求权于一定期间不行使而减损其效力之制度也。消灭时效仅适用于请求权，动产抵押权（担保物权）非属请求权，无适用消灭时效之余地。物权（包括担保物权），非消灭时效之客体。[1]

其二，消灭时效期间，事关公益，依第一四七条规定，时效期间不得以法律行为加长或减短之。动产担保交易法之登记期间，当事人得自行约定，无约定者，法定期间为一年，但当事人得延长之，与民法上消灭时效制度之本质，殊不相符。

另外应说明者，有学者认为必要时或考虑将"动产担保交易

---

[1] 参阅洪逊欣：《民法总则》，一九七六年，第五六一页（注2）。

法"第九条规定之"有效期间"修正为"时效期间",兹先介绍其说,再加检讨。

孟祥路先生在其所著《动产担保交易法实用浅释》一书,对于该法第九条作有详尽之分析,略谓:"本法第九条规定,动产担保交易之登记,其有效期间从契约之约定……,可见动产担保交易权利,不论'动产抵押'、'附条件买卖'或'信托占有',其本身均有'有效期间',显有'主权利'之性质,似与认担保权系'从权利',随其所担保之主权利之存在而存在之特质所不容,而且有效期间届满,动产担保交易权利,即形消失,业有可稽。因在本法施行初期之融资实务上,'有效期间'与'融资期间'相同,如期满而使动产担保交易权失效,则因'附条件买卖'之出卖人保留标的物之所有权,而'信托占有'之信托人拥有标的物之所有权,对债权人(即出卖人或信托人)自无影响。但本法'动产抵押'并非以让与担保为内涵,抵押权人自未拥有所有权,如'有效期间'届满,即使之失效,无异剥夺债权人实行抵押权之机会,岂为事理之平?!金融业为针对裁判要旨,以谋补救,藉保权益,虽将'动产抵押'之有效期间之约定,较贷款期限多'半年',以利抵押权之实行,然依法言法,仍非周全之计。盖'有效期间'非'时效期间',自不因'强制执行'而'中断'。如该'半年'内,未执行终结,该'动产抵押',即因'有效期间'届满而无效,遂不能继续执行。如主管登记机关经办人员仍然不许债权人依本法第九条第一项规定单独申请延长'有效期间',将使金融界对本法之适用,趑趄不前,势必形同具文;颁行本法之理想,定必成为泡影。因之,吾人鉴于属于大陆法系之德国、瑞士、日本等国之'动产抵押权'概念,均与其不动产抵押权概念相一致,以利适用之立法例(例:日本汽车抵押法第十八条及其建筑机械抵押法第二十三条规定:'抵押权对于债务人或设定抵押权之人,非与其所担保之债权同时,不罹于时效而消灭')为证。在台湾,动产担保交易权仍应依民法中担保权之概念,赋予其'从权利'

之特质，方为确当，否则应将此'有效期间'修正为'时效期间'，并明文规定短期时效为一年，盖动产易于变动毁损，价值容易贬低，应以特别法规定其所担保债权之时效。有关此点，于一九七六年一月二十八日公布之本法部分修正条文，尚未纳入，甚为遗憾，似应于下次修正本法时，特别予以注意。"[1]

孟祥路先生之论述，至为详尽，说明在"最高法院""登记期满，动产抵押权消灭"判决下金融界所遭遇之困难，深具参考价值，自不待言。惟若干论点，似尚值斟酌：❶一九六八年台上字第三三九八号及一九七〇年台上字第三〇〇一号判决虽认为采取"登记期满，动产抵押权消灭"，惟一九七一年台上字第三二〇六号判决并非采相同见解。[2] ❷由"动产担保交易法"第九条"动产担保交易之登记，其有效期间从契约……"之规定，无论在文义上及法理上，均不能推论认为"动产抵押"本身有"有效期间"，显有"主权利"之性质盖"动产抵押"其本身并未有"有效期间"，仅其登记有"有效期间"而已，而登记并非系动产抵押之成立要件，仅属对抗要件也。又"动产抵押权"既为担保物权，性质上应属"从权利"，从属于其所担保之债权（主权利），实无疑义，"最高法院"并未否认动产抵押权，具有"从权利"之性质。假若最高法院采此见解，则属错误，不值赞同。❸"将登记有效期间"改为债权（请求权）一年时效期间，根本改变"动产担保交易法"第九条规定之性质及功能，事属立法政策，见仁见智，容有不同见解。"惟动产易于变动毁损，价值容易贬低"是否足以作为债权短期时效理由，诚有疑问：质权之客体亦以动产为客体，其所担保之债权是否亦应改为受一年短期时效之规律？再者，债权罹于短期时效时，债务人得拒绝清偿，实亦不足保护金融业者之利益也。

---

[1] 孟祥路：前揭书，第三十七页、第六十页。
[2] 参阅一九七一年台上字第三二〇六号判决。

二、登记期间非为除斥期间

"动产担保交易法"第九条规定之"登记期间",并非"时效期间",已详上述。惟应注意者,一九六八年台上字第三三九八号判决及一九七〇年台上字第三〇〇一号判决均表示,登记期满,动产抵押自然失效,似倾向于认为登记期间具有"除斥期间"之性质。此项见解,似有商榷余地,兹分三点言之:

(一)就登记之性质及功能言

依"动产担保交易法"第五条规定:"动产担保交易,应以书面订立,但非经登记,不得对抗善意第三人。"由是可知动产抵押之登记制度,仅在使其具有对抗第三人之效力而已,与动产抵押权本身之存续无关,因而登记期间非属除斥期间,实无疑问。

(二)对未登记之动产抵押难以适用

依"最高法院"之见解,登记期满,动产抵押权自然失效。然动产抵押有于订立书面,有效设定后,未为登记者,于此情形,根本不发生"登记期满,自然失效"之问题。如是,动产抵押权之存续期间将因登记与否而异,而动产抵押经登记时,动产抵押权人反而蒙受动产抵押权登记期满、自然失效之不利益。此项区别,有违登记制度之本质及当事人利益,实难赞同。

(三)对附条件买卖及信托占有之适用

"动产担保交易法"第九条规定所适用者,除动产抵押外,尚有附条件买卖(保留所有权)及信托占有。"最高法院"所谓"登记期满,动产抵押权自然失效"之理论,对附条件买卖及信托占有如何适用,诚有疑问,兹以"附条件买卖"为例说明之。

附条件买卖(保留所有权)者,谓买卖当事人约定,买受人先占有动产之标的物,约定至支付一部或全部价金,或完成特定条件时,始取得标的物之所有权(参阅动担第二十六条);换言之,买卖契约虽已成立,买受人先占有动产之标的物,但所有权之移转附有停止条件。[1] 附条件买卖经登记者,登记期间届满时,发生如何效果,"最高法院"未著判决,其见解不得确知。论者有认为:至附条件买卖及信托占有之债权人(即出卖人及信托人)因分别保留或拥有"所有权",当"有效期间届满",即可本于所有权而追踪占有标的物,自不因之而受影响。[2] 此项观点欠缺法律依据,似难赞同,盖"有效期间"届满与否,于债权人行使取回权并无关系。关于占有取回之要件,法律另有规定(参阅"动产担保交易法"第二十八条及第三十四条规定),有效期间届满,似非债权人追踪占有标的物之要件也。

依"有效期满,动产抵押权消灭"之理论而推论之,附条件买卖登记期间届满后,出卖人所保留之所有权,似应归于消灭,买受人因而取得标的物之所有权。此项结果,违背动产担保交易法上登记制度之本质及当事人利益,亦难赞同。依本文见解,登记期满与否,动产担保权本身依然存在,不生任何影响,在动产抵押、附条件买卖及信托占有,均应采同一解释。

三、登记期满,动产抵押权失其对抗力

"动产担保交易法"第九条规定之"登记期间",既非时效期间,亦非除斥期间,登记期间届满时,动产抵押权并不自然失效,仍继续存在,仅失其登记对抗力而已。一九七一年台上字第三二〇六号判决亦采此见解,实堪赞同。所谓失其登记对抗力,[3] 可作如下划分:

(一)对抵押人言

对抵押人言,动产抵押权人在登记期满后,动产抵押权仍然存

---

[1] 关于附条件买卖之一般理论,请参阅拙著:"附条件买卖买受人之期待权",《民法学说与判例研究》第一册。
[2] 参阅孟祥路:前揭书,第六〇九页。
[3] 参阅拙著:"动产担保交易法上登记之对抗力、公信力与善意取得",《民法学说与判例研究》第一册。

在，盖动产抵押因订立书面而有效成立，登记在于对抗善意第三人，对于动产抵押权之存续，并无影响也。一九六八年台上字第三三九八号判决略谓："上诉人未于抵押期间内行使其权利，期满前又未申请延长有效期限，其请求交付抵押物即非有据"。又一九七〇年台上字第三〇〇一号判决略谓："被上诉人提起本件之诉，已在其有效期之后，除业已声请延长期限外，被上诉人是否得以其动产抵押权对抗上诉人即不无研求余地。"据此二项判决观之，"最高法院"对于动产担保交易法上之基本制度（书面成立、登记对抗）甚有误会。

（二）对第三人言

动产抵押之登记，在于对抗善意第三人，登记期满，对于恶意第三人固仍得对抗，但对善意第三人则无对抗之余地，因而抵押人将标的物所有权让与善意第三人者，抵押权人不得主张在该标的物上仍有抵押权；又例如抵押人将标的物出质于善意第三人者，动产抵押权虽不消灭，但其位序应在质权之后。[1]

四、第八八〇条之适用

关于动产抵押权之存续期间，基于私法自治原则，当事人得自为约定，在此情形，动产抵押权因约定期间之经过而消灭。动产担保交易法所规定者，系登记之有效期间，二者性质根本不同，不宜混淆。惟应注意者，动产抵押权之存续期间，除当事人约定者外，在解释上，尚有法定除斥期间。第一四五条规定："以抵押权、质权或留置权担保之请求权，虽经时效消灭，债权人仍得就其抵押物、质物或留置物求偿。"本条所称抵押权，应采广义解释，包括动产抵押权在内，应无疑义。又依同法第八八〇条规定："以抵押

---

[1] 关于同一动产标的物上多数担保物权之位序并存关系，至为复杂，俟后再为详论。请参阅郑玉波："各种动产担保物权相互关系之分析"，《法令月刊》第二十五卷第八期，（一九七四年八月），现收录于《民商法问题研究》（一），"台湾大学法学丛书"（三），第三九一页。

权担保之债权，其请求权已因时效而消灭，如抵押权人于消灭时效完成后五年间不实行其抵押权者，其抵押权消灭。"此条所规定者，系不动产抵押权之除斥期间，通说认为对于质权不适用，其理由为不动产抵押权不以占有标的物为要件，而质权人占有标的物，利益状态不同，无类推适用之基础也。动产抵押权与不动产抵押权同，均不以占有标的物为要件，利益状态相同，第八八〇条应有适用余地（参阅动担第三条），因而以动产抵押权担保之债权，其请求权已因时效而消灭，如动产抵押权人于消灭时效完成后五年间不实行其动产抵押权者，其动产抵押权消灭。

四、结　论

动产担保交易法上之"登记期间"，论其性质，系属"对抗善意第三人期间"，则此项登记期间制度，在立法政策上是否妥当，不无疑问。动产抵押既已成立，且经登记，则在动产抵押权存续期间，自应使其登记继续保有对抗力，盖债权人既不占有标的物，动产抵押权之设定多以信赖为其基础，债权人之利益应予适当之保护也。"登记期间"制度之创设，或系基于登记手续问题之考虑，亦未可知。[1] 又在实务上亦时有债权业已消灭，或担保客体业已灭失，而当事人始终未申请涂销登记，至登记失其意义之情事。惟此类情事，在不动产抵押或船舶抵押等，亦所难免，实不足作为创设"有效登记期间"之实质理由。准此观之，"动产担保交易法"第

―――――――
〔1〕 关于动产担保交易法立法理由书，该法第九条曾有二点说明：(1) 动产担保交易之登记，已届满而被担保之债权尚未清偿之情形有之，为保障债权人，本条规定得由债权人于期满单方申请延期。(2) 申请延期，既由债权人单方为之，则登记机关自应通知债务人，并予登录登记簿及刊登公报，以保护第三人。此二点，似未能说明规定登记期间理由。一般有关动产担保交易法之著作，对此问题亦甚少讨论。参阅黄静嘉：前揭书，第十八页以下；林咏荣：前揭书，第九十四页以下。

九条规定之存在价值,实有疑义。又一九六八年台上字第三三九八号及一九七〇年台上字第三〇〇一号判决认为,有效登记期间经过后,动产抵押权即自然失效,不但判决不具理由,而且误认动产担保交易法"书面成立,登记对抗"之基本规范意义,实有检讨余地。

断嗣与收养之效力

一、问题之说明

民法亲属编制定于三十年代,可谓是转换时期的产物。"立法事业立于新旧夹攻之间,辄有左右为难之势。"[1] 实施迄至今日,虽已届四十余年,法律规定与社会实际生活观念,尚存有距离,例如在法制上虽已废除宗祧继承制度,但传宗接代之思想,仍然深植人心。"最高法院"处此情势,解释适用法律难免瞻前顾后,在进步的新见解中,尚残留着保守观念。一九七七年台上字第一三四〇号判决,即其著例,在法社会学及法学方法论上,甚为有趣,殊值研究。

二、一九七七年台上字第一三四〇号判决

一、判决

(一)事实

本件被上诉人起诉主张,其胞弟张平、弟媳马云瑞于一九七五年七月三十一日因空难死亡,所遗二女张禾筱、张禾筠(原判决

---

[1] 赵凤喈:《民法亲属编》,一九七四年修订四版,自序(第一页)。

将张字误为马字），经由被上诉人之父母亦即该二女之祖父母张廷延、张耿梅云主持，而由被上诉人收养，上诉人藉词照顾二女，不允交付被上诉人，因而求为命上诉人将其养女张禾筱、张禾筠交还保护及教养之判决。

上诉人则以其婿张平自一九七四年三月三日与其女马云瑞结婚后，即未与父母同居而自组家庭租屋住于台北市杭州南路，一九七五年二月十二日生系争二女，同年十二月二十七日出医院，即由张平、马云瑞夫妇亲自送至上诉人家中委托抚育监护，迄今已逾二年，上诉人实为二女之监护人，被上诉人之父母对于二女并无监护权，所为收养行为自属无效，被上诉人不得据以诉求二女等情，资为抗辩。

二、二审法院判决理由

原审将第一审所为有利于上诉人之判决予以废弃，改为不利于上诉人之判决，系以系争二女之已故父母张平、马云瑞生前虽将户籍登记于父亲张廷延所住台北市建国南路家中，但实际上自一九七四年三月结婚时起，即系赁屋住于台北市杭州南路，上诉人则系住于台北市金华街，三者居所各别，此为两造不争之事实。二女现未成年，依第一〇六〇条规定，既应以其父母设于台北市杭州南路之处所为其住所或居所，则其与祖父母、外祖父母应属均非同居，上诉人以其受二女父母之委托照顾，即系同居，不无误会。系争二女无父母而未成年，亦无遗嘱指定之监护人，且既无同居之祖父母、复无家长，依第一〇九四条规定，自应由第三顺序之不同居祖父母为监护人，并参照第一一三一条第二项以父系为先之法意，其祖父母张廷延、张耿梅云充任二女之法定监护人，于法应无不合，则其以法定监护人之身份，同意将二女交与被上诉人收养，亦难谓为无效，上诉人之抗辩，尚非有据。被上诉人经由法定程序收养二女后，请求上诉人交还，以利保护教养，为上诉人所拒，则被上诉人诉求判决交付，即非无理为论据。

（三）"最高法院"之判决理由

惟查第一〇六〇条所为未成年子女住所之规定，无非赋予父母对于未成年子女之住居所指定权，非谓未成年之子女必须与其父母同住一处。故第一〇九四条第一项所谓与未成年人同居之祖父母，亦不以与未成年人之父母同居共住者为限，仍应视其与未成年人有无真正同居之事实为断。原审不问本件未成年人张禾筱、张禾筠与其祖父母（兼指外祖父母）有无真正同居之事实，徒以其祖父母之住所与其父母不同为词，遽谓其祖父母皆非该条所定第一顺序之监护人，已嫌未洽。复按未成年人之监护人，在法律上之地位，相当于亲权人之事务管理人，其监护权之行使，应依有利于亲权人之方法为之。亲权人虽已死亡，参照第一七二条规定，非不得依其可得推知之意思行之。再观人生于世，莫不求有后，以冀生命之延续。自古以来，但闻人死无后，亲族多为觅嗣以继其宗；从未闻死者有后，亲族反而出养其后以断其嗣。近代风气渐开，所谓后嗣，且已不限男子，是本件已故亲权人之意思，不难由此而得推知，兹死者张平父母，将张平夫妇仅有之遗孤孪生双女，并行出养，收养人即被上诉人，且有利用新近宣布之户籍不再记载养父母身份之机会，以使两养女但知其为父母，不知另有生身父母之意向（见第一审一九七五年亲字第二十八号卷第一二八页反面第二～五行），能否谓为张平父母出养两孙女之行为并不违反亲权人可得推知之意思，而认该收养行为为有效？殊非无研究之余地。况该孪生两女，未满七岁，本无意思能力，不能与人为法律行为，原无从对其行使属于能力补充权性质之同意权，原判决谓张平父母以法定监护人身份同意收养，虽谓无效云云，亦非无可议之处。上诉论旨，声明废弃原判决，非无理由。

二、基本见解

在本案，有张某及其妻马氏生有孪生幼女（未满七岁），托其外祖父母照顾，同住一起。其后张氏夫妇遭遇空难死亡，该孪生幼女之祖父母将其出养给张某之胞兄。此项收养行为是否有效，系争议之所在。关于此点，"最高法院"采取下列三项见解：

其一，祖父母非系监护人。

其二，纵祖父母系监护人，因被监护人系未满七岁之未成年人，无意思能力，不能自为收养行为，法定代理人无同意使其生效之余地。

其三，纵祖父母系监护人，其出养被监护人之行为，断绝亲权人（即被监护人已死父母）之后嗣，违反亲权人可得推知之意思，应属无效。

上述第一项见解，可资赞同；第二项见解尚有疑问；第三项见解，颇有商椎余地，是为本文研究之重点。

三、监护人之确定

依第一〇九一条规定："未成年人无父母，或父母均不能行使负担对于其未成年人子女之权利义务时，应置监护人，但未成年人已结婚者，不在此限。"在本案，未成年人之父母死于空难，应置监护人，殊无疑义。依第一〇九四条规定："父母死亡而无遗嘱指定监护人时，依左列顺序定其监护人：❶与未成年人同居之祖父母。❷家长。❸不与未成年人同居之祖父母。❹伯父或叔父。❺由亲属会议选定之人。"在本案，未成年人之父母死亡而无遗嘱指定监护人，应依第一〇九四条顺序定其监护人。未成年人系与其外祖父母同住一起，于此情形，可否认为外祖父母即系其监护人？对于此问题，原审法院采取否定之见解，认为依第一〇六〇条规定，未成年子女应以其父母之住居所为住居所，外祖父母受托照顾未成年子女，非属同居。"最高法院"认为："查第一〇六〇条所为未成年人住居所之规定，无非赋予父母对于未成年人之住居所指定权，非谓未成年之子女须与其父母同住在一起，故第一〇九四条第一项所谓与未成年人同居之祖父母，亦不以与未成年人之父母同居共住者为限，仍应视其与未成年人有无真正同居之事实为断。"

第一〇六〇条为父母对未成年子女住居所指定权之规定，系学者之通说。[1] 未成年人之住居所与第一〇九四条第三项所称之同居，并非系同一之概念，易言之，未成年人之住居所系由父母指定，但是否与外祖父母同居，则应根据事实决定之。"最高法院"所采取之见解符合第一〇九四条第一项规定之立法趣旨，实值赞同。

四、无意思能力未成年人之收养

收养行为系以发生婚生子女关系为目的之契约，故须双方当事人之意思表示一致，始能成立，系属契约。又收养系身份行为，故须自行为之。关于收养契约当事人之能力，未设规定，通说认为须具备意思能力。就收养人而言，依第一〇七三条规定，收养人最少须满二十岁，故原则上不生意思能力不足之问题。被收养人满二十岁者，原则上得自为收养行为，未成年人已具有意思能力者，亦得自为被收养之意思表示，但须得本生父母或监护人之同意。[2] 在此理论下，未成年人（尤其是未满七岁之未成年人）无意思能力者，其收养行为如何作成，颇有疑问，可谓系亲属法上一项疑难问题。

一九七七年台上字第一三四〇号判决谓："该孪生两女，未满七岁，本无意思能力，不能与人为法律行为，原无从对其行使属于能力补充权性质之同意权，原判决谓张平父母以法定监护人身份同

---

[1] 参阅戴炎辉：《亲属法》，一九七三年七版，第二九八页、第二九九页（注1）。
[2] 戴炎辉：前揭书，第二四六页；史尚宽：《亲属法论》，一九六四年，第五二九页。

意收养，难谓无效云云，亦非无可议之处。"依此见解，未满七岁之未成年人本身不得为收养行为，而其法定代理人（本生父母或监护人）又不得同意其为收养，则收养行为如何作成，殊有疑问。[1]

在学说上，关于未满七岁未成年人之收养，计有三种见解：

（一）法定代理人代为承诺说

戴炎辉先生谓："收养概在被收养人年幼时，在此情形，被收养人之法定代理人得代理承诺；此于民法无明文，但依惯行，并参考外国立法例，应作如此解释，惟由监护人代诺者，宜解为须得亲属会议之同意。"[2]

（二）单独行为——法定代理人同意说

史尚宽先生谓："收养通常为契约，其幼扶养为子女者，则为单独行为。""余以为未满七岁之子女，经收养人自幼抚育者，则以法定代理人之同意为已足。至于满七岁以上未成年人被收养，须由本人订立契约，并须经法定代理人之同意，然非代理。""被收养人未满七岁时，以收养人之单方为收养之意思表示（即创设亲子关系之意思），与自幼抚育之事实结合而成立收养关系。此时被收养人无意思能力，自无法为同意，然须经被收养人的法定代理人之同意。如为弃儿，其父母不知、亦无法定代理人时，应经收留孤儿弃儿之救济机关、警察机关或区乡镇公所之同意。发现弃儿、流浪孤儿自为收养者，以有为收养之意思及自幼抚育之事实为已足。发现弃儿为出生登记并为收养之登记时，自不待论，有其他可认为收养之事实表现时，亦得以此认定。何谓自幼抚育，依'司法院'解释，第一〇七九条但书所谓'幼儿'系指未满七岁者而言（一九四二年五月十五日院字第二三三二号）。父母共同行使亲

---

[1] 戴炎辉：前揭书，第二五三页。
[2] 戴炎辉：前揭书，第二四七页。

权时,须有父母双方之同意(注重双方之亲权),一方不能行使亲权,以得他一方之同意为已足(第一〇八九条)。"[1]

(三) 身份处分行为说

陈棋炎先生认为:"被收养人为无意思能力时,通说主张:由其为该子女法定代理人之父母,代理子女为被收养之意思表示,是为亲属的身份行为不准代理之惟一例外。但本人则不以为然,而曾经解释:这一行为,是基于父母本身之意思,而由父母亲自为行为者,而与未成年人子女意思及行为无涉,根本谈不上是代理,又无代理法理适用之余地。这一行为乃是由父母所为之身份处分行为,而与父母分娩子女之行为完全是父母本身之行为、并无子女意思及行为干预余地者同,只是身份处分行为是亲属的身份行为;而分娩是事实行为,仅有此不同点而已耳。除被收养人无意思能力,始允许其本生父母(应包括祖父母)有上举身份权外,绝无其他身份权存在余地,又未便类推适用于其他场合,固不待言。"[2]

关于未满七岁未成年人之收养问题,"民法"未设规定,因此须创设新的原则,以资规律,惟所创设之基本原则,必须能够符合身份行为之本质及保护未成年人之利益。史尚宽先生一方面认为收养未满七岁未成年人系收养意思与自幼扶养之事实结合之单独行为;另一方面则又认为原则上须经被收养人法定代理人之同意。此项见解,在理论上具有三点疑义:❶收养未满七岁之未成年人,若属单独行为,则法定代理人之同意,究属何种性质,甚难明了;在法定代理人同意前,收养行为效力如何,亦有疑问。❷收养子女,采单独行为说与身份行为之本质似有不合。❸所谓自幼抚养,依第一〇七九条规定之文义体系而言,似仅在于补充收养形式要件(书面)之欠缺,自幼抚养为子女之事实,似非收养幼儿之必备实

―――――――
[1] 史尚宽:前揭书,第五二二页、第六〇〇页、第五三一页。
[2] 陈棋炎:《亲属、继承法基本问题》,"台湾大学法学丛书"(四),一九七六年,第五九〇页、第五九一页。

质要件。

对于戴炎辉先生所提出"法定代理人代为承诺"说，史尚宽先生曾作如下之批评："在民法上虽有主张被收养人为幼儿时其法定代理人得代理承诺（戴著第二四七页，史著第一八三页）。此在日本民法明定未满十五岁者，由其法定代理人代诺（日本民法第七九七条），在德国民法明定无行为能力或未满十四岁之子女惟得由其法定代理人订立收养契约，并须监护法院之认许（德国民法第一七五一条第一项）。然在吾民法则无此明文，难为同样之解释。"[1] 依愚见之所及，此项批评未尽妥适，盖关于未满七岁未成年人之收养，现行法既未设规定，则参考外国立法例，采为法理（参阅第一条）而适用之，与法律解释基本原则，似尚无违背之可言也。[2] 所应斟酌者，系法定代理人之代为承诺，是否符合身份行为之本质。

陈棋炎先生认为承认父母对未成年子女身份处分行为，对子女有利无害："出养人与其子女，是骨肉至亲，事事都会考虑自己子女之利益，今因事非得已，而要出养子女于他人，自己虽因出养而丧失对自己子女之亲权，但亲权既继续由养父母行使，则对年幼子女之亲权之保护，并未即因出养而消灭，是以纵在此场合，承认身份处分权，其于子女亦无多大害处，反而有利。"[3] "也许有人以为亲权人可藉身份处分权以达成人身贩卖之目的，其对子女有害，甚为明显，于是便反驳本文所述管见。惟须注意者，是否承认身份处分权，是一个问题，而于承认后发生弊害，又是另一个问题。所以如果前一问题在实体法上能够站得住脚的话，那么，对后一问题，另行安排设法预防，亦不为迟。譬如：对收养关系之成立与效果予以积极的干涉与统制（例如德国民法第一七五四条第一、二、

---

[1] 史尚宽：前揭书，第六〇〇页。
[2] 拙著："比较法与法律之解释适用"，《民法学说与判例研究》第三册。
[3] 陈棋炎：前揭书，第八十七页。

三项；法国民法第三六一、三六二条，一九三九年七月二十九日法），上述弊害，亦自可迎刃而解，且又无害于身份处分权之存在。"对陈棋炎先生之见解，吾人所拟提出之疑问是：此一见解是否能够在实体法上站得住脚？身份处分权是否符合亲属身份行为之本质？仅为解决出养年幼子女之问题，而创设"身份处分权"此一特殊概念，是否绝对必要？

综据上述，可知关于无意思能力幼儿之收养问题，判例学说意见分歧，殊有疑义。由于现行制度对此特殊问题未设规定，各家见解虽有利于解决实际问题，但理论难免未洽之处。比较言之，法定代理人代为承诺说在实体法上尚有依据，并符合惯行及寓藏于外国立法例之一般法理，[1]似较可采。惟根本解决之道，应在于修改民法，设合理妥适之规定也。

五、断嗣与收养之效力

一九七七年台上字第一三四〇号判决，最值重视之部分，系其关于监护人行使监护权之方法，尤其是关于出养被监护人行为之效力所采取的基本立场。"最高法院"之见解，可归纳为三点：一为未成年人之监护人，在法律上之地位，相当于亲权人之事务管理人，其监护权之行使，应依有利于亲权人之方法为之。亲权人虽已死亡，参照第一七二条规定，非不得依其可得推知之意思行之。二

---

[1] 参阅日本民法第七九七条："应为养子者未为十五岁时，其法定代理人得代为收养之承诺"；韩国民法第八九九条："养子女未满七岁者，应由父母，无父母时由监护人代为入养之承诺，但嫡母继母或监护人为承诺时，应得亲属会之同意"。又依德国民法第一七四六条规定，被收养人未满十四岁或无行为能力时，由法定代理人代为承诺。§1745 I，BGB："…Für ein kind, das geschäftsunfähig oder noch nicht vierzehn Jahre alt ist, kann nur sein gesetzlicher Vertreter die Einwilligung erteilen"。参阅 Palant/Diederichsen, Kommentar zum BGB, 37. Aufl. 1978, Anm. zu §1946.

为人生于世，莫不求有后，以冀生命之延续。自古以来，但闻人死无后，亲族多为觅嗣以继其宗；从未闻死者有后，亲族反而出养其后以断其嗣。近代风气渐开，所谓后嗣，且已不限男子，是本件已故亲权人之意思，不难由此而得推知。三为死者张平之父母将张平夫妇仅有之遗孤孪生双女，并行出养，收养人即被上诉人，且有利用新近宣布今后户籍不再记载养父母身份之机会，以使两养女但知其为父母，不知另有生身父母之意向，张平父母出养两孙女行为系违反亲权人可得推知之意思，该收养行为应归无效。

"最高法院"在其判决理由以如此优美典雅之文辞，详细论述其所采利益衡量、价值判断之观点，风格特殊，至为少见，确值赞赏。然就其内容及法律解释方法以言，对其之基本见解，实难赞同。兹分四点言之：

（一）行使监督权之基本原则

第一〇九七条规定："除另有规定外，监护人于保护、增进被监护人利益之范围内行使、负担父母对于未成年子女之权利义务。但由父母暂时委托者，以所委托之职务为限。"由是可知，监护权之行使，系以保护、增进被监护人利益为其指导原则，监护人于行使监护权时，关于亲权人利益或意思或可斟酌，但不得违反保护增益被监护人利益之基本原则。

（二）监护人之法律地位与无因管理

"最高法院"认为未成年人之监护人，在法律上之地位相当于亲权人之事务管理人，应参照无因管理之规定行使监护权。就管理他人事务而言，监护人与无因管理人之地位，有相当之处，虽不容否认，但由此而认为监督权之行使，应与无因管理事务相同，应以有利于亲权人之利益并不违反其可得推知之意思而为之，则乏依据。关于监护权之行使之原则，第一〇九六条第一项设有明文，其基本精神在于保护及教养未成年子女，非为已死亡之亲权人自身之利益。无因管理规定，实无类推适用之余地。[1]

（三）亲权人之利益及意思与监护人所为法律行为之效力

"最高法院"认为收养行为违反亲权人可得推知之意思，不得认为有效。此项见解，殊难赞同，理由有四：其一，现行民法无此规定。其二，"最高法院"认为此系参照无因管理之规定，然就无因管理而言，管理人管理事务（例如买卖物品），不利于本人并违反其明示或可得推知之意思者，其法律行为，仍属有效。其三，如采"最高法院"之见解，则监护人所为之法律行为（收养及其他法律行为）生效与否，将视其是否符合已死亡亲权人之利益及意思而定，对于法律交易殊有妨碍。其四，以死亡者难以推知之意思，支配生者所为法律行为之效力，法理上似难成立。

（四）传宗接代思想与收养行为之效力

"人生于世，莫不求有后以冀生命之延续。自古以来，但闻死后，亲属多为觅嗣以继其宗；从未闻死者有后，亲族反而出养其后以断其嗣……"，此段判文将"上营祖先之祭祀，下传血统于后嗣"之传统思想，说得透彻，实堪赞赏。"最高法院"由此而导出监护人出养行为，违反亲权人可得推知之意思而无效，仅是一种表面形式的说理方法，实则其基本思想系认为出养受监护人，断绝亲权人之后嗣，其收养行为本身应为无效。惟依吾人所信，为达到此项目的，就判决理由构成之方法论而言，不宜假藉死者难以推知之意思，而应认为此项收养行为违反公序良俗无效（第七十二条）。

有疑问的是，出养被监护人，致断绝已死亡亲权人之后嗣，是否违反公序良俗？公序良俗之具体内容，常随时代社会思想之变迁及个别社会制度之不同，而有差异。故法律行为是否违背公序良俗，必须依据当前社会之一般利益或社会一般道德之观点而断定

---

[1] 关于无因管理之一般理论，参阅拙著："无因管理制度基本体系之再构成"，载于本书。

之。以本文见解，宗祧继承已为现行民法所废除，独子、独女亦可出养，向为实务所肯认（一九三二年院字第七六一号）。收养制度偏重社会意义，在于促进养子女之利益。由斯观之，收养他人子女（无论其为未成年人与否），纵因此断绝死者后代，似尚不构成违背善良风俗情事。

六、结 论

关于监护人出养受监护人之效力，"最高法院"采取下面推理形式：

（1）监护人行使监护权不利于亲权人或违反其明示或可得推知之意思者，其所为之法律行为无效——大前提（法规命题）。

（2）监护人出养受监护人之行为，系违反已死亡亲权人可得推知之意思——小前提（事实关系）。

（3）监护人出养被监护人之行为无效（结论）。

上述推论中之大前提（法规命题）最具疑义。严格言之，似难成立：❶现行法并无此项规定，亦无从经由解释现行规定而得到此项法规命题。❷无因管理与监护性质不同，欠缺类推适用之基础。又无因管理人管理事务不利本人或违反其意思，其所为之法律行为亦非无效。❸制定法有时而穷，法官造法，亦有必要，但此所创设之规范违背监护制度之社会功能，妨碍交易之安全，过分强调已死亡亲权人利益及其意思之支配力，与一般法律原则显有违背，似难赞同。

实则，依吾人之见解，"最高法院"创设上述法规命题，以法律解释技术之手段，拟制死者难以推知之意思，其目的似在于实践"人生在世，莫不求有后，以冀生命之延续"之价值观念。法院（尤其是"最高法院"）解释适用法律，必须明确地表明自己立场或价值判断。我们不应耽溺于法律解释之微细知识，而应致力于建立自己在思想上、社会哲学上及人道上之立场。没有思想之法律解释，殆如逢场作戏，是轻易变节之机会主义者，容易导致不负责任之结果。相反，表明一定立场的法律解释，系就其解释所导致之结果，对社会负责。[1] 基此观点，我们应对一九七七年台上字第一三四〇号判决表示最高之敬意。然而应强调的是，我们虽然要有一定之价值判断，但是不可采为教条，必须努力以经验科学之方法来验证其正确性，不可以使其僵化，应时时修正，使能适应社会之需要。关于传宗接代的价值观念在现行法解释适用上实践之必要性及其限度，亦应本此客观的态度加以检讨。[2]

---

[1] 参阅渡边洋三：《法社会学と法解释学》，昭和42年，岩波书店，第149页。
[2] 关于亲权之滥用（尤其收养同意权及代诺权之滥用），请参阅黄宗乐："亲权滥用之研究"，《固有法制与现代法学》（戴炎辉先生七秩华诞祝贺论文集），一九七八年，第四四三页以下（尤其是第四五七页）。其论点精辟，说理透彻，深具参考价值。

英国劳工法之特色、体系及法源理论

一、英国劳工法之特色

一、法律不干预

为规律劳资关系,基本上有二个途径,可资采取。第一个途径是劳动者团结,组织工会,与雇主(雇主团体)从事集体谈判(Collective Bargaining),订立团体协议(在台湾称为团体协约)(Collective Agreement),确定彼此间之权利义务关系。第二个途径是通过立法(Legislation),规定雇主之义务,保障劳动者之权益。一个国家(地区)究竟采取何种途径,固受其社会、哲学思想、工业经济发展及政治制度之影响,但仅有轻重之别,实难偏废。另外,无论采取何种途径,均与法律发生密切关系。试分为三点加以说明:

(一)法律补助之功能——协助建立集体谈判制度

法律虽不能有效强制劳资双方从事集体谈判,但法律得承认工会合法地位,保障工会活动,规定集体谈判程序,直接或间接协助集体协议之履行。

(二)法律规范之功能——保护立法之制定

法律为保护劳工利益,得就工资、工时、休假、福利及安全卫生等问题,详设规定,对于违反者,予以制裁。法律强制规定之必要性及其适用范围,与集体谈判制度之功能,具有密切关系。假若集体谈判制度能够有效合理规律劳资问题,保护立法可相对减少。反之,假若集体谈判制度根本未能建立或名存实亡,则将多赖国家立法以维护劳工权益。

(三)法律限制之功能——规定解决劳资争议之程序

无论采取集体谈判制度或国家保护立法,劳资争议均难避免。为保护劳资双方当事人利益及维护社会公益,法律除规定争议之手段外,并可提供解决劳资争议之程序及调解仲裁机关。

如果我们依照上述劳工法三种功能,分析英国劳工法制,可以发现其具有三个基本要点:

(1)集体谈判系英国劳资关系之基本体制。英国法律虽设有各种规定,保障工会活动,支持或鼓励当事人从事集体谈判,但关于集体谈判之程序,完全让由当事人自治。团体协议在法律上并不成为具有拘束力之契约。

(2)在集体谈判体制下,保护立法系处于次要、从属、辅助之地位。惟六十年代以来,劳工立法剧增,发展趋势,实堪注意。

(3)在劳资争议方面,整个英国法制之发展,最具启示性,可分为三个阶段:❶劳动者企图组织工会,以罢工为手段,争取改善劳动条件。❷法院对于劳工争议行为,在民事上及刑事上加以制裁,严格限制工会活动。❸国会为适应社会需要,并因劳工逐渐取得参政权,乃逐渐制定特别法案,废止法院之判决。基于此种发展,劳工立法之目的,不是积极地规律劳资争议问题,而是消极地取消法院对劳工组织工会及从事罢工等争议行为之限制。[1]

据上所述,可知英国法律规律劳资关系之功能,甚为有限。学者称之为 Abstention of law(法律之欠缺)或 Non-intervention by

---

[1] 参阅 R. Lewis, The Historical Development of Labour Law, (1976) XIV Brit J Industrial Relations 1–15.

the law（法律不干预），[1] 此为英国劳工法最基本之特色。牛津大学前任比较法教授，英国劳工法权威学者 Kahn‐Freund 氏曾谓：

"英国劳工法在规律劳动关系，其功能至为消极，在举世各国中，独具特色。法律、法律实务界与劳动关系殊少发生关联。依本人所信，此实为英国劳动关系健全之证明。依赖立法或法律制裁，以强制雇主与受雇人间权利义务，仍表示劳动关系之实际崩溃或正处于崩溃边缘。对工会而言，此实为其衰微之信号，绝非其力量之象征。"（There is, perhaps, no major country in the world in which the law has played a less significant role in the shaping of industrial relations than in Great Britain and in which the law and the legal profession have less to do with labour relations. In the writer's pinion this is an indication that these relations are fundamentally healthy. Reliance on legislation and on legal sanctions for the enforcement of rights and duties between employers and employees may be a symptom of an actual or impending breakdown and , especially on the side of the unions, frequently a sigh of weakness, certainly not a sign of strength.）[2]

Kahn‐Freund 教授认为，"法律之欠缺"，系表示英国劳资关系之健全，此项在一九五四年提出之乐观看法，由于目前英国劳资关系危机严重，深受怀疑。[3] 近年来劳工立法增多，法律规律功能日益增强。惟综合观之，法律规范之消极性，仍为英国劳工法之特色，此为研究英国劳工法所应把握之基本知识。

二、社会政治背景

在规律劳动关系方面，英国系采取"法律不干预"之基本政

---

[1] 参阅 K. W. Wedderburn, The Worker and the Law (1970), p. 17; B. A. Hepple and P. O'Higgens, Employment Law (1976), p. 1.

[2] Otto Kahn‐Freund, Legal Framework, in: The System of Industrial Relations in Great Britain, ed. A. Flanders and H. A. Clegg (1954), p. 44f.

[3] A. W. J. Thomson and S. R. Engleman, The Industrial Relations Act. A Review and Analysis (1975). p. 1.

策,已如上述。然而,英国法律为何如此消极?英国立法者为何如此保守,如此自制?此实为极有趣味、极为重要的问题。

英国法律拒绝干预劳动关系,不是建立在一种哲学思想体系之上,也不是政治家或法律学者有计划之安排。就像其他英国法律制度一样,这是历史经验之产物。因此,为理解英国劳工法此项基本特色,必须通盘检讨十九世纪英国社会政治史。简而言之,可归纳为三点加以说明:[1]

(1) 十八世纪末叶及十九世纪初叶,正值英国工业快速发展、劳工问题滋生之际。但在此期间,英国政治体制系沿袭光荣革命以来之成规,其所产生国会,基本上仍是中世纪之组织结构,代表地主资产阶级利益,期其积极立法,保护劳工,自不可能。

(2) 在劳工问题发展之关键期间,劳动者不但未受到法律之保护,工会活动反而受到《禁止结社法》(Combination Acts 1799, 1800)之取缔及制裁。在欠缺法律保护之下,劳工开始团结自救,历百年之奋斗,地位趋于稳固。一八六七年及一八八四年《国民参政法》(Representation of Peoples Act)之制定,使劳工逐渐取得参政权之前,劳工已能透过集体谈判制度,照顾自己利益,无需特别藉重法律之保护了。

(3) 基于长期奋斗之经验,劳工及工会确信,所可信赖者,系劳动者团结之力量;能有效争取改善劳动条件者,系罢工等争议行为。劳工们不期望国会积极立法之保护,仅要求国家和法律之不干预。[2]

---

[1] 参阅 Otto Kahn-Freund, Labour Law: Old Traditions and New Developments (1968), p. 6.
[2] 关于工会与国家关系之基本问题,参阅 D. F. Macdonald, The State and the Trade U-nions (1976).

三、法院之保守主义及阶级意识

（一）法院对工会运动之敌视

英国法律在规律劳资关系，所以扮演次要角色之另一项基本原因，系工会怀疑法院判决之公正性。自十九世纪以来，英国法院对于劳动者组织工会，以罢工为手段，争取改善劳动条件之目的及方法，根本采取敌对态度。法院所采取压制工会之方法，计有二种：一为创设或扩张适用普通法上之刑事罪名（尤其是 Criminal Conspiracy，刑事共谋罪）及侵权行为（尤其是 Restrain of Trade，限制营业之理论）；一为对保护劳工之法律尽量采取狭义解释，但对于不利工会活动之法律则尽量采取广义解释。劳工及工会在法院敌视之判决下，挣扎奋斗，直至一八七〇年代，工会力量日趋稳固，工人逐渐取得参政权后，始利用国会立法，废止法院判决。此项法院判决与国会立法之相互对抗，构成英国劳工法制史上最具启示性之一页，俟后再为详述。兹仅就 Tolpuddle 一案，说明法院之态度及工会之反应。

在立法取缔及法院诉追情况之下，工人为生存而奋斗（Struggle for existence），从事秘密结社，并举行特别仪式，以增强组织团结力量。例如在 Exter 地方劳工秘密会议中，与会之代表们携带二把木斧、二双木剑、二幅面具、二件白袍、一架死亡之形象、一本圣经。政府对于此项秘密结社，至为关切。一八三四年，在 Dorchester 地方之 Tolpuddle 村，有六名农工被控诉违反一七九七年之《禁止不法宣誓法》。罪名虽甚牵强，但内政部长 Lord Melboure 坚持应予追诉。一位刚就任之法官 John Williams，判决被告应放逐澳州七年，处罚堪称严酷。工会代表在伦敦集会，游行请愿，要求减刑，但终无结果。此项判决不仅引起劳工之怨恨，而且成为英国工会运动史上之大事。[1] 一九三四年，全国工会联盟（Trade Union Congress，简称TUC）除出版Tolpuddle Martyrs（Tolpuddle烈士）百年纪念专集外，并在Tolpuddle建立六个农舍，供退休农工养老之用。其后，全国工会联盟更设法取得法院之旧址，改辟为纪念堂，开放公众参观。[2]

（二）基本原因

英国法院为何对工会运动采取严厉压制行动？最主要之基本原因，系英国普通法（Common Law）个人主义精神。普通法法院所强调者，系个人自由，其所保护者，系财产利益，因而对任何集会结社及罢工行为，根本上采取怀疑态度。其次，法官对劳工运动之目的及本质，欠缺正确认识，亦为重要原因。依据Webb氏之观察，绝大多数的法官诚实地相信，工会运动系反常的，有害于英国工业及侵害个人自由。在一九二三年，声誉卓著之法官Lord Schutton曾从法官之立场加以检讨，作如下之说明：

"公正，在任何体制，均不易实现。吾人非指有意识之公正而言。所培养之习惯，来往之人士，使吾人具有某种类之观念，致在处理其他不同种类观念时，时常无法依吾人之意欲，作成适当正确之判断。此为目前关于'劳动'重大难题之一。劳工们说：公正之法官何在？彼等与雇主来往相处，受同样观念之教育与熏陶，在此情形下，劳工及工会运动者如何能够期望获得公正审判？"（Impartiality is rather difficult to attain in any system, I am not speaking of conscious impartiality, but the habits you are trained in, the people with whom you mix, lead to your having a certain class of ideas of such a nature that, when you have to deal with other ideas, you do not give

---

[1] 参阅 S. and B. Webb, The History of Trade Unionism (1920), p. 145; H. Pelling, A History of British Trade Union (1971), p. 41f.

[2] 参阅 The Trade Unions Situation in the United Kingdom, Report of a Mission from the International Labour Office (Geneva, 1961), p. 9.

as sound and accurate judgements as you would wish. This is one of the great difficulties at present with labour. Labour say: "Where are you impartial judges? They all move in the same circle as the employers and they are all educated and nursed in the same idea as the employers. How can a labour man and trade unionist get impartial justices?")[1]

英国政治家丘吉尔（Sir Winston Churchill）于一九二一年五月三十日在下议院亦曾明白指出："在刑事案件及关系个人利益之民事案件之领域里，法院享有高度、绝对之卓越性，深值社会各界人士敬佩。但是在涉及阶级争议之案件，实难认为法院享有相同程度之一般信赖。（The courts hold justly a high and I think, unequalled prominence in the criminal case, and in civil case between man and man, no doubt they deserve and command the respect of all classes of the community, but where class issues are involved, it is impossible to pretend that the courts command the same degree of general confidence.）[2]

剑桥大学劳工法教授 O'Higgens 氏为检讨英国法院最近百年之态度，曾搜集一八七一年 Trade Unions Act（工会法）制定以后，迄至一九六〇年 Emerald Construction Company v. Lowthian 一案止之七十个案件，加以分析，发现如下结果：❶在五十五个民事案件中，由贵族院（House of Lords）终审判决者，共计有八件，其中五件限制劳工采取争议行动；由上诉法院（Court of Appeal）终审判决者，共计有二十一件，其中十件限制劳工采取争议行动；由皇后（或国王）法院分庭（Divisional Court of Queen's or King's Bench）终审判决者，共有五件，共中一件限制劳工采取争议行动；由高院（High Court）终审判决者，共计有十六件，其中十一件限制劳工争议行动。❷在三十个刑事案件中，由刑事上诉法院

---

〔1〕 The Work of the Commercial Courts (1921), I. C. L. J. 68.
〔2〕 引自 Milne/Bailey, Trade Union Documents (1929), p. 380.

（Court of Criminal Appeal）终审判决者，共计二件，其中一件不利劳工；由高院分庭（Divisional Court）终审判决者，共计十三件，其中十一件之判决不利劳工；由初审法院（First Instance Court）终审判决者，共计五件，其中三件不利于劳工。[1]

O'Higgens氏此项研究，极具价值。一般言之，不利于劳工之判决多于有利于劳工之判决。应特别注意的是，由法院处理之劳资争议案件，为数甚少。一九二〇年至一九三〇年之间虽然经常发生重大劳资纠纷，但多未诉诸法院。据O'Higgens氏之解释，此乃因为劳资双方（尤其是工会）怀疑法院之公正性，认为不宜采用法律手段解决争议问题。在法院公正性被怀疑之情形下，法律权威不易建立，其规范功用难以发挥，自属当然。

二、英国劳工法之体系

一、体系理论之基本问题

台湾法学研究一向重视体系理论，因此，于对某项法律从事研究时，通常先论述该项法律之体系，并且将其分为二项：❶该项法律在整个法律体系上之地位（公法及私法，普通法及特别法等）；❷该项法律本身之内在体系（例如物权法可分为所有权、用益物权、担保物权及占有等）。法律体系之研究，不但可以建立整个法律体系理论，了解该项法律之特色及其指导原则（认识上之目的），而且对法律之解释适用（包括法院管辖），亦深有助益。

英国法制系以习惯为出发点，以法院判决为主干，由国会立法加以补充，历六百余年之发展而建立，系实务经验之累积，因而对于法律概念及体系理论，并不重视，学说论著甚少。在契约法及侵

---

[1] P. O' Higgens & M. Partmgton, Industrial Conflict and Judicial Attitude (1969) 32 M. L. R. 53–58.

权行为法如此，于劳工法亦不例外。然而，为便于从事比较研究，特参照台湾法上理论体系，加以说明。

二、劳工法在整个法律体系上之地位

（一）公法与私法

Public Law 及 Private Law 虽亦为英国法之基本分类，但其区别标准何在，学者见解，尚未一致。有采利益说者，认为虽然任何法律皆牵涉公益及私益，但在原则上得认为直接规律公益者为公法，直接规律私益者为私法；有采主体说者，认为法律关系之一方当事人为国家者为公法，反之，为私法；有采性质说者，认为规律统制支配关系者为公法，规律平等关系者为私法。[1] 二十世纪以来，国家负担之任务，日趋复杂，逐渐介入社会经济活动，致使公法与私法之界限，不易划分，但是关于基本法律之归类，尚未产生困难。宪法、行政法及刑法系属公法，契约法、侵权行为法及物权法系属私法，仍为英国学者所共认。

（二）劳工法之归属

劳工法之性质如何？公法抑或为私法？对此问题，英国劳工学者并未详细讨论。法理学家 Paton 氏在其名著 Jurisprudence（法理学）教科书中，讨论公法与私法区别之问题时，曾谓：劳工法跨越公法及私法两个领域。在自由放任时代，劳动关系系受契约法、侵权行为法及物权法之支配；但在今日，劳动关系之混乱状态实难容忍，国家乃对工资、休假及解雇原因，增设规定。[2] Calvert 氏更明白指出：劳工法以前全属私法领域，现在由于社会福利思想之发达，业已纳入公法之内，成为经济法（Economic Law）之一部分。[3]

---

[1] F. Pollock, Jurisprudence and Legal Essays (1961), pp. 52–55.
[2] G. W. Paton, A Textbook of Jurisprudence (1972), p. 281.
[3] H. Calvert, Social Security Law (1974), p. 3.

三、劳工法本身之体系

（一）学者之见解

劳工法本身包括何种内容？这些内容如何归类、组成体系？关于此点，英国劳工法学者亦甚少讨论，因此仅能就主要著作，加以分析。

1. K. W. Wedderburn 之 Worker and the Law

Wedderburn 氏曾在剑桥大学任教，现为伦敦大学教授。"The Worker and the Law"（《劳工与法律》）一书系以社会一般读者为对象，故列入 Pelican Books（Pelican 丛书）（一九六五年初版，一九七〇年再版），因其体例简明，甚受法律界人士重视。Wedderburn 氏认为，就现阶段法制发展状态而言，劳工法包括五个领域：劳工与雇主间之雇佣关系；工会与雇主间之集体谈判及团体协议之法律效果；关于雇佣条件之立法；关于罢工、关闭工厂及劳资争议之法律；关于工会地位及会员之法律。

2. C. D. Drake 之 Labour Law

Drake 氏现为 Leeds 大学教授。Labour Law（《劳动法》）一书，列入简明大学丛书（Concise College Text），由 Sweet and Maxwell Ltd. 出版（一九六九年初版，一九七三年再版）。Drake 将本书分为二个部分：一为 Individual Aspect of Labour Law（劳工法之个体面），主要在于讨论劳动契约；二为 Protective Legislation（保护立法），主要在于讨论保护劳工立法，雇佣与社会安全，劳工及雇主团体之组织，集体谈判及劳资争议问题。

3. R. W. Rideout 之 Pirnciples of Labour Law

Rideout 氏系伦敦大学教授，Principles of Labour Law（《劳工原理》）一书，内容详尽，由 Sweet and Maxwell Ltd. 出版，（一九七二年初版，一九七六年再版）。Rideout 氏将本书分为三个部分：其一为雇佣契约；其二为工会；其三为工业灾害。

4. B. A. Hepple 及 P. O'Higgens 合著之 Employment Law

Hepple 氏原在剑桥大学任教，现为 Kent at Cantebury 大学教授。O'Higgens 氏现在剑桥大学讲授劳工法。Employment Law（《雇佣法》）系 Individual Emoplyment Law 一书之修正版，由 Sweet and Maxwell Ltd. 出版（一九七六年）。本书共分五章：❶基本结构（Framework），以讨论团体劳动关系（Collective Labour Relation）为主；❷雇佣条款及条件；❸雇佣之纪律及丧失；❹劳动关系之国际面（International Aspect）；❺实务及程序。

（二）综合分析

关于英国劳工法之内容项目，各家论述，重点尚不一致。综合观之，英国劳工法之领域包括雇佣契约、工会组织、雇主团体、集体谈判、劳资争议、工业安全卫生及社会保险等。至于内容归类，似尚未形成众所公认之理论体系，此或因欠缺完整劳动法典之故。依吾人见解，劳工法本身可分为二个体系：一为个别劳动关系法，以个别劳动者为规律对象，包括个别劳工与雇主间之雇佣契约及国家对个别劳工之保护立法；另一为总体劳动关系法，以劳工组织体（工会）为规律对象，包括工会与雇主（雇主团体）之关系，及集体谈判制度。此种体系之优点在于能够表现劳动关系之特色及劳工法之基本任务。[1] 英国学者所谓 individual aspect of labour law 或 individual labour relations 及 collective labour law 亦含有同样之思想。七十年代以来，英国劳工法之重要性，显著增强。吾人深信，理论体系之建立，将成为英国学者关切之问题。

---

[1] 参阅 O. Aikin 及 J. Reid 合著之 Labour Law I: Employment, Welfare and Safety at Work（Penguin Books, 1971），基本上系采取此种体系分类（pp. 13–16），可供参考，可惜第二册尚未出版。

三、英国劳工法之法源理论

一、法源一般理论

(一) 法理一般理论

在论述英国劳工法各项制度之前,应先对劳工法之法源详加说明,以究明英国劳工法之基本特色及规范功能。然欲了解劳工法之法源,必先对法源之一般理论有所认识。英国法之基本法源计有判例(Judicial Precedents)、立法或制定法(Legislation or Statutes)、习惯(Custom)及权威著作(Books of Authority)。前二者为主要法源(Principal Sources),后二者为补助法源(Subsidiary Sources)。[1]

1. 判例

判例者,乃指法院就个别案件所作之具体判决而言。自十二世纪以来,国王所派出之巡回法官逐渐取代了地方性之法院、封建法院及特权法院,建立中央集权式之司法制度。其所为之判决,适用于全国,因而形成了 Common Law(英国普通法)之体系,是为英国法之基础。[2]

判例拘束理论(Doctrine of Judicial Precedent)系英国普通法之基本特征。简单言之,系谓下级法院应受上级法院判决之拘束,而上级法院(High Court of Appeal 及 House of Lords)应受其本身判决之拘束,[3] 惟 House of Lords(贵族院)于一九六五年七月二十

---

[1] 关于英国法法源理论,最佳之著作系 C. Allen 之 Law in the Making (1964),其他请参阅 J. Salmond, Jurisprudence (1975); R. W. M. Dias, Jurisprudence (1976); O. H. Phillips, A First Book of English Law (1970).

[2] 参阅 J. H. Baker, An Introduction to English Legal History (1970).

[3] 参阅 R. Cross, Precedent in English Law (1968) pp. 3 – 34; Dias, op. cit, pp. 162 – 217; A. L. Goodhart, Precedent in English and Contitental Law (1934) 50 L. Q. R. 60.

六日宣布,原则上其虽仍受自身判决之拘束,但必要时将变更以前之判决。判例拘束理论虽以 Declaratory Theory of the Common Law(普通法宣示说)为其思想基础,认为法院判决仅系宣示原已存在之规则,而非在于创造新的法律,但其实际目的则在于维持法律适用的安定性。英国法所采取之严格判例拘束理论,具有二项缺点:其一,此项理论本身之解释适用,并不十分确定,具有拘束力之"ratio decendi"与不具拘束力之"obiter dictum"如何区别,时滋疑义。其二,不足适应急速变迁社会之需要。虽然法院得藉 distinguishing cases(区别案件)之技术,推陈出新,但终有其限度。[1]

2. 制定法(立法)

制定法者,系指英国国会依法定程序所制定之法律而言。从判例法之观点而言,制定法具有二项功能:一为补充判例法之不足,一为变更不合时宜之判例,故兼具促进法律成长及改革法律双重任务。由于国家活动之扩大,立法之重要性,日益增加。

基于国会主权之理论(Parliamentary Sovereignty),制定法系最具权威之法源,其效力高于法院判决,法院应受国会立法之拘束。然而,法官基于传统教育及保守之社会背景,对于因时制宜、经常变更之立法,欠缺信心,从而倾向于采取文义狭义之解释,此为英国法律解释一项重要问题,殊值注意。[2]

英国之立法,主要系以补充或变更判例为目的,常为解决特殊事项而制定,欠缺整体计划,倾向于采取零碎繁琐之规定,致增加解释适用之困难,深受批评。[3] 为解决此项问题,国会特采取二个对策。一是 Consolidation(法令之综合化),即将属于同一领域、但零星分散之法令,不变更其基本内容,综合在一个法律之下加以

---

[1] 参阅 R. Cross, op. cit, pp. 38.62.67.72-2; Dias, op. cit, pp. 195-196.

[2] R. Cross, Statutory Interpretation (1976) 系目前最完备讨论英国法律之著作; Dias, op. cit, pp. 218-245; O. H. Phillips, op. cit, pp. 118-152.

[3] P. S. James, Introduction to English Law (1976) vii; Hepple & Matthews, Tort: Cases and Materials (1974), pp. 436-441.

规定。在劳工法方面，最著之例是一九六一年之 Factories Act 1961（一九六一年工厂法），它集一八二〇年以来数十种工厂立法之大成。二是 Codification（法典化）。狭义之 Codification 系针对判例而言，指将零散之判例依一定之体例，制成法典（例如一八九三年之 Sale of Goods Act 动产买卖法）；广义之 Codification 则指将零散之立法及判例组成体例完备之法典，一九六五年新设之 Law Commission（法律委员会）即负有此项任务。

3. 习惯

英国法上之习惯（Custom），可分为二类：一为 conventional（contractual）custom，此种习惯，系在特定当事人或特定行业间发生，虽不具法律规范性质，但得基于默示成为契约条款，对特定当事人发生拘束力；另一为 legal custom，此项习惯具有法律效力，并可再分为 general custom（一般习惯）及 local custom（地方习惯）。具有法律效力习惯之成立，须具备久远性，继续性，合理性，确定性及一贯性等要件。[1] 习惯曾为英国普通法之根源，但因多已纳入判例法体系，或为立法所取代，在法源上已失其重要性。

4. 权威著作

在大陆法系国家，学者著作系属重要法源。但在英国，由于传统上认为法律应求诸法院之判决，学说理论向不受重视，其在法庭虽亦偶被引用，但仅在证明某项法律解释之正确性，并不认为系为独立之法源。对于此项原则，构成例外者，系少数权威著作（Books of Authority），于无相反判例存在时，得视为法源，作为判例之依据。其主要者有：Bracton 氏之 De Legibus et Consuetudinibus Anglia（十三世纪之著作），Coke 氏之 Institutes（1628 – 1641），及 Blackstone 氏之 Commentaries of English Law（1765）。诸此著作，所以被认为具有法源性，一方面固由于其作者在实务上或学术上享有

---

[1] Phillips, op. cit, pp. 207 – 221, Dias, op. cit, pp. 246 – 255.

盛誉，他方面亦由于在十八世纪以前，法院判决欠缺系统整理，难以探知，不得不酌采学者论述，作为补充。

应特别说明者，二十世纪以来，由于法学著作水准大幅提高，学说理论较受重视，权威学者之教科书及论文，例如 Dicey 氏之 Law of the Constitution, Salmond 氏之 Law of Torts, Goodhart 氏在《剑桥大学法学论丛》发表之论文[1]等，常被法院采为判决之佐证。以前，法院所引述者，仅限于逝世之作者。目前，此项传统已被打破，Cheshire 氏之 Private International Law 常被引用，即其著例。

（二）劳工法法源上之特色

判例、制定法（立法）、习惯及权威著作系英国法之基本法源。其一般理论，原则上对劳工法亦有适用余地，自不待言。于此应予特别指出的是，在规律劳动权利义务关系，有二项规范特为重要，此即团体协议（Collective Agreement）及劳动惯例（Labour custom and Practice）。严格言之，此二者均非属一般意义之法源，但因其具有规范性，特在本章并加论述。如是观之，规律英国劳动关系之规范，可分为二类：一是由国家权力机构所制定（判例及制定法），一是由当事人所创设（集体协议及劳动惯例）。至于学说理论则在阐明劳动规范之内容，建立劳动规范之体系，与二者具有密切之关系。

二、劳动判例法

（一）英国普通法规律劳动关系所受之限制

英国普通法系英国法制之基础，其在契约法、侵权行为法、物权法及信托法方面虽具有卓越之贡献，但在形成规律劳动关系（尤其是团体劳动关系），则仅扮演次要角色。Kahn‐Freund 教授

---

[1] Gold v. Essex County Council (1942) 2K. B. 293.

曾谓：在劳工法方面，不是赞颂英国普通法美德之最佳场所。[1]至其原因，可归纳为二点：[2]

1. 判例法本身之缺点

劳动关系所要求的是整体、通常之法律，以规律典型之劳动行为（工资、工时、加班、休假、福利、工业卫生等）。判例法所处理的，多系零碎、病态之特殊事态，不能建立完整规范体系。

2. 普通法不能调和不平等之社会力量

英国普通法之基本精神在于规律个人关系，保护个人权益，系以当事人之自由平等为前提。在劳动关系上，一方面是企业，一方面是个别劳工，力量悬殊，法院无法调和二者之关系。在集体谈判体制下，法院对于新的社会力量之对抗，亦难加以有效规律。[3]

（二）制定法对普通法之补充修正

普通法法院所创设之判例法，不足规律劳动关系，已如前述。因此，于必要时，仍由国会立法，加以补充修正。其例甚多，俟于讨论劳动契约法时，再予详述。兹仅就 Doctrine of Common Employment（共同雇佣理论）加以说明。

所谓共同雇佣理论者，系谓劳动者因受雇同一企业之其他劳动者之过失而遭受损害时，不得向雇主请求损害赔偿。此项理论系建立在个人主义之思想上，认为受雇人之权利，系依契约而定，当其受雇之际，默示同意承受其他劳动者因执行职务所生之损害，盖其明知或不为此项承诺，势将获得较少之工资也。此项原则，于一八三七年 Priestley v. Fowler 一案确立。[4] 其后法院亦认为其过于苛酷，亦多方设法缓和。[5] 但直至一九四八年始由国会制定 Law Re-

---

[1] Kahn‐Freund, Labour and the Law, p. 2.
[2] Kahn‐Freund, op. cit, pp. 21–29.
[3] Hepple and O'Higgens, op. cit, p. 3.
[4] (1837) 3M. and W. 1.
[5] Groves v. Wimborne (1898) 2Q. B. 402.

form (Personal Injuries) Act 1948，予以废除。[1]

（三）普通法规律劳动关系之功能

关于英国普通法规律劳动关系之功能，必须分别情形加以说明。在总体劳动关系（集体谈判）方面，普通法殊少贡献，但在个体劳动关系方面，普通法虽受到限制，其所创之制度，仍然具有重要性。例如，依 Restrain of Trade（限制营业）理论，雇主不得在雇佣契约中约定条款，不当限制受雇人于雇佣契约终止后，与雇主从事商业竞争。[2] 又例如过失侵权行为（Negligence），仍为工业灾害民事责任之基础。[3] 然而应特别说明者，最近法院亦逐渐检讨不合时宜之传统见解，创设新的观念。Legal right to work（工作之权利）之理论，为其著例。[4] 按雇佣契约订定后，雇主不提供约定之工作者，固不免支付报酬之义务，但受雇人是否有权要求雇主提供约定之工作？在一九四〇年 Collier v. Sunday Referee Publishing Co. Ltd. 一案，Asquith 法官谓："假如我按时支付厨师薪水，而选择在外面吃饭，该厨师实无异议之余地。"[5] Lord Denning M. R. 对此见解表示怀疑，于一九七四年在 Langston v. A. U. E. W. 一案谓："在三十年前，固有此说法，但在今日，基于契约之默示，受雇人应有工作之权利"（That was said 33 years ago: Things have altered much since then. We have repeatedly said in this court that a man has a right to work, which the courts will protect. I would not wish to express any decided view, but simply state the argument… In these years an employer, when employing a skilled man, is bound to provide

---

[1] 关于整个 Common Employment 理论之解释适用及其发展，参阅 Winfield & Jolowicz, The Law of Tort (1975), pp. 142–156; Hepple & Matthews, Tort: Cases and Materials (1974), pp. 262–264.
[2] 参阅 Winfield & Jolowicz, op. cit, pp. 441 et seq; Hepple & Matthews, op. cit, pp. 436–441.
[3] Wedderburn, op. cit, pp. 264et, seq. 284et seq. 28 7et seq.
[4] Hepple & O'Higgens, op. cit, Para. 272; Rideout, op. cit, pp. 78–80.
[5] (1940) 2K. B. 647.

him with work. By which I mean that the man should be given the opportunity of doing his work when it is available and he is ready and willing to do it.),[1] 充分显示法院态度之改变，其发展趋势，实值注意。

三、劳工立法

（一）基本特色

在规律劳动关系，英国基本上采取集体谈判制度及当事人自治原则，国家立法系居于次要、补充之地位。Kahn-Freund 教授曾谓："所有以法定方法决定工资及其他雇佣条件，在法律上亦被认为非属上策。就某种意义而言，所有英国立法系对集体谈判制度之诠释。"（All statutory methods of fixing wages and other conditions of employment are by the law itself considered as a second best. All British labour legislation is, in a sense, a gloss or a footnote to collective bargaining.）[2] 在此情形下，劳工立法之功能，可归为二类：其一，协助建立集体谈判制度。保障劳动者得自由组织工会，与雇主（雇主团体）从事集体谈判。其二，补集体谈判之不足。集体谈判并非有效存在于各行业，若干重要问题亦非集体谈判所能规律，在此方面，须赖国家立法，以维护当事人利益。

（二）劳工立法基本功能之一：废除法院对工会活动所设之限制

在总体劳动关系，工业革命以来二百年英国法制之发展，可归纳为几个阶段：❶工人组织工会，以罢工为手段，试图以团体力量，争取改善劳动条件。❷法院压制工会运动。❸一八七〇年之后，工会利用国会立法废除法院不利劳工之判决。❹法院对国会保护劳工之立法或采取狭义解释，或创设新理论，继续限制工会活

---

[1]　(1974) I. C. R. 180.
[2]　The System of Industrial Relation in Great Britain, ed. A. Flanders and H. Clegg, 1954, p. 660.

动。❺法院新创立之判决，再度激起工潮，迫使国会再度立法，排除或限制判决之适用。法院判决与国会立法之相互对抗，反复延续，迄至今日，可谓系英国劳工法制发展最显著之特色。兹选择五个基本案例，详加论述。

〔案例一〕 Hornby v. Close（1876）[1] 与 Larcey and Embezzlement Act 1868 及 Trade Union Act 1871[2]

背景概述 自黑死病（The Black Death 1348）发生后，英国人口锐减。为维持工资水准，英国政府迭次颁订法令，授权治安推事（Magistrate）决定工资。十八世纪之后，此项制度已趋崩溃，不能担当调整工资之任务。在此情形下，劳动者（尤其是技艺工人）开始集会结社（Combination），试图以团体力量与雇主谈判，改善劳动条件。对于劳动者集会，政府曾多次制定法令禁止，法院亦认为工人之结社，构成刑法上之共谋罪，（Criminal Conspiracy）。在十八世纪、十九世纪交替之间，由于受到法国大革命之影响，政府为防止工人组织成为政治力量，特再于一七九九年及一八〇〇年制定《禁止结社法》（Combinations Acts 1799, 1800），严禁工人参加任何以提高工资、变更工时之组织或集会，对于违反者，严加处罚。一八二四年，国会制定 Combination Laws Repeal Act，废止一七九九年及一八〇〇年之 Combinations Acts，但因连续发生工人暴动，国会随即于次年通过 Combination Laws Repeal Act Amendment Act 1825，原则上承认工人得为工资及工时从事罢工，但余者皆在禁止之列。至就民事关系言，法院自十八世纪以来即认为工会之目的在于限制营业（Restrain of Trade），具有不法目的，而于 Hornby v. Close（1876）一案，发生严重争论。

本案事实 Charles Close 氏系 United Society of Boilermaker and

---

〔1〕 (1867) L. R. 2. Q. B. 153; K. W. Wedderburn, Cases and Materials on Labour Law (1967), p. 538.

〔2〕 N. A. Citrne, Trade Union Law (1960), pp. 9–12, 83–249.

lron Shipbuilder's of Great Britain and Ireland（大不列颠及爱尔兰锅炉及造船工人联合会）之会员，负责保管所属分会之财物，违反规章，擅自挪用二十四镑，该分会主持人 John Hornby 依一八五五年友爱协会法 Friendly Societies Act 1855）规定起诉，请求赔偿。

判决理由　法院认为"大不列颠及爱尔兰锅炉及造船工人联合会"系以"限制营业"为目的，具有不法性，非属友爱团体（Friendly Societies）。其所订章程无效，不得强制履行。原告之诉，应不予受理。

在本案，法院依普通法上"限制营业"之理论，确认工会系属不法组织，不具有诉讼能力，致使工会无法保护其资金，事态严重，引起工会领袖集会，游行请愿。国会特于一八六八年制定 Larcy and Embezzlement Act 1868 （一八六八年窃盗及盗用公款法）以补救现行法之缺点及废止 Hornby v. Close 之判决。

此外，英国政府并于一八六七年设置 Royal Commission on Trade Unions（皇家工会委员会），从事调查研究，而于一八七一年制定 Trade Unions Act 1871（一八七一年工会法）[1]。一八七一年工会法系英国劳工运动之宪章，为一百年来工会活动之法律基础。该法具有二项主要内容：一为排除"限制营业"理论之适用，使工会在民事上及刑事上获得合法化；二为建立工会登录制度，对于登录之工会赋予若干能力及利益。

〔案例二〕 R. v. Bunn[2]（1872）与 Conspiracy And Protection of Property Act 1875[3]

背景概述　一八七一年工会法仅废除刑事共谋罪，其他刑事罪名，则由同年所制定之 Criminal Law Amendment Act 1871（一八七

---

[1] Trade Union 有广狭两种意义。狭义者仅指工人组织（工会），广义者兼指雇主组织。Trade Unions Act 1871 等系采广义，惟因其主要目的在于规律工人之组织，为其醒目，特译为工会法，请特别注意。

[2] (1872) 与 Cox C. C. 316; K. W. Wedderburn, op. cit, p. 380.

[3] N. A. Citrne, op. cit, pp. 403–439.

一年刑法修改法）加以规定。一八七一年刑法修改法一方面废除一八二五年禁止结社之法律，一方面重新规定，任何人使用 Violence（暴力），Intimidation（恐吓），Threat（威胁），Molestation（骚扰）或 Obstruction（阻碍）之方法，强迫雇主或劳工从事特定行为（如成为工会会员、停工）者，构成犯罪。此外，本法并对 Threat, Intimidation, Molestation 及 Obstruction 等概念，加以限制解释。因此依该法文义而言，单纯罢工之威胁（A mere threat to strike），应不构成制定法上之犯罪。但是法院在 R. v. Bunn 一案却设法规避本法之适用。

　　本案事实　本案事实至为简单。有某瓦斯公司（Gas Light And Coke Company）之工人 Thomas Pilley 因参加工会运动，致遭解雇。受雇该公司之其他工人 John Bunn 等人向雇主提出威胁，声言若不使 Thomas Pilley 复职，即发动罢工。

　　判决理由　在本案判决，Breff 法官一方面强调一八七一年刑法修改法，并未完全废除普通法上刑事共谋罪之理论（Doctrine of Criminal Conspiracy），一方面另对 Molestation 及 Obstruction 等概念采最广义之解释，认为被告通谋意图骚扰及控制雇主，应构成普通法上之不法共谋罪。

　　R. v. Bunn 一案判决显然规避一八七一年刑法修改法之适用，引起劳工及社会公愤（A considerable public agitation）。为此，国会特采纳一八七四年 Royal Commission on Labour Laws（皇家劳工法委员会）之建议，废止一八七一年之刑法修改法，制定 Conspiracy and Protection of Property Act 1875（一八七五年共谋罪及财产保护法）。

　　一八七五年共谋罪及财产保护法系继一八七一年工会法后，保护工会运动之基本立法。当时英国首相 Disrail（里斯瑞尔）曾告诉维多利亚女王谓：本法制定后，工人之情绪，即可缓和。[1] 本法

---

〔1〕 Hepple and O'Higgens, op. cit, para 4.

之主要目的在于废除 R. v. Bunn 判决，而于第三条规定：An agreement or combination by two or more persons to do or to procure to be done any act in contemplation or furtherance of a trade dispute between employer and workmen shall not be indictable as a conspiracy if such an act committed by one person would not be punishable as a crime（二人或二人以上之合意或结社，以从事任何行为，其目的系为劳工与雇主间之劳资争议者，除该项行为由个人从事时，亦须受处罚者外，不受共谋罪之追诉）。Wedderburn 教授认为此项重要之规定创设了一个典型之格式，成为英国劳动者从事组织工会及采取有效争议行动之基石（……A golden formula which become the bedrock of British worker's rights to organize and take effective industrial action）。[1]

〔案例三〕Taff Vale Railway Co. v. Amalgamated Society of Railway Servants（1901）[2] 与 Trade Disputes Act 1906[3]

背景概述　在一八七一年工会法制定后，工会运动一时陷于低潮。一八八九年，产生新工会主义（New Unionism），码头工人罢工成功之后，工会运动，重振声势，连续发生重大劳资纠纷，因而引起资产阶级之对抗。由于一八七五年共谋罪及财产保护法之规定，法院已不能再适用刑事共谋罪之理论，压制工会活动。在此情形下，法院乃转而采取民事共谋之理论，认为恶意共谋干扰契约关系者，亦构成侵权行为（Tort）。早期法院之判决，认为责任主体系个别行为者（工会之职员或会员），工会本身非为法人，不享有人格，被害者无从对其起诉，使其负损害赔偿责任。在一九〇一年 Taff Vale Railway Co. v. Amalgamated Society of Railway Servants 一案，

---

[1]　K. W. Wedderburn, The Worker and the Law (1970), p. 18.
[2]　(1901) A. C. 426; K. W. Wedderburn, Cases and Materials on Labour Law, p. 541.
[3]　N. A. Citrne, op. cit, pp. 440－515.

法院改变了传统见解，造成英国劳工法上最重要之案件。[1]

本案事实 Amalgamated Society of Railway Servants（铁路员工联合会，简称 ASRS），系一新兴、活动力强大之组织。当时因南非战事方炽，煤炭价格高涨，供不应求，铁路运输频繁。ASRS 在威尔士（Welsh）地方分会之力量大增，因此决定与铁路公司交涉，改善劳动条件，而于 Taff Vale 铁路线段上发生争执。工会领导者 James Holmes 发动非正式罢工，铁路公司之经理 Ammon Beasley 毫不让步，并且在外地召募工人，以为对抗。Holmes 等人进行游说（Picketing），劝诱外地工人废止与铁路公司缔结之契约。为此，铁路公司特对 Holmes 提出诉讼，并向 ASRS 工会请求损害赔偿。

判决理由 在本案，初审原告胜诉，二审败诉，贵族院在其终审判决中，以一致意见维持初审见解。初审法院法官 Farwell 认为："一八七一年工会法既然赋予工会享有财产及依其代理人从事法律行为之能力，则其已具有法人之二项性质，得为被诉之主体。"当时倡导自由主义之《每日新闻》（Daily News）对此论点批评甚烈，认为其与绝大多数法律学者及实务家之见解相违反。但是贵族院仍然排除众议，采取 Farwell 法官之理论。败诉之工会所支付损害赔偿及诉讼费用，高达四万二千英镑。

Taff Vale 一案判决，对于工会打击严重，前所未有，工会反应特为激烈，直接促成英国工党（Labour Party）之成立。[2] 英国政府于一九〇三年设置 Royal Commission on Trade Disputes and Trade Organization（皇家劳资争议及工会组织委员会），从事调查研究，但其于一九〇六年提出之报告及建议，遭工会拒绝接受。一九〇六

---

[1] 关于本案之背景及影响，参阅 Clegg, Fox and Thompson, A History of British Trade Unions Since 1889, I. (1964), pp. 305-363; J. Sarille, Trade Unions and Free Labour: The Background to the Taff Vale Decision, Essays in Labour History, ed. Briggs and Sarille, 1967, pp. 317-350.

[2] H. Pelling, Origins of The Labour Party (1965), pp. 213-215.

年，适逢大选，自由党（Liberal Party）获工人支持获胜后，随即制定 Trade Disputes Act 1906（一九〇六年劳资争议法）。

一九〇六年劳资争议法最主要之目的在于推翻 Taff Vale 一案之判决，于第四条明白规定：关于工会职员、会员或代理人侵权行为所生之损害赔偿，概不得向工会资金（Fund of a trade union）请求，因而确立了工会在侵权行为方面之一般免责性。（Any action against a trade union, whether of workmen or a master's or against any members or officials there of on behalf of themselves and all other members of the trade union in respect of any tortious act alleged to have been committed by or on behalf of the trade union shall not be entertained by any court.）。此外，本法废除民事共谋之理论外，并肯定和平游说（Peaceful picketing）及同情性之罢工为合法。

〔案例四〕Osborne v. Amalgamated Society of Railway Servants 1911[1]与 Trade Unions Act 1913[2]

背景概述 在一八六七年国民参政法公布实施后，工人享有选举权。在一八六八年，"全国工会联盟"（TUC）特设置 Parliamentary Committee（国会委员会）支持工会候选人。一九〇〇年"全国工会联盟"与其他劳工团体共同组织 Labour Representation Committee（劳工代表委员会），于一九〇六年，继 Taff Vale 判决后更名为工党。在一九〇六年大选中，共有二十九名工会代表当选国会议员。为资助政治活动，工会开始向会员收费，建立政治基金。在一九〇七年 Steele v. South Wales Mines 一案，[3] Darling 法官认为：工会在其章程内规定参与政治活动及建立政治基金，并非违法，盖为规律劳资关系，必须促使国家制定法律，而选举工人代表前往国会，即在达成此项目的。此项原则于一九一一年为 Osborne

---

[1] (1911) I Ch. 540, K. W. Wedderburn, Cases and Materials on Labour Law, p. 600.
[2] N. A. Citrne, op. cit, pp. 299 – 362.
[3] (1907) IK. B. 361.

v. Amalgamated Society of Railway Servants 一案所推翻。

本案事实　Osborne 氏系 Amalgamated Society of Railway Servants（铁路员工联合会）Walthamstow 分会之秘书，因其本人系自由党党员，对于"铁路员工联合会"使用工会资金，支持工党之政治活动，深表不满，受到铁路公司之支持，对铁路员工联合会提起诉讼，认为该工会搜集资金，支持政治活动，系属非法。

判决理由　在本案，上诉法院及贵族院均认为关于工会之目的及活动，一八七一年之工会法设有规定，限于劳资争议事项，政治活动并不包括在内。工会为政治目的，收取费用，使用工会资金，系超越工会法定目的范围（ultra vires of statues），其有关规章约定，均属无效。

Osborne 一案判决使代表劳工阶级之国会议员丧失了财政上之支持，隐于困境。虽然一九一二年制定之国会议员报酬法案，解决了此项问题，但是整个工会政治活动遭受严重不利影响。在工潮连续不绝之情形下，国会特在一九一三年制定 Trade Unions Act 1913（一九一三年工会法）。

一九一三年工会法之基本目的在于推翻 Osborne 一案之判决。依本法规定，工会除其通常目的外，得依章程订定其他合法目的。工会章程设有支持政府活动者，即得为此目的而收取费用，使用政治资金，惟应与其他工会资金分开；个别会员亦得依其与工会之特别约定，拒绝支付政治献金。

〔案例五〕Rookes v. Barnard（1964）[1] 与 Trade Disputes

---

[1]　(1964) A. C. 1129: K. W. Wedderburn, Cases and Materials on Labour Law, pp. 284–503. 此项判决曾在英国法学界引起重大争论，参阅 Hamson, A Note on Rookes v. Barnard (1964) C. L. J. 189; A Further Note on Rookes v. Barnard (1964) C. L. J. 159; Weir, "Chaos or Cosmos? Rookes, Stratford and the Economic Torts" (1964) C. L. J. 225; Hoffmann, "Rookes v. Barnard" (1965) 81 L. Q. R. 116; Wedderburn, "The Right to Threaten Strikes" (1961) 24 M. L. R. 572; "The Right to Threaten Strikes" (1962) 25 M. L. R. 5130.

Act 1965[1]

背景概述 一九一三年劳资争议法制定后，工会运动获得法律保障，成为工会生活之一部分，在第一次、第二次大战前后，法院采取一八七一年工会法以来立法上承认工会系合法组织、罢工系劳资争议合法手段之基本原则。于一九二七年，Cryil Asguith 氏曾谓："以前判决充分显示司法对劳工结社之偏见，所幸此项偏见在最近数十年，已不存在。"[2] 然而，出人意料之外的是，在一九六四年 Rookes v. Barnard，贵族院又扩张解释一种称为"Intimidation"（恐吓）之侵权行为，适用于劳资争议行为。Otto Kahn–Freund 教授认为此系对罢工权利之正面攻击（a frontal attack upon the right to strike），十八世纪、十九世纪法院压制工会活动之判决，又告复活。

本案事实 Rookes 氏系 BOAC（英国航空公司）伦敦机场办公室之职员，在一九五五年因与工会（Association of Engineering and Shipbuilding Draughtsmen）意见不合而退出。Barnard 氏等人系 Rookes 之同事，对 Rookes 退出工会之行为甚表不满，因而联合向 BOAC 表示若不将 Rookes 解职，彼等将进行罢工。由于 BOAC 与工会之间的团体协议有不罢工之条款，并已纳入个别契约，Rookes 氏乃主张 Barnard 等人之行为对 BOAC 构成违约之威胁（threat to break the contract）；对其个人，则构成共谋罪，就所生之损害，应负赔偿责任。

判决理由 在本案，初审法院判决原告胜诉。高等法院废弃初审判决，强调原告应受一九〇六年劳资争议法之保护。贵族院采取初审法院见解，认为被告之行为构成 Intimidation，应负侵权责任。按普通法上 Intimidation 侵权行为之成立，原系以"威胁使用暴力"为要件。例如 A 告诉 B，应撤销其对 C 之赠与，否则即予加害。

---

[1] K. W. Wedderburn (1966) 29 M. L. R. 53; The Worker and the Law, pp. 361–373.
[2] Federation News (G. F. T. U.) 1964 Vol. 14, p. 30, p. 41.

若 C 受有损害时，得向 A 请求损害赔偿。惟贵族院认为"违约之罢工威胁"所致之损害，亦属严重，应与"使用暴力之威胁"同视，亦构成 Intimidation 之侵权行为。

Rookes v. Barnard 一案之判决震惊工会，全国工会联盟（TUC）秘书长 Woodcock 氏在一九六四年年会中曾谓："在这个国家，除非法院能够斟酌情况及工会功能，适用最低限度合理之法律，否则我们实在不能对法院负责。"一九六四年工党当政后，随即于一九六五年制定 Trade Disputes Act 1965（一九六五年劳资争议法），废除 Rookes v. Barnard 之判决。依本法规定，任何❶违反雇佣契约或❷劝诱他人违反雇佣契约之威胁，系以劳资争议为目的者（in contemplation or furtherance of a trade dispute），不再构成侵权行为。

英国劳工法制史上五个基本法院判决及国会立法对策，已详述如上。兹再综合加以说明如下：

（1）一八七一年之 Trade Unions Act：本法旨在废止 Hornby v. Close（1867）一案藉 Restrain of Trade（限制营业）之理论，以限制工人结合之判决，奠定了工会组织合法化之基础。

（2）一八七五年之 Conspiracy and Protection of Property Act：本法旨在废除 R. v. Bunn（1872）一案所适用之普通法上刑事共谋罪，确立了劳资争议行为不再受刑法制裁之基本原则。

（3）一九〇六年之 Trade Disputes Act：本法旨在推翻 Taff Vale Railway Co. v. Amalgamated Society of Railway Servants（1901）一案之判决，确认工会对其职员、会员或代理人之侵权行为不必负责之原则，并保障工会财产，不致受劳资争议行为之影响。

（4）一九一三年之 Trade Unions Act：本法旨在推翻 Osborne v. Amalgamated Society of Railway Servants（1911）一案之判决，明白确认工会得依其章程规定，运用资金支持政治活动。

（5）一九六五年之 Trade Disputes Act：本法旨在限制 Rookes v. Barnard（1964）一案之判决，废除法院所创设违约罢工威胁亦构成 Civil Intimidation 侵权行为之理论。

从上述英国法制发展中，可知英国关于工会立法，不是积极地在建立规律工会法律制度，而是消极地在排除法院对于工会活动所设之各种限制；不是在于赋予工会某种权利，而是在于免除工会在刑事上或民事上之违法性；不是具有整体性体系思想的法制，而是针对特殊情形，解决个别问题的零碎措施。此种特殊法制发展所造成之法律状态，固然甚为零乱，但终于使工会活动获得保障，并脱离了法律规范领域。一九七一年之劳资关系法（Industrial Relations Act 1971）虽然企图建立完整体制，将工会组织纳入法律规范领域，但终因工会之反对而告失败。一九七四年之工会及劳动关系法（The Trade Union and Labour Relations Act 1974）基本上又恢复了传统体制。[1]

（三）劳工立法基本功能之二：补集体谈判制度之不足，维护劳工权益

英国虽然基本上采取集体谈判制度，以规律劳资关系，但是在若干行业（例如建筑业、旅馆餐食业等），工会组织尚不健全，未能有效利用集体谈判方式、决定劳动条件。其次，若干劳动问题，例如工业安全、工业灾害赔偿、社会保险，需要具备完整计划、充足资金、行政管理等条件，亦非集体谈判制度所能胜任。为此，国家立法乃积极介入，补集体谈判制度之不足，以维护劳工权益。兹就工时及工资、工业安全、工作保障及社会安全等项，分别加以说明。

1. 工时之立法

英国最早之工厂立法（Factory Legislation）系一八〇二年之

---

[1] Hepple and O'Higgens, op. cit, para 9.

The Health and Morals of Apprentices Act 1802（学徒健康道德法），[1] 其主要目的在规律棉纱工厂学徒之工作时间（早上六点起，晚上九点止，总共不得超过十二小时）。一八一九年之立法将此项工时之规定适用于非学徒之工人。一八三三年之工厂法建立国家监督制度，设置四个检查官（Inspector），分区负责，是为世界劳工保护立法之创举。其后，各种工厂法规陆续制定。一方面逐渐减少工时，一方面扩大其适用范围。目前，各项法令综合规定于一九六一年之Factories Act 1961（一九六一年工厂法），此为英国一百六十年工厂立法之结晶。

一九六一年工厂法，采取每周四十八工时之原则。十六岁以下之童工每周工作时间不得超过四十二小时。关于休假、用餐及休息时间等，该法亦详设规定（参阅该法第八十六条以下规定），并由其他特别法规加以补充。然而应特别说明者，一九六一年工厂法关于工时之规定，仅适用于女工及童工（General conditions as to hours of employment of women and young persons），关于男工之工时则未设规定。盖一般男工多参加工会，其工作时间系依集体谈判而决定，不必依赖法律之保护也。

2. 工资之立法

其一，Truck Acts（工资现金支付法）。

在十九世纪初期，若干雇主除以食品、衣服或其他实物代替现金，支付工资外，并开设商店，贩卖商品。当时工厂须用水力，多处于偏远地带，此类事务，固有必要，但却经常发生雇主高估给与实物之价格，或对出卖之商品索取高价。自一八三一年以来，国会即陆续制定各项法律，控制此项弊端，其著者有Truck Acts 1831, 1877, 1896; Payment of Wages Act 1960; The Payment of Wages in

---

[1] 英国工厂立法系保护劳工之创举，其产生背景、发展经过及适用执行之困难，殊具参考价值。参阅Hutchins and Harrison, A History of Factory Legislation,（1926、1966重印）（最权威著作）。M. W. Thomas, How It Began, The Origins of Industrial Law（1946），1 The Industrial Law Review 5（分期连载），其论述甚饶趣味。

Public House (Prohibition) Act 1833 及 The Shop Clubs Act 1902 等。诸此立法之目的，共有三项：一为禁止雇主以实物代替现金，支付工资；二为禁止雇主在特定场所（例如酒店等）支付工资；三为禁止法定事由外对工资之扣减。

其二，Minimum Wages Acts（最低工资法）。

一九〇九年之 Trades Board Act 1909 系英国最早之基本工资立法，其目的在于维持苦汗业（Sweated Trades）工人之生活。其后陆续制定之法律有 Road Haulage Wages Act 1938，The Catering Wages Act 1943，Wages Council Act 1948。现行基本法系 The Wages Councils Act 1958，Agricultural Wages Act 1948 及 Employment Protection Act 1975。诸此法律系在补充在若干行业集体谈判不足决定适当工资之缺点。

依 The Wages Council Act（工资委员会法）之规定，当某一行业无适当决定工资之制度，或现行制度不能有效应用，致不能维持工资合理标准时，主管部会之首长得依一定之程序设置工资委员会（Wages Councils），并基于工资委员会之建议，发布"工资规律命令"（Wages Regulation Order），以决定该特定行业之最低工资标准。Employment Protection Act 1975（一九七五年雇佣保护法）除扩大工资委员会之职权外，并规定于一定条件下，主管部会得将工资委员会改为 Statutory Joint Industrial Councils（法定联合劳资委员会），由劳资双方代表组成之，以促进建立集体谈判制度。主管部会首长认为集体谈判制度得予设立时，可即废除 Wages Councils 或 Statutory Joint Industrial Councils。[1]

3. 工业安全

童工工时过长，系十九世纪初期劳工立法所要克服最恶劣之弊端。由于工厂制度之发展及新机器之采用，工厂安全卫生，亦跟着成为严重问题。一八四四年之工厂法系第一个为规律工厂安全卫生

---

[1] Hepple and O'Higgens, op. cit, para 61-64.

而制定之法律，规定雇主对于机器应添置安全设备（secure fencing），并禁止洗刷在转动中之机器。工厂法规之制定或执行，并非易事，雇主之反对构成强大阻力。企业家一再表示，若工厂法不予修改，英国工业势必没落，工厂立法亦再三变更，保护劳工之政策，虽时常前进一步、退后半步，但基本方向始终未变，其适用范围逐渐由纺织业扩大及于其他行业及工业。[1] 现行工业安全之主要立法计有四项：Factories Act 1961（适用一般工厂），The Mines Quaries Act 1954（适用矿场），The Office Shops and Railway Premises Act 1963（适用于商店），及 The Agricultural（Safety, Health and Welfare Provisions）Act 1956（适用于农业）。

上述各项工业安全法规对于防止工业灾害及意外事故，虽著有贡献，但仍具有甚多缺点。据官方统计资料，每年死亡人数高达一千人，五十万人遭受伤害，因工业伤害及疾病而损失之工作时间共计二千三百万日。由于情况严重，英国政府特于一九七○年设立 Committee on Safety and Health at Work（工业安全卫生委员会），由 Lord Robens 氏担任主席（简称 Robens Committee），就工业安全卫生问题从事调查研究。Robens Committee 于一九七二年提出报告，指出现行制度，三项缺点应予改进：其一，劳工及雇主多认为工业安全系政府立法之事，未能积极参与管理改进；其二，法律体制混乱，法律文字艰深，非劳工所能理解；其三，主管机关丛杂，权职不明，行政效率低落。[2] 基于 Robens 委员会之报告，国会于一九七四年制定 The Health and Safety at Work Act（工作健康及安全法）。

一九七四年之工作健康及安全法，共设四章八十五条，其主要内容为：(1) 强调工业安全系雇主与劳工共同责任。(2) 设置卫生及安全委员会（Health and Safety Commission）及其顾问与行政

---

[1] Hutchins and Harrison, op. cit, p. 119.
[2] Cmnd. 5034 (H. M. S. O. 1972).

机关（Health and Safety Executive）。(3) 增设雇主维持工业安全卫生之义务。

4. 工作保障（Job Security）

其一，不当差别待遇（Unfair Discrimination）。

依英国普通法之基本原则，雇主对于受雇人得为差别待遇。近年来，联合国、国际劳工联盟及欧洲共同市场对劳工平等权利特别重视。为适应此项国际立法趋势，近年来，英国国会曾制定三个法律：❶一九六八年之 Race Relations Act 1968（一九六八年之种族关系法），禁止以种族为理由，对雇佣及雇佣条件为差别待遇。[1] ❷一九七〇年之 Equal Pay Act 1970（一九七〇年之男女同工同酬法），禁止以性别及婚姻为理由，对男女之报酬为差别待遇。❸一九七五年之 Sex Discrimination Act 1975（一九七五年之男女差别待遇法），本法系对 Equal Pay Act 1970 之补充，适用于全部雇佣关系，旨在贯彻实施男女平等原则。[2]

其二，不当解雇（Unfair Dismissal）。

依英国普通法一般原则，雇主对受雇人只要给予适当时期之通知，即得解雇，而且不必说明任何理由。为加强受雇人之保护，并实施国际劳工联盟第一一九号建议案，英国国会于"一九七一年劳资关系法"首先创设 Unfair Dismissal（禁止不当解雇）制度。一九七四年之工会及劳动关系法继续采用此项制度，详设规定，使被不当解雇之劳工，得依其情形向雇主请求复职或损害赔偿。[3]

其三，遣散支付金（Redundancy Payment）。

一九六五年制定之 Redundancy Payment Act 1965（一九六五年遣散支付金法）规定，劳工因"Redundancy"而被解雇，而其雇佣期达一百零四个星期者，得向雇主支领一定金额之支付金。所谓

---

[1] B. A. Hepple, Race, Jobs and the Law in Britain (1970).
[2] D. J. Walker, Sex Discrimination (1975).
[3] S. D. Anderman, Unfair Dismissals and the Law (1973); D. Jackson, Unfair Dismissals – How and Why the Law Works (1975).

Redundancy 者，系指劳务之提供已无必要，包括营业之停止、营业之迁移及劳工不符合企业之要求三种情形。该法具有二项基本目的：一为社会目的。该法系对丧失现有工作之劳工，加以补偿，非系对因丧失工作之后可能遭受经济困难之救济，因而工人因解雇而失业者，固可支领失业补助，解雇后即使获得其他工作，亦无须退还所受领之支付金。二为经济目的。增加劳工之移动性，提高劳力运用及生产效率。[1] 从一九六七年至一九七三年间支领 Redundancy Payment 之人数为二百零二万三千零八十四人，全部金额为十五点四五四五亿英镑，平均每人约为二百七十英镑。[2]

5. 工作财产权之承认

最近英国关于"差别待遇"、"不当解雇"及"遣散支付金"之立法，修正了普通法上个人自由主义思想，倾向于承认"工作"本身亦具有"财产上利益"，不容任意剥夺，应受法律保护。此实为英国劳工法上一项新的观念之突破，具有重大意义，殊值重视。[3]

6. 社会安全（工业灾害赔偿）

自十六世纪以来，英国曾制定贫民法（Poor Law），对于贫困人民予以救济，其性质属于慈善事业。现代意义之社会安全制度于十九世纪末叶开始建立。劳工损害赔偿，老年年金，孤儿寡妇补助，健康保险制度相继实施，但因系个别立法，体系零乱，效果未臻理想。在一九四二年，英国政府设置委员会，由 Beveridge 氏担任主席，就现行制度，通盘加以检讨。Beveridge 氏在其所提出之报告中，建议应建立统一化之制度，对国民之生活健康，从出生到死亡，妥为照顾。[4] 第二次世界大战后，英国政府采纳此项建议，制定四个基本法律，即：Family Allowance Act 1943；National Insur-

---

[1] C. Grinfield, The Law of Redundancy (1971).
[2] R. W. Rideout op. cit, p. 177.
[3] K. W. Wedderburn, The Worker and the Law, pp. 95, 155.
[4] Cmnd. 6405 (H. M. S. O. 1945).

ance Act 1946；The National Insurance（Industrial Injuries）Act 1946；National Assistance Act 1948。从而奠定了现代社会福利国家之基础。为适应现代需要，上述法律，数经修改，目前综合规定于一九七五年之 Social Security Act。在此类社会安全立法中，与劳工关系最为密切者，系失业及疾病保险及工业灾害赔偿，大体言之，法制甚称完备，对于劳工生活，殊有保障。[1]

四、团体协议

（一）团体协议（团体协约）之法源性

集体谈判（Collective Bargaining）系自由经济国家所共同承认之制度，其目的在于规定劳动条件、劳资争议解决程序及其他劳资关系。经由集体谈判所达成之合意在英国称为 Collective Agreement（团体协议），在台湾称为团体协约，在德国称为 Tarifvertrag。关于团体协议（团体协约）之法律性质，在台湾及德国，甚有争论。有认为系属契约，有认为系当事人之自治法规，有认为系属法律。学说意见虽不一致，但团体协约具有法律上规范效力，则无疑义。依台湾团体协约法之规定，团体协约具有强制性及不可贬低性二种效力。所谓强制性者，系指团体协约当然直接成为劳工与雇主所订劳动契约（雇佣契约）之内容；所谓不可贬低性者，系指个别劳动契约所订之劳动条件，优于团体协约者，固为有效，但个别劳动契约所订之劳动条件劣于团体协约者，则为无效，仍应适用团体协约之内容（参阅团体第十六条）。再者，当事人一方违反团体协约时，应就其违约行为，负损害赔偿责任（参阅团体第二十一条）。德国团体协约法，基本上亦采同样原则。

英国法对团体协议并未设直接规定，因此应适用契约法之一般原则。依学者通说及法院实务，工会与雇主（或雇主团体）所缔

---

[1] 参阅 R. W. Rideout, op. cit, pp. 408－442；M. Bruce, The Coming of the Welfare State (1968)；R. C. Birch, The Shaping of the Welfare State (1974).

结之团体协议,并非契约,不具法律上之拘束力,不得强制履行。违反团体协议之当事人一方亦不负违约责任。集体谈判系英国劳动关系之基本体制,团体协议系决定劳资关系之准据,但团体协议本身却不具契约规范之效力,初视之下,甚为特殊。为何产生此种独特之制度?何种制度或力量促使当事人遵守履行团体协约?团体协约如何成为个别劳动契约之内容?此种原则上不具拘束力之团体协议对于建立良好之劳资关系,是否有益?有无改进必要?此为近十年来英国劳工法上主要争论问题。[1]

(二) 团体协议非为契约之理论

依英国权威劳工法学者 Otto Kahn-Freund 教授之见解,英国现行由劳资双方所缔结之团体协议,非属契约。Kahn-Freund 教授强调:英国判例从未明白表示团体协议系属契约,具有法律上之拘束力;团体协议所以不构成契约,其主要原因系由于当事人欠缺创设法律关系之意思(intention to create legal relation),自集体谈判制度建立以来,未曾有工会或雇主请求法院命令违约当事人停止违约行动,或请求损害赔偿。Kahn-Freund 教授认为团体协议在当事人之间虽然亦产生一定之"权利"与"义务",但此等"权利"与"义务",不具法律上之意义,仅具有"君子协定"之性质。团体协议之履行,不是依赖法律之制裁(legal sanction),其所依赖的,是社会制裁(social sanction)。[2] Otto Kahn-Freund 教

---

[1] 关于此项问题之论述甚多,其主要者有:B. A. Hepple, Intention to Create Legal Relation, (1970) C. L. J. 12; R. Lewis, The Enforcement of Collective Agreements (1970), 8 BJ Ind Relations 313; P. O'Higgens, Legally Enforceable Agreements (July 1971), 12 Industrial Relations Review & Report 3; N. Selwyn, Collective Agreements and the Law (1969) 32 M. L. R. 377.

[2] The System of Industrial Relations in Great Britain (ed. A Flanders and H. Clegg 1954), pp. 56-58.

授此项理论，普遍为英国劳工法及契约法学者所接受。[1]一九六八年之 Donovan Report 亦采取此项见解。[2]

"团体协议，非属契约"理论之主要依据，系当事人欠缺创设法律关系，受团体协议拘束之意思。然则，为何当事人欠缺受团体协议拘束之意思？其主要原因，系工会对法律欠缺信心，尽量避免法院可能之干预。关于此点，本文曾再三强调，兹不重赘。

（三） Ford Motor Co., Ltd. v. A. U. E. F. W. and T. G. W. U. (1969)[3]

在一九五五年，英国福特公司（Ford Motor Co., Ltd.）与十九个工会订立团体协议，其中有一条规定：在本条协议所定程序各阶段，将致力解决争议，在完成所定程序前，不得有停工或其他不合协议规定之行为。在一九六九年 Amalgamated Union of Engineering and Foundry Workers（A. U. E. F. W.）及 Transport and General Workers Union（T. G. W. U.）二个工会因故与福特公司发生争议，采取罢工行为。福特公司认为此项罢工违反一九五五年团体协议之约定，乃请求法院下令该二工会，取消罢工。

本案在当时具有重大政治意义，深为社会各界人士重视。就法律而言，问题之重点在于一九五五年之团体协议是否构成契约，而此应视当事人是否有受该项团体协议拘束之意思而定。由于当事人并无明示意思表示，故仅能斟酌有关因素及情况，探求当事人之意思。本案主审法官 Geoffrey，除详细分析协议本身文义外，并曾参酌一九六八年 Donovan 委员会之报告，劳动部、全国工会联合会（CBI）及全国工会联盟（TUC）对 Donovan 委员会所提出之证言，

---

[1] K. W. Wedderburn, The Worker and the Law, pp. 171 – 185; Hepple and O' Higgens, op. cit, paras 241 –243; G. H. Treitel, The Law of Contract (1975), pp. 416 –418.

[2] Donovan Report, Cmnd. 3623 (H. M. S. O. 1968), paras 45 –519.

[3] (1966) 2 Q. B. 303.

以及 Otto Kahn‐Freund 教授之理论。Geoffrey 法官谓：综观各项意见，此类团体协议，并不构成法律上得为履行之契约，可谓系一致见解。

(四) 团体协议与个别劳动契约

团体协议在缔约当事人间，原则上不具契约效力，已如上述。然而在个别受雇人与雇主间如何发生效力，以规律劳动条件？由于劳动契约系决定当事人权利义务之基础，因此，问题之重点乃在于团体协议如何成为个别劳动契约之内容。关于此点，在英国法上有三种方式可供采用：其一为代理。假若工会系以会员之名义与特定雇主订定团体协议时，则基于代理之理论，其效力及于个别受雇人（工会会员）与雇主。其二为明示纳入（Express incorporation）。个别劳动契约得设明示条款，表示当事人愿意受特定团体协议之拘束。此为实务上通常采用之方法。其三为默示纳入（implied incorporation）。英国法院自十九世纪中叶以来，经常斟酌各种情况，认为当事人具有将特定团体协议纳入个别劳动契约之默示表示。[1]

如上所述，团体协议之成为劳动契约之内容，系基于当事人之合意，因而雇主得与受雇人约定，变更团体协议之内容，自不待言。一般言之，团体协议内容之变更，多有利于受雇人。但就理论而言，个别劳动契约所定劳动条件劣于团体协议者，亦属有效。此点与台湾地区团体协约之具有不可贬低性，殊有不同，可谓系英国劳工法之一项特色。[2]

(五) 团体协议之法律规范化？

团体协议，非属契约，不受法律保护，其所以维持此项制度之力量有二：一为君子协定在道德上或社会规范上之拘束力；一为实际利害关系。一般言之，当事人（工会及雇主或雇主团体）对于

---

[1] 参阅 Hepple and O'Higgens, op. cit, paras 244–251.
[2] 参阅 Cayler and Purvis, Industrial Law (1972), pp. 15–18.

团体协议甚为尊重,除非事关紧要,遭遇特殊情况,多恪遵不渝,不愿轻易违反。其所以成为问题,系工会之会员,尤其工厂工人代表(shop steward),常为细节问题,违反团体协议之程序规定,发动非正式、违章罢工,造成严重损害。在此种情形下,乃发生一项争论问题:使团体协议规范化,具有法律上拘束力,加重工会拘束其会员及工厂工人代表之行为之责任,是否有助于建立谐和之劳资关系?

团体协议之履行(Enforcement of collective agreement)系Donovan委员会之一项重要研究课题。Donovan委员会认为团体协议所以不具有契约上效力,乃是由于当事人欠缺受其拘束力之意思。因此,依立法规定,使团体协议具有法律上拘束力,不但漠视当事人之意思,而且违背契约上之基本原则及英国劳动关系之传统。依Donovan委员会之见解,团体协议之规范化,是否会减少违章罢工,殊有疑问。其将造成工会内部纠纷,则可确信。Donovan委员会再三强调,违章罢工之病因(Root of evil)系非正式工地性之集体谈判制度(informal shop-floor collective bargaining)。因此治本之道,乃在于改善或除去此项病因,而非在于使团体协议法律规范化。

一九七一年劳资关系法之基本思想,系将劳动关系纳入法律体系,并加重工会对建立良好劳资关系之责任。因而特设规定,企图改变团体协议之法律性质。依该法第三十四条规定:任何团体协议,若(a)系在本法实行后以书面作成,而(b)当事人未曾表示不欲使此项协议之一部或全部,具有法律强制性者,应视为依当事人之意思,系属在法律上得为强制之契约。依此项规定,团体协议之规范化,附有二个条件:其一,须以书面作成,否则其内容无法确定;其二,须当事人无相反之意思表示。由是观之,团体协议之规范化,系基于推定之当事人意思表示,立法态度,仍甚保守。工会对于此项规定,反对激烈,雇主(雇主团体)亦不表热心。因而在本法实施后订立之团体协议,当事人均明白表示不欲使其成为具有法律性拘束力之契约。立法改革之目的可谓完全失败。一九七四年工会与劳动关系法废止了一九七一年之劳资关系法,并对团体协议之规范性,采取完全相反之立场,又恢复了传统制度。

当事人欠缺受拘束之意思,固为团体协议不构成契约之主要原因。此外,英国集体谈判制度之多阶层性,劳动惯例之神秘性及协议内容之不确定,均不易使团体协议纳入契约之概念。然而所应强调者,团体协议不是法律概念问题,也不是道德问题;团体协议之规范化系社会目的性之问题。[1] 基本关键问题系英国工会及雇主(雇主团体)是否愿意改变传统集体谈判之体系结构,是否愿意让法律介入传统团体自由放任之领域。由外部移植、由上面插枝之制度,易于废弃,但由内部生长、下面生根之传统,非轻易所能变更!

五、劳动惯例

(一) 劳动惯例之特色及重要性

英国之劳资关系,尤其是集体谈判制度,有其独特之语言,有其独特之规则习俗,虽然其内容有时不甚明确,大部分并未成文化,但却为当事人所熟知,而且严格遵行,构成了所谓之劳动惯例(Labour Custom and Practice)。劳动惯例是劳动者职业伦理、偏见与传统之混合物,充满着神秘性,其本身固然不是具有法律上效力之习惯,非属一般意义之法源,但是在规律劳动关系,却担负着重要之功能。[2]

英国劳动惯例之存在,原因甚多,或为维护职业道德,或为增加生产效率,或为促进工作保障,或仅为生活习惯,其内容因行业而异,在此不必详论。须特别说明者,系若干劳动惯例,虽属细节

---

[1] Otto Kahn-Freund, Labour and the Law, p. 113.
[2] Otto Kahn-Freund, Labour and The Law, pp. 61-66; Hepple and O'Higgens, op. cit, para 94; H. Clegg, The System of Industrial Relations in Great Britain (1976), pp. 4-6, 286-7, 291-2.

小事，但根深蒂固，不易改变。"饮茶时间"（The breaks），即其著例。[1] 近年来英国工业生产不振，"饮茶恶习"常遭抨击，并成为国内外报章杂志讥嘲之对象。若干劳动惯例，例如关于劳徒制度，加班或工会间范围区划等，对人力资源之有效运用，殊有妨害。在第一次及第二次大战期间，英国政府为增加工业生产，一方面要求劳工及工会改变或放弃此类劳动惯例，一方面则答应于战争结束，即准恢复。[2] 一九四〇年，有名之劳工领袖比万（Ernest Bevin）于其劳动大臣任内，曾尝试将劳动惯例成文化，因遭到工会反对，并未成功。[3]

（二）劳动惯例规律劳动关系之功能

1. 劳动惯例与团体协议

团体协议系决定劳动条件及劳资争议程序之基本规则。惟要理解团体协议之内容，必须认识劳动惯例，其情形与要理解英国立法必须认识其普通法上之背景，极为相似。团体协议与劳动惯例之关系，可分为二方面言之：在一方面，团体协议常明确规定重要劳动惯例，或改变不合时宜之劳动惯例，以适应工业生产之需要；在另一方面，团体协议之内容，常须由劳动惯例加以补充，其产生之疑义，须由劳动惯例加以解释，始能适用。

2. 劳动惯例与劳动契约

劳动惯例本身并不具有法源性，不能直接为雇主与个别受雇人间法律上权利义务之依据。然而英国法院在实务上，常斟酌劳动惯例，以解释不明确劳动契约之条款，有时甚至认为若干劳动惯例，构成默示劳动契约条款。在此二种情形，劳动惯例亦具有规范劳动条件之功能。[4]

---

[1] Donovan Report, para 35.
[2] Restoration of Prewar Trade Practices Act 1919, Restoration of Prewar Trade Practices Acts 1942, 1950.
[3] Conditions of Employment and National Arbitration Order SR S. A. 1940 No. 1305, Art 6.
[4] M. R. Freedland, The Contract of Employment 1976, p. 15.

3. 劳动惯例与法律实务

英国学者有认为，劳动惯例存在之部分原因，系劳动者及工会欲将"外人"，尤其是法律人（lawyers，特别是法官及律师），从劳资关系中，加以排除。[1] 对法律人而言，劳动惯例，构成神秘、难懂、及晦暗不明之规范（mysterious, difficult, nebulous）。[2] 英国劳动者不愿意法官介入劳动关系，其情形正如英国法官不愿意国会立法介入普通法一样。此种态度固有若干正当依据，并受传统之影响，但也含有偏见之因素。近年来，由于学者之研究及政府之调查，劳动惯例之神秘性逐渐揭开，对于认识及改善劳动关系，至有助益。

（三）劳动惯例之改进

劳动惯例之独立性及自主性，深植于十九世纪以来工厂制度及集体谈判体制。若干劳动惯例在创立当时，固具有积极意义，但因情况变迁，已失其存在依据，构成工业生产、人力运用之阻碍。Donovan 委员会曾对此项所谓"限制性之劳动惯例"（Restrictive Labour Practices），从事调查研究，而于其一九六八年报告中，提出下列意见：❶若干劳动惯例（例如加班、劳徒制度、工会间范围区划），对于人力资源有效运用，确有妨害；❷关于设置特殊机构，处理解决"限制性劳动惯例"之建议，过分干预劳资关系，不宜采纳；❸劳动惯例之改进系劳资双方共同责任。应根本改造集体谈判制度，以工厂集体谈判（factory collective bargaining）取代非正式之工地性团体谈判（informal shop floor collective bargaining），系解决限制性劳动惯例之最佳途径。目前英国政府之基本立场是鼓励劳资双方当事人，设法检讨改进不合时宜之劳动惯例。[3] 此外，最近制定劳工立法对于雇佣关系，增设详细规定，对于劳动惯例之

---

[1] Otto Kahn–Freund op. cit, p. 65.
[2] Otto Kahn–Freund, op. cit, p. 61; Hepple and O'Higgens, op. cit, para 94.
[3] Donovan Report, paras 296–327.

内容及发展，必将产生深远之影响。[1]

六、学说（兼论英国劳工法学）

（一）劳工法之概念

一门法律学科之称谓，常能表示该项法律之特色及发展趋势，具有特殊意义。关于规律基于劳动契约居于从属地位为他人服劳务者之法律制度，在台湾称为劳工法，在日本称为劳动法，在德国称为 Arbeitsrecht。其在英国，关于此项法律制度，有称之为 The Law of Master and Servant,[2] 有称之为 Industrial Law,[3] 有称之为 Employment Law,[4] 有称之为 Labour Law,[5] 称谓分歧，殊不一致。

Master and Servant（主人与仆役），系英国普通法古老之用语，英国曾于一八六七年制定 Master and Servant Act 1867，强制受雇人履行雇佣契约，违者严于处罚（于一八七五年废止）。早期劳工法著作，虽多沿用此项名称，但因带有封建阶级色彩，最近著作均不采用。Industrial Law 曾一度广泛流行，惟 Industry 一词，有时专指工业，有时兼指劳资关系，例如罢工（Strike）或关闭工厂（Lockout），在英国即称为 industrial action，含有多种意义；再者，以 Industrial Law 为名之著作，并未讨论公司、工业财产权及租税等问题，名实不符，甚受批评。Employment Law，有时仅指个别雇佣关系，有时则指整个劳动关系，范围亦不甚确定。至于 Labour Law 一词，一方面因为能够兼顾劳资关系，一方面又系美国、西欧国家及国际劳工组织通用之名称，已逐渐成为英国学界普遍使用之概念。[6]

---

[1] M. R. Freedland, op. cit, p. 15–16.
[2] 例如 A. S. Diamond, The Law of Master and Servant (1932 2nd. 1946); F. R. Batt, The Law of Master and Servant (1929 5th ed. 1967).
[3] 例如 J. L. Caylet and R. L. Purvis, Industrial Law (1955 and 1972); M. Cooper, Outlines of Industrial Law (1947, 6th ed. 1972).
[4] 例如 G. H. L. Friedmann, The Modern Law of Employment (1963, 2nd ed. 1976); Hepple and O'Higgens, Employment Law (1976).
[5] 例如 C. D. Drake Labour Law; R. W. Rideout, The Principles of Labour Law.
[6] R. W. Rideout, op. cit, Preface to the First Edition.

(二) 劳工法学[1]

1. 教科书（一般著作）

在大陆法系国家，尤其是中世纪欧陆继受罗马法之后，法律学成为主要学科，学术论著，至为丰富，对于法律基本概念体系之建立及法律思想之传播，卓著贡献。关于劳工法学，自二十世纪以来，在法、德等国，亦有卓越研究成绩。至于英国，因系以判例为法制之基础，法院解释适用或创造法律，法官独享盛誉，法律学者较不受重视，法学论者，多属判例之整理采编。自十八世纪中叶 Blockstone 氏开始在牛津大学讲授英国法以来，情况渐有改变，尤其是在十九世纪以来，法学大家辈出（其著者如 Austin, Dicey, Maine, Pollock, Maitland, Winfield, Holdsworth 等），体系化之法学著作（尤其是教科书），相继问世，使英国法学之研究，进入一个新的阶段。

关于劳工法，在十九世纪末期，虽亦有若干著作，例如：Macdonld 氏之 Handbook of Law Relative to Masters, Workmen and Servants and Apprentices (1868), Davies 氏之 The Master and Servant Act 1867 (1868), 及 McDonnell 氏之 The Law of Master and Servant (1872, 3rd ed. 1908)，但体例尚欠完备。二十世纪以来，重要著作陆续出版，其主要者有：Slesser 氏之 Trade Union Law (1921) 及 Industrial Law (1924); Sophian 氏之 Trade Union Law and Practice (1927); Tillyard 氏之 Industrial Law (1928); Batt 氏之 Law of Master and Servant (1929)。在一九四七年，Cooper 氏发表 Outlines of Industrial Law (6th ed. 1972)，体例严明，论述详细，影响至巨。此后主要之著作有：Citrine 氏之 Trade Union Law (1960, 3rd ed. 1967); Friedmann 之 The Modern Law of Employment (1963, 2nd. Supp. 1967); Dix 之 Contracts of Employment (1963, 5th ed. 1976); Wedderburn 之 The Worker and the Law (1964 2nd ed. 1970); Grundfield 之 Modern Trade

---

[1] 关于英国劳工法文献资料，请参阅 Hepple、Nesson 及 O'Higgens 合编之 A Bibliography of the Literature on British and Irish Labour Law (1975)。

Union Law（1966）及 Hall 之 Principles of Industrial Law（1969）。在一九六八年 Donovan 委员会发表其研究报告后，保守党及工党开始积极采取新的劳动政策，劳工立法陆续制定实施，使劳工法学受到刺激，四本重要著作应时而出：一为 Drake 氏之 Labour Law（1969, 2nd ed. 1973）；二为 Hepple and O'Higgens 之 Individual Employment Law（1970, 1976 再版改名为 Employment Law）；三为 Rideout 氏之 Principles of Labour Law（1971, 2nd ed. 1976）；四为 Freedland 氏之 The Contract of Employment（1976）。

综观英国劳工法学一般著作，可知在六十年代之前出版者，偏重于判例之整理采编及劳工立法之诠释。最近之著作，除特别注重理论体系外，并兼顾立法政策之评论。其次应特别提出的是，由于英国劳工法制特殊之背景及发展过程，一般劳工法著作，均不易阅读。瑞典斯德哥尔摩大学劳工法教授 Folke Schmidt 氏，对英国劳工法素有研究，曾谓：任何国家之劳工法多富于技术性规定，但此在英国特为显著，各时代之产物，累积一起，为其主要原因。在今日劳工法学者必须溯源至十九世纪刑事及民事之共谋罪及劝诱他人违反契约之理论，再穿越一八七一年工会法，一八七五年共谋罪及财产保护法，一九六五年劳资争议法，然后再进入一九七一年劳资关系法及一九七四年工会与劳动关系法，其路程迂回弯曲，堪称艰难，所以造成此项复杂状态之部分原因，系普通法上侵权行为不具有一称习惯性，遇有机会，即设法介入劳动关系。一九六四年 Rookes v. Barnard 一案，虽经一九六五年劳资争议法所修正，但在若干方面，其影响尚在。此种发展趋势所造成的一项结果，系英国劳工法之教科书均不易研读。[1]

2. 专题研究

在英国，专题研究之论著（Monographies），在数量上较德、

---

[1] 参阅 F. Schmidt 对 C. D. Drake 之 Labour Law 之书评（Book Review）（1974），C. L. J. 333.

法、日等国为少。推究其故，计有三点原因：其一，英国法系以判例为主，法律学者对法院判决之批评，较为保守；其二，英国法学崇尚实务，不若欧陆国家学者爱好理论思维；其三，在欧陆，内容充实之博士论文发表者甚多，教授升等例须出书，在英国则无此种习惯。[1] 惟应注意者，最近出版之法学专著，数量剧增，品质亦佳，其主要者计有三套丛书：一为 The Hamlyn Lectures 系专题演讲丛书，始自一九四九年，目前有二十六册，其关于劳工法著有 Otto Kahn-Freund 教授之 Labour and the Law (1972)；二为 Modern Legal Studies，始创于一九七〇年，目前有十余册，其中关于劳工法者，有 Whitesides 及 Hawker 合著之 Industrial Tribunals (1975)；三为 Law in Context，本丛书系采社会法学之综合方法，甚具价值，已出书数册，惜尚无关于劳工法之著作。

劳工法学之专门著作多在六十年代以后出版，此与劳工立法增加，具有密切关系。就其内容而言，可分为四类。第一类为关于劳资争议，其主要者有，Wedderburn 及 Davies 合著之 Employment Grievance and Disputes in Britain (1969)，Aaron 与 Wedderburn 合著之 Industrial Conflict: A Comparative Legal Survey (1972)，及 Kahn-Freund 与 Hepple 合著之 Laws Against Strikes (1972)。第二类为关于差别待遇及工作保障，其主要者有，Hepple 所著之 Race, Jobs and the Law in Britain (2nd ed, 1970)，Grundfield 所著之 Law of Redundancy (1971)，Anderman 所著之 Unfair Dismissals - How and Why the Law Works (1975) 及 Mcglyne 所著之 Unfair Dismissal Cases (1976)。第三类为关于一九七一年劳资关系法之检讨，其主要者有，Meekes 等著之 Industrial Relations and the Limits of Law (1975) 及 Thompson 及 Engleman 合著之 The Industrial Relations Act: A Review and Analysis (1975)。第四类为关于最近基本立法之诠释，其

---

[1] 参阅 H. C. Gutteridge, Comparative Law (1949), pp. 140-144. 关于英国法律崇尚实务、不爱好理论思维，Gutteridge 氏有极生动之描述 (p. 141)。

主要者有 Bercusson 所著之 The Employment Protection Act 1975（1976）及 Bull 氏所著 Sex Discrimination Act 1975（1977）。

3. 杂志及其他资料文献

英国主要基本法学杂志计有 Law Quarterly Review、Modern Law Review、Cambridge Law Journal 及 Current Legal Problems 四种，均登载劳工法论文，数量颇为可观。至于劳工法之专门杂志计有 Industrial Law Review（1946-1960）、British Journal of Industrial Relations（1963年，由伦敦政经学院出版），及 Industrial Law Journal（1972年由 Industrial Law Society 发行，Sweet & Maxwell 出版，系最专门权威之刊物）。

关于英国劳工法之研究，政府文件、全国联合工业协会（CBI）及全国工会联盟（TUC）出版物，均值参考。又英国政府对社会经济重大问题，均聘请专家学者，组织委员会从事研究，提出报告，作为施政立法之参考。就劳工法而言，最为重要者，系一八七一年以来五次组设之劳工问题委员会之报告，其最近一次系 Royal Commission on Trade Unions and Employers, Associations（1965-1968），由 Lord Donovan 担任主席。Donovan 委员会于一九六八年所提出之报告[1]及十一册研究论文（Research Paper），一九七二年 Robens Committee on Safety and Health at Work[2]及一九七七年 Bullock Committee on Industrial Democracy[3]之报告，均系研究英国劳工法不可欠缺之参考资料。

4. Otto Kahn-Freund 教授之贡献

研究英国劳工法，必须特别提及 Otto Kahn-Freund 教授对英国劳工法学之卓越贡献。Kahn-Freund 教授系德籍犹太人，柏林大学毕业，获有博士学位，曾任柏林劳工法院推事。一九二〇年代之德

---

[1] Cmnd. 3623（H. M. S. O. 1968）.
[2] Cmnd. 5034（H. M. S. O. 1972）.
[3] Cmnd. 6706（H. M. S. O. 1977）.

国，正是劳工法学体系研究鼎盛时期，Kahn‑Freund 教授适逢其会，深受影响。三十年代纳粹当政后，Kahn‑Freund 教授迁居英国，先后在伦敦大学及 Middle Temple（中寺）法律学院就读，历任伦敦大学及牛津大学教授，当选英国皇家学术院院士（F.B.A.），最近英国政府曾授与爵位，以表彰其对英国法学之贡献。

Kahn‑Freund 教授关于劳工法之论著甚多，其主要之论文计有三篇：The Legal Framework，收录于 A. Flanders 与 H. Clegg 主篇之 The System of Industrial Relations in Great Britain（1954. pp. 42 – 127）；Labour Law，收录于 M. Ginsberg 编集之 Law and Public Opinion in Twentyieth Century（1969）；Industrial Relation and Law‑Retrospect and Prospect，发表于 British Journal of Industrial Relations（1968）。主要专著计有二册：Labour Law: Old Traditions and New Developments（Toronto, 1968）；Labour and the Law（1972）。Kahn‑Freund 教授之研究，将英国劳工法学带进了一个新的领域。按传统英国劳工法学之著作，偏重于对判例之整理及立法之诠释。Otto Kahn‑Freund 教授则采比较法之观点，检讨英国劳工法规律劳动关系之功能。依 Kahn‑Freund 教授之发现，英国劳工法在规律劳动关系上，实际上仅扮演次要之角色，并认为从法社会学之观点言，亦仅应扮演如此之角色。基于其对劳工法基本功能之认识，Kahn‑Freund 教授曾深入分析集体谈判、团体协议、工会组织、劳资争议等主要劳动制度与法律之关系。这些充满智慧之研究，解开了英国劳工法之谜，对英国劳工法学之研究方向产生重大影响。[1] 诚如 Wedderburn 教授所谓：每一个研究英国劳工法之人，对 Kahn‑Freund 教授均感荷良深！[2]

（三）劳工法学与劳工法之发展

传统之英国劳资关系强调"劳动自主"与"法律止步"，与法

---

[1] Hepple and O'Higgens, op. cit, p. 307.
[2] K. W. Wedderburn, The Worker and the Law, p. 9.

律本身及法律人，殊少发生关联，专攻劳工法之学者不多，劳工法之学说理论向不发达，对劳工立法及法院实务，自无显著影响力之可言。一九六〇年代以来，基本劳工法陆续制定实施，使劳工法学之研究趋于活泼，劳工法并普遍成为大学法律教育科目，在十余年间产生了许多新的教科书、专门著作、注释书及论文，建立了现代劳工法学之理论基础，对于劳工法之解释适用及劳工立法政策，必将产生深远之影响。在 Ford Motor Co., Ltd. v. A. U. E. F. W. and T. G. W. U. 一案，法院曾特别斟酌 Kahn-Freund 教授之理论，以解释团体协议之法律性质。权威学者之见解成为判决之依据，对劳工法之形成及发展，具有直接之贡献。

四、传统、趋势及启示

一、传统

集体谈判（Collective bargaining）与国家立法（Legislation）在规律劳动关系上所扮演之角色，决定一个国家劳工法之特色、体系结构与法源理论。至于一个国家究竟采取集体谈判抑或国家立法，系由❶工业发展之时期，❷政治民主化之程序，以及❸工业发展与政治民主化在时间化之顺序关系而决定。

英国系世界第一个工业国家，最先发生劳工问题，但是十八世纪末叶之国会系代表资产阶级及地主之利益，不能积极制定劳工保护立法；普通法法院基于个人自由主义思想，对于劳动者组织工会，企图以集体力量改善劳动条件之运动，更是采取严厉压抑手段。在工业革命初期，众多劳动者业已沦为资本之附庸及机器之奴隶，不但未受到法律之保护，反而受到法律压迫。在此情形下，劳动者开始产生所谓之"阶级意识"，组织工会，依赖团结自助，经过长期艰难奋斗，在十九世纪末叶取得政权之际，在很多重要行业已经能够依集体谈判之方式，与雇主谈判、决定劳动要件。在取得参政权后，更利用国会立法废止法院不利于劳工运动之判决，其著者有一八七一年之 Trade Union Act，一八七五年 Conspiracy and Protection of Property Act，一九〇六年之 Trade Disputes Act，一九一三年之 Trade Unions Act 及一九六五年之 Trade Disputes Act。所应注意者，这些法律之基本目的，不是积极地在规律劳资问题，而是消极地排除法院对劳工运动之限制，使工会能够以组织之劳动力量，与雇主从事团体谈判，决定劳动条件及解决劳资争议之程序。

集体谈判系英国劳资关系之基本体制，其所强调者，系当事人自治，即所谓之集体自由放任主义。国家立法仅居于从属、补充、次要之地位，一方面在于确保工会合法地位，一方面在于济集体谈判制度之不足，以保护劳工之权利。要之，在规律劳动关系上，英国法律扮演的角色，极为有限。Wedderburn 教授曾谓："传统上法律仅扮演着消极之角色，局外观察家常难发现英国劳工法之存在。"[1]

二、发展趋势

二次大战之后，尤其是六十年代以来，英国之经济每况愈下，陷于严重困境。失业人口众多，国际收支不平衡，英镑贬值，通货膨胀，物价高涨。造成英国经济危机之因素甚多，例如帝国之崩溃及殖民地之丧失，二次大战亏损过巨、社会阶级对立，传统生活习惯、教育方式及价值观念，不能适应急速变迁社会之需要，以及美、德、日等国经济成长快速，致使英国之商品丧失在国际贸易上之竞争力等。然而，在众多因素当中，最受重视者，系劳资关系之失调，其最显著之指标即为罢工。

一九六五年，英国政府设立一个劳动问题委员会，由 Donovan 法官担任主席（简称为 Donovan 委员会），以三年时间，从事极为广泛调查、听证，同时前往德国及瑞典考察，于一九六八年发表一份内容详尽之报告，除分析现行制度之缺点外，并提出改进建议。

---

[1] K. W. Wedderburn, op. cit, p. 13.

Donovan报告中引起最大争议之点，系应如何强化法律规范劳动关系之功能。

一九七〇年，保守党大选获胜后，于一九七一年公布施行Industrial Relations Act 1971（一九七一年劳资关系法）。本法为英国劳工法制史上之空前创举，其基本目的在将整个劳资关系纳入法律体制之内。工会对此激烈反对，发动全面罢工，加以抵制。一九七四年大选，工党当政，随即制定The Trade Union and Labour Relations Act 1974（一九七四年工会及劳动关系法），废止一九七一年劳资关系法。此外，工党政府并与全国工会联盟（T. U. C.）订立了所谓之Social Contract（社会契约），工会同意限制使用集体谈判制度，以支持政府实行物价政策；政府承诺制定法案，加强保障劳工权利。迄至目前所制定之主要劳工立法计有：Employment Protection Act 1975（一九七五年雇佣保护法），Redundancy Payment Act 1975（一九七五年遣散支付金法），Sex Discrimination Act 1975（一九七五年男女差别待遇法）及Trade Union and Labour Relations (Amendment) Act 1975（一九七五年工会及劳动关系修正法）。一九七六年Bullock Committee on Industrial Democracy（Bullock工业民主委员会），发表其研究报告，多数意见赞成增设劳工董事，加入董事会，参与企业经营，建立工业民主制度。工党政府表示，原则上将采纳此项建议，尽速完成立法手续。

综上所述，在一九七〇年代以来，数年间，劳工立法相继实施。在英国劳工法制史上，未曾有一个时期，法律制度得到如此之重视。英国劳工法正迈进一个新的阶段。

三、英国劳工法制之启示

英国二百年来解决处理劳资关系之制度，具有空间及时间上之独特性，固不可盲目抄袭，但其经验教训，可供参考，实无疑问。

首先应特别指出者，系劳工法所要规律之社会力量。抽象言之，一为资本，一为劳力。具体言之，一方面是个别企业公司及其组织团体，其力量在于资本及企业组织，其追求者，系利润；他方面是众多以出卖劳力谋生之劳工及其组织力量（工会），其力量在于劳力及团结，其所求者系安全工作环境、合理工资及社会财富公平分配。资本与劳力是二个不同之力量，代表不同之利益。然而，劳资双方在其利益冲突中，却有一项共同利益，即应有合理之规律及程序来调和冲突之利益。二百年来英国劳工法制发展充分显示，我们不能期待法律根本消除利益冲突，但劳工法确能提供一些基本必要之规则及程序，调整资本与劳力二种利益，协助建立良好之劳资关系。

其次，英国劳工法制之发展，告诉我们一项基本问题，即劳工问题之解决，不能完全让由劳资双方各凭力量集体谈判。一九七七年八月起英国工党政府与工会于两年前缔订之"社会契约"（social contract）已告终止。关于劳动条件（尤其是工资），又恢复集体谈判制度，有识之士认为英国又"回到森林里"（back to jungle）。其语虽谑，带有传统幽默性，但确实含有若干真理。然而，应注意者，我们亦难绝对期待国家立法能够充分有效地规律劳资关系，因为在现代自由经济国家，企业者之力量至为强大，若无健全之工会，甚多保护劳工之法律，恐有"徒法不能自行"之虞。因此，如何坚持保护劳工之社会法基本思想，并能兼顾公益，尤其是企业之经济负担能力；如何善用国家保护立法，又能兼顾劳资双方当事人自治原则，确是劳工法面临之永恒难题，也是我们目前面临的难题。[1]

---

[1] Otto Kahn-Freund, Labour and the Law, p. 270; Collective Bargaining and Legislation: Complementary and Alternative Sources of Rights and Obligations, in: Ius Private Gentium (Festschrift fur Max Rheinstein), 1969, Bd. II, S. 1023.

著作权合同登记　　图字:01-96-662

图书在版编目(CIP)数据

民法学说与判例研究 第二册/王泽鉴著.—北京:中国政法大学出版社,1997.11

(王泽鉴民商法学研究著作系列)

ISBN 7-5620-1613-5

Ⅰ.民… Ⅱ.王 Ⅲ.民法－理论研究－文集 Ⅳ.D913.01-53

中国版本图书馆CIP数据核字(97)第23601号

书　　名	民法学说与判例研究 第二册
出 版 人	李传敢
经　　销	全国各地新华书店
出版发行	中国政法大学出版社
承　　印	固安华明印刷厂
开　　本	880×1230　1/32
印　　张	10.75
字　　数	295 千字
印　　数	0001－4000
版　　本	2005 年 1 月修订版　2005 年 1 月第 1 次印刷
书　　号	ISBN 7－5620－1613－5/D・1572
定　　价	24.00 元
社　　址	北京市海淀区西土城路 25 号　　邮政编码 100088
电　　话	(010)62229563(发行部)　62229278(总编室)　62229803(邮购部)
电子邮箱	zf5620@263.net
网　　址	http://www.cuplpress.com (网络实名:中国政法大学出版社)
声　　明	1. 版权所有,侵权必究。 2. 如发现缺页、倒装问题,请与出版社联系调换。

本社法律顾问　　北京地平线律师事务所